CONTOS GÓTICOS RUSSOS

CONTOS GÓTICOS RUSSOS

TRADUÇÃO DO RUSSO E NOTAS
POR OLEG ALMEIDA

SUMÁRIO

Prefácio	7
NIKOLAI GÓGOL *O Retrato*	15
ALEXEI TOLSTÓI *A Família do* Vurdalak	107
ALEXEI TOLSTÓI *O Encontro Trezentos Anos Depois*	153
IVAN TURGUÊNEV *Os Fantasmas*	189
FIÓDOR DOSTOIÉVSKI Bobok	243
ANTON TCHÊKHOV *O Monge Negro*	273
Sobre os Autores	327

PREFÁCIO

De onde vêm os espectros?

(Introdução à literatura gótica russa)

Os contos reunidos neste livro são chamados de "góticos" em alusão àquele gênero específico, não só literário como artístico em geral, cujas obras parecem, ao mesmo tempo, belas e assustadoras, simples e imponentes, reais e oníricas. Quando nos referimos à arquitetura gótica, nossa memória traz à tona as catedrais da Idade Média espalhadas por toda a Europa, e suas fachadas e torres austeras e majestosas, ornadas de gárgulas e outras figuras bizarras, criam uma verdadeira fantasmagoria em nossa mente. Quando nos propomos a falar das letras góticas, imaginamos logo um soturno castelo, uma casa de campo mal-assombrada ou um convento misterioso, onde algum personagem marcante presencia diversos acontecimentos estranhos, incompreensíveis ou então perigosos em demasia e acaba, conforme lhe ordenar a inspiração autoral, conseguindo uma brilhante vitória ou sofrendo uma trágica derrota ao defrontá-los. O efeito que produz a leitura de uma história destas assemelha-se ao gerado pela contemplação de um edifício daqueles. Quem não ficaria arrepiado em face de suas peripécias mirabolantes, por menos que se acredite nelas; quem seria capaz de esquecer seus heróis extraordinários, por mais pavor que se sinta na frente deles?

A literatura gótica nasceu na Inglaterra, em meados do século XVIII,[1] e desenvolveu-se a pleno graças a Ann Radcliffe, cujos escritos (*Um Romance Siciliano*, *O Romance da Floresta*, *Os Mistérios de Udolpho*, entre outros) arregimentaram legiões de admiradores tanto no país de origem quanto além das suas fronteiras.[2] Desde o aparecimento dos romances *Frankenstein ou o Prometeu Moderno* (1818), de Mary Shelley, e *Melmoth ou o Homem Errante* (1820), de Charles Maturin, suas primeiras obras-primas indiscutíveis, sempre foi popular, se não ovacionada pelos leitores. Atravessou o oceano para alcançar uma das suas expressões máximas nos contos fantásticos de Edgar Allan Poe; chegou ao apogeu na época da Rainha Vitória, com a publicação de *O Médico e o Monstro* (1886), de Robert Louis Stevenson, e *O Grande Deus Pã* (1894), de Arthur Machen, *Pesares de Satã* (1895), de Marie Corelli, e *Drácula* (1897), de Bram Stoker; continuou progredindo no século XX, quando toda

---

[1] O romance inaugural dessa vertente foi *O Castelo de Otranto*, de Horace Walpole, lançado em 1764 e subintitulado, em sua segunda edição, "uma história gótica" (*a gothic story*).

[2] Consta, por exemplo, que Fiódor Dostoiévski conheceu os principais romances de Ann Radcliffe, lidos pelos seus pais em voz alta, ainda na infância, e ficou profundamente impressionado com eles, e que Jane Austen se inspirou nesses romances para criar seu livro *A Abadia de Northanger*.

uma plêiade de autores talentosos, de Howard Phillips Lovecraft a Stephen King, levou adiante sua tradição consolidada. Está firme e forte nos dias de hoje, e suas tiragens não cessam de aumentar no mundo inteiro. Trata-se, em suma, de uma arte idônea e longeva que foi duplamente testada, pela inconstância do gosto humano e pelo próprio tempo, e passou em ambos os testes.[3]

Do ponto de vista acadêmico,[4] as obras de ficção consideradas "góticas" dividem-se em várias categorias distintas, com especial destaque para o conto de suspense (*the short story of suspense*), o conto de terror (*the short story of terror*), o conto de fundo histórico (*the historical gothic tale*) e a paródia dos escritos góticos (*satires on the tale of terror*). Os contos russos que seguem representam, em maior ou menor grau, todas essas categorias. *O Retrato*, de Nikolai Gógol, protagonizado por um jovem de tipo romântico, um pobre pintor subestimado que ousa recorrer a quaisquer meios, inclusive às forças demoníacas, para melhorar de vida, é um conto de terror em seu estado puro e consagrado. *A Família do* Vurdalak e *O Encontro Trezentos Anos Depois*, de Alexei Tolstói, enfocam

---

[3] Boa parte das obras mencionadas foi traduzida para o português e editada, nesses últimos anos, pela Martin Claret: Edgar Allan Poe. *Contos de Suspense e Terror*; *Frankenstein*, *O Médico e o Monstro*, *Drácula* (edição especial); *Grandes Contos* de H. P. Lovecraft, etc.

[4] O conceito atual da literatura gótica foi elaborado por Edith Birkhead (*The Tale of Terror: a Study of the Gothic Romance*, 1921), Montague Summers (*The Gothic Quest: a History of the Gothic Novel*, 1938) e Devendra Varma (*The Gothic Flame*, 1957), a par de inúmeros estudiosos de menor projeção.

as feéricas aventuras de um fidalgo intrépido e de uma dama galante, que tentam rechaçar, com uma cruz milagrosa nas mãos, seus pesadelos noturnos e diurnos, e patenteiam um intenso colorido histórico, fartamente matizado por reminiscências folclóricas da antiga Europa. *Os Fantasmas*, de Ivan Turguênev, que narra as incríveis viagens de um fazendeiro ávido por emoções jamais encontradas em seu banal cotidiano e revela a provável familiaridade do autor com o absinto[5] ou similares substâncias alucinógenas, possui as características originais de um conto de suspense. Dedicado à visita de um escritor malsucedido e amiúde embriagado a um dos cemitérios de São Petersburgo, *Bobok*, de Fiódor Dostoiévski, satiriza, sem dó nem piedade, os temas góticos como tais e provoca, com a morbidez de seu humor, risadas e calafrios simultâneos. E, afinal, *O Monge Negro*, de Anton Tchêkhov, ambientado no interior da Rússia, em Moscou e na Crimeia onde um professor universitário contracena com um ente sobrenatural a interferir fatalmente em sua vida, também se enquadra no esquema básico dos contos de suspense, mas, ao contrário d'*Os Fantasmas*, oferece uma interpretação racional dos eventos ante os quais a razão costuma bater em retirada. Assim, bastaria ler esses seis contos para adquirir uma visão bastante ampla da literatura gótica russa; entretanto, quem se interessasse por ela não se satisfaria, sem dúvida, com essa leitura introdutória e procuraria

---

[5] Bebida de alto teor alcoólico que continha um potente alcaloide, chamado "tujona", e era consumida por muitos artistas e boêmios europeus no século XIX.

por outros textos de igual relevância que pudessem complementá-la.

Graves e numerosos são os questionamentos filosóficos que os literatos russos fazem de praxe em suas obras, por mais recreativo que seja o conteúdo delas. Para que nascemos, qual seria a finalidade de nossa passagem terrena, por que ela é tão rápida e, muitas vezes, tão custosa?... será que vivemos corretamente, de forma que nossas virtudes sobrepujem nossos pecados, e mereceremos perdão na hora da morte?... o que é a morte em si, o fim de toda e qualquer existência possível ou apenas a transição para uma existência alternativa, e como resistir ao temor, à aflição e ao desgosto a ela relacionados?... não há nenhuma realidade objetiva que não seja a nossa ou um espaço paralelo, habitado por seres que não se parecem conosco, avizinha-a sem repararmos nele?... de onde vêm os espectros que nos surpreendem cruzando, vez por outra, o nosso caminho: resultam de um fenômeno físico, ainda não explicado nem sequer explorado pela ciência, ou acompanham uma daquelas patologias mentais que precisam de atenção médica? — são essas as dúvidas que afloram, volta e meia, nas páginas dos contos góticos russos, quer os tomemos a sério quer não. Pode ser que um dos leitores, atento à problemática existencial, fique um pouco cismado com eles, partilhando a angústia do fazendeiro idealizado por Turguênev, o qual se queixa ao cabo de sua jornada vertiginosa: "Mas o que significam aqueles sons puros, agudos, intensos, aqueles sons de gaita, que ouço tão logo se diz, em minha presença, que alguém faleceu? Tornam-se cada vez mais fortes, mais penetrantes... E por que é que estremeço, tão dolorosamente, só de pensar na inexistência?". Pode ser que outro leitor, cético no tocante às matérias esotéricas, imite o escritor conduzido pela prolífica fantasia de Dostoiévski ao reino dos mortos-vivos, dando de ombros e seguindo, com um sorriso desconfiado, seu rumo habitual. Em todo caso, nenhum dos dois permanecerá insensível ao charme das histórias lidas, propensas a cativar até mesmo "uma das imaginações mais incrédulas" que houver, nem deixará de reconhecê-las esteticamente valiosas. Pois, no dizer do velho e sábio Shakespeare, que fez os espectros atuarem, em suas peças, ao lado dos homens, "mais coisas há, nos céus e cá na terra, do que a filosofia tem sonhado"![6]

Oleg Almeida

---

[6] *There are more things in heaven and earth… Than are dreamt of in your philosophy* (*Hamlet*, Ato I, Cena V: tradução de Oleg Almeida).

CONTOS GÓTICOS RUSSOS

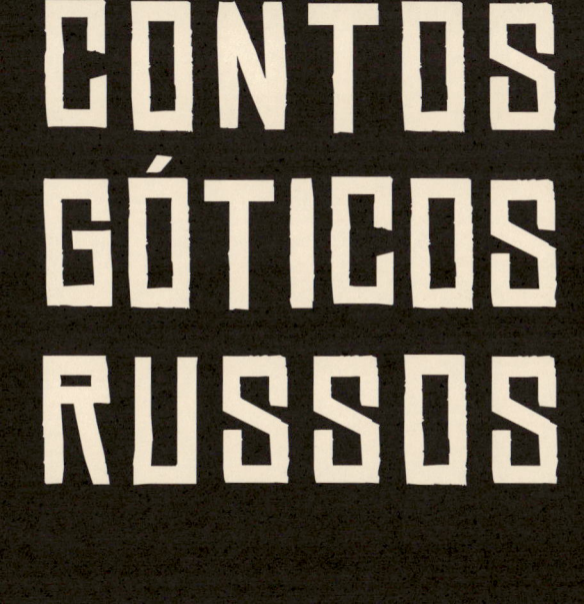

Nikolai Gógol

O Retrato

Parte I

Não se detinha, em parte alguma, tanta gente como em face de uma lojinha de pinturas no Pátio de Chtchúkin.[1] E, de fato, essa lojinha apresentava uma coleção variadíssima de raridades: havia lá, sobretudo, quadros pintados a óleo e cobertos de verniz verde-escuro, cujas molduras de ouropel[2] eram amarelo-escuras. O inverno com suas árvores brancas, o pôr do Sol, tão rubro quanto as labaredas de um incêndio, e um camponês flamengo, com seu cachimbo e seu braço retorcido, que antes se assemelha a um galo indiano de camisa com punhos do que a uma pessoa — assim são, em regra, os temas de tais pinturas. Cumpre acrescentar diversas gravuras: o retrato de Khozrev--Mirzá, com sua *chapka*[3] feita de pele de carneiro,

---

[1] Imensa praça comercial, localizada no centro histórico de São Petersburgo, cujo nome remete ao do negociante Ivan Chtchúkin, que era, no século XVIII, o primeiro dono desse terreno.
[2] Liga metálica de cobre que imita o ouro.
[3] Chapéu de peles usado no inverno (em russo).

e as imagens de alguns generais, todos de tricórnio e com nariz torto. Além do mais, as portas de uma lojinha dessas costumam servir de mostruário àquelas maçarocas de obras que ficam dependuradas nelas, às grandes estampas que testemunham o engenho inato do homem russo. Numa dessas estampas aparece a *czarevna*[4] Miliktrissa Kirbítievna; na outra, a cidade de Jerusalém, por cujas casas e igrejas rolou, sem a mínima cerimônia, a tinta vermelha, manchando, pelo caminho, parte da terra e dois mujiques[5] russos a rezarem de luvas. Poucos são, de ordinário, os que compram aquelas obras, mas os que as contemplam embasbacados são incontáveis. Um lacaio vadio já está bocejando, por certo, na frente delas, enquanto segura as marmitas com o almoço que traz de uma taberna para seu amo, e não há dúvida de que esse amo vai tomar uma sopa não muito quente. E ficam ao seu lado, por certo, um soldado de capote, aquele cavalheiro do mercado de pulgas, que vende dois canivetes, e uma ambulante de Ókhta[6] com uma caixa repleta de calçados nas mãos. Cada qual admira à sua maneira: os mujiques costumam apontar com dedos; os fidalgos examinam com seriedade; os rapazotes, lacaios e artesãos põem-se a rir e a reptar um ao outro com os desenhos caricatos; os velhos lacaios, que

---

[4] Filha do czar, princesa (em russo).
[5] Apelido coloquial e, não raro, pejorativo dos camponeses russos.
[6] Um dos bairros populares de São Petersburgo, habitado, na época, por artesãos e pequenos comerciantes.

usam capotes de *frise*,[7] olham só para se embasbacar com alguma coisa; e as vendedeiras, aquele jovem mulherio russo, acorrem por mero instinto, a fim de escutar o que está dizendo o povo falastrão e ver o que está observando.

E foi nesse meio-tempo que parou sem querer, defronte àquela lojinha, um jovem pintor, chamado Tchartkov, que passava por perto. Seu velho capote e as demais roupas nada garbosas mostravam que esse homem se dedicava, abnegado, à sua vocação e não tinha tempo para cuidar do vestuário, sempre tão misteriosamente atrativo para a mocidade. Parou defronte à loja e, antes de tudo, riu, com seus botões, daqueles quadros feiosos. Por fim, entregou-se a uma reflexão involuntária: começou a pensar em quem estaria precisando deles. Não achava surpreendente que o povo russo se deslumbrasse com toda espécie de *Yeruslan Lázarevitch*, de *comilão* e *beberrão*, de *Fomá* e *Yerioma*, sendo os objetos representados bem acessíveis e compreensíveis para o povo. Mas onde andariam os compradores daqueles borrões a óleo, daquela mescla de cores sujas? Quem necessitaria de tais camponeses flamengos, de tais paisagens vermelhas e azuis que revelavam certa pretensão de atingir um patamar algo superior da arte, mas, na verdade, traduziam a humilhação dela em toda a sua profundeza? Não pareciam, ao todo, obras de uma criança autodidata,

---

[7] Tecido de lã, grosso e encorpado, de que se faziam casacos e outras roupas hibernais (em francês).

senão se perceberia nelas, apesar de insensíveis e caricatas em sua totalidade, um rasgo artístico. Não, apenas se via ali uma simples bronquice, uma mediocridade impotente e caduca, que se pusera, arbitrária, nas fileiras da arte, conquanto seu lugar fosse em meio aos baixos ofícios, uma mediocridade que não deixava, porém, de seguir seus pendores, imiscuindo esse seu ofício na arte sublime. As mesmas tintas, o mesmo estilo, a mesma mão acostumada, calosa de tanto borrar, antes a mão de um autômato feito de qualquer jeito que a de um homem!... E o pintor se quedou diante daqueles quadros sujos por tanto tempo que até mesmo se esqueceu deles, ao passo que o dono da loja, um homenzinho reles que trajava um capote de *frise* e não fazia a barba desde o domingo passado, já vinha falando com ele, e pechinchava, e oferecia um preço sem ter perguntado pelo que era de seu agrado nem pelo que lhe apetecia comprar.

— Por aqueles mujiquezinhos, e por esta paisagenzinha, cobrarei apenas uma branquinha.[8] Que pinturas, hein? Simplesmente machucam o olho: acabam de chegar da bolsa, o verniz nem secou ainda! Ou então, por exemplo, o inverno: compre esse inverno, venha! Só quinze rublos! Só a moldura já vale ouro! Mas que inverno bonito, hein? — Com o provável intento de demonstrar toda a boniteza daquele inverno, o comerciante deu um piparote no quadro. — O senhor

---

[8] Gíria arcaica russa que designava uma nota bancária de 25 rublos.

manda embalá-las, todas juntinhas, e levá-las até sua casa? Onde é que se digna a morar? Ei, garotão, traz aí uma cordinha!

— Espere, meu caro, não se apresse assim — respondeu o pintor, recobrando-se e vendo que o hábil comerciante já se dispunha, sem mais brincadeiras, a embalar os quadros. Um pouco envergonhado por não comprar nenhum deles, depois de passar tanto tempo na loja, disse:

— Espere, que vou olhar: talvez haja aí uma coisinha que me interesse... — A seguir, inclinou-se e ficou apanhando diversos quadros amontoados no chão, todos velhos, descoloridos, empoeirados, que não gozavam, pelo visto, prestígio algum. Eram antigos retratos de ancestrais, cujos descendentes haviam decerto sumido no oco do mundo, imagens de pessoas totalmente desconhecidas, telas esburacadas e molduras sem douradura: numa palavra, um monte de trastes inúteis. Contudo, o pintor se pôs a examiná-los, cismando no íntimo: "Quem sabe se não encontrarei algo?". Ouvira amiúde contarem que as obras de grandes mestres eram descobertas, de vez em quando, no lixo dos estampeiros.

Ao ver onde o jovem se metera, o comerciante deixou toda azáfama de lado e, reavendo uma postura habitual e uma imponência cabível, plantou-se de novo às portas. Chamava por transeuntes e apontava, com uma mão, para sua loja: "Venha aqui, meu querido! Eis aqui as pinturas: acabam de chegar da bolsa! Venha ver, hein?". Gritou até não poder mais e, principalmente, em vão, conversou até se fartar com o vendedor de farrapos que também se mantinha às portas de sua lojinha, fronteira à dele, e finalmente, lembrando que um freguês estava ainda em seu estabelecimento, virou as costas ao povo e foi entrando: "Pois bem, meu querido, escolheu alguma coisa?".

Mas o pintor estava imóvel, já havia bastante tempo, diante de um retrato cuja grande moldura, outrora magnífica, só conservava agora poucos vestígios brilhosos de douradura.

Era um ancião de rosto bronzeado, anguloso, murcho; seus traços deviam ter sido apreendidos num momento de ímpeto convulsivo, e a força que irradiavam não era aquela do norte: as chamas meridionais se encarnavam neles. O personagem estava envolto num largo traje asiático. Por mais danificado e empoeirado que estivesse aquele retrato, o jovem avistou, mal tirou a poeira do rosto, as pinceladas de um pintor talentoso. O quadro parecia inacabado, mas sua energia era assombrosa. E o mais extraordinário eram os olhos: decerto o artista usara, para representá-los, todo o vigor de seu pincel e todo o seu zelo perseverante! Eles estavam olhando, mui simplesmente, olhando de dentro daquele retrato, como se destruíssem a harmonia dele com sua estranha vivacidade. Quando o jovem levou o retrato até as portas, aqueles olhos se tornaram mais penetrantes ainda. E acabaram por suscitar quase a mesma impressão ao povo. Uma mulher, que se postara atrás do jovem, exclamou: "Olha, mas olha!" e recuou assustada. Com uma sensação desagradável, que nem saberia definir, ele pôs o retrato no chão.

— Compre, pois, o retrato! — disse o dono da loja.
— Quanto é? — perguntou o pintor.
— Dê-me três *tchetvertaks*,[9] que não sou tão sovina assim!
— Não dou, não.
— Quanto me dá, então?
— Duas *grivnas*[10] — respondeu o pintor, aprontando-se para ir embora.
— Eta, que preço é que inventou! Mas não se pode comprar nem a moldura com duas *grivnas*! Será que vai comprar amanhã? Senhor, hein, senhorzinho, volte aqui! Será que não dá uma *grivnazinha* a mais? Tudo bem, pode levar: dê essas duas *grivnas* aí! Juro que é só para começar: o senhor é meu primeiro cliente.

Dito isso, fez um gesto que aparentava dizer: "Tudo bem, que se dane o quadro!".

E foi assim que Tchartkov adquiriu, sem ter esperado por isso, um velho retrato e, ao mesmo tempo, pensou: "Por que o comprei? Para que diabos preciso dele?". Todavia, não tinha mais nada a fazer. Tirou duas *grivnas* do bolso, entregou-as ao comerciante e foi embora, levando o retrato debaixo do braço. Lembrou, pelo caminho, que essas duas *grivnas* gastas eram as últimas que lhe sobravam. E, de repente, seus pensamentos se ensombrearam: no mesmo instante ficou desgostoso, imerso num vácuo apático. "Diabo! Como se vive mal neste mundo!" — disse, com a sensação de um russo cujos negócios não vão muito bem.

---

[9] Setenta e cinco copeques (três quartos de rublo).
[10] Vinte copeques.

Caminhava, quase maquinalmente, a passos rápidos, cheio de indiferença. A luz vermelha do arrebol iluminava ainda metade do firmamento, roçando de leve, tépida, nos prédios voltados para o poente; nesse ínterim, o luar já brilhava, frio, azulado e cada vez mais luminoso. Ligeiras, semitransparentes, as sombras daqueles prédios e as das pernas de quem lá passava esparramavam-se, feito caudas, pelo solo. E o pintor já dirigia amiúde os olhos para o céu, alumiado por uma luz fina, diáfana, algo capciosa, e, quase ao mesmo tempo, as frases "que tom sutil!" e "que droga, diabo!" escapavam da sua boca. E, ajustando o retrato que deslizava volta e meia sob o seu braço, acelerava o passo.

Cansado e todo molhado de suor, arrastou-se até a décima quinta linha da ilha Vassílievski,[11] onde morava. Esforçou-se para subir, ofegante, uma escada banhada em lavadura e recamada de marcas deixadas por gatos e cachorros. Batendo à porta, não teve resposta alguma: seu criado não estava em casa. O pintor se encostou numa janela e ficou esperando pacientemente, até ressoarem atrás dele, por fim, os passos de um rapagão de camisa azul. Doméstico e modelo, triturador de tintas e varredor do chão, que sujava de imediato com suas botas, esse rapagão se chamava Nikita e costumava, quando o patrão saía, passar o tempo todo fora de casa. Não foi logo que acertou com a chave o buraco da fechadura,

---

[11] Antigo bairro de São Petersburgo cujas ruas são chamadas de "linhas".

inencontrável por causa da escuridão. Afinal, destrancou a porta. Tchartkov entrou em sua antessala, insuportavelmente gelada como sempre ocorre nas casas dos pintores, que, aliás, nem reparam nisso. Sem entregar o capote a Nikita, passou, vestido, para seu estúdio, um cômodo quadrado, espaçoso, mas de teto baixinho e com janelas propensas a gear, atulhado de toda espécie de badulaques artísticos: fragmentos de braços de gesso, chassis recobertos de telas, quadros mal esboçados e abandonados, tapeçarias esparsas pelas cadeiras. Exausto como estava, tirou o capote, colocou distraidamente o retrato, que acabava de trazer, entre duas telas pequenas e desabou sobre um sofazinho estreito, acerca do qual não se poderia dizer que estava revestido de couro, porquanto uma fileira de miúdos pregos de cobre, que prendiam outrora o tal de revestimento, ficara, havia tempos, apartada dele, e o próprio couro jazia, solto, em cima dos pregos, de sorte que Nikita guardava, embaixo daquele couro, as meias pretas, as camisas e todas as roupas sujas. Primeiro sentado e depois repimpado, o quanto era possível repimpar-se num sofá tão estreito assim, acabou pedindo uma vela.

— Não tenho velas — disse Nikita.
— Como não tem?
— Nem ontem tinha — respondeu Nikita.

O pintor recordou que, de fato, não havia velas ainda na véspera; então se tranquilizou e ficou calado. Permitiu ao criado que o despisse e vestiu seu roupão surrado e perfurado.

— Outra coisa: o locador veio aqui — disse Nikita.

— Para cobrar o aluguel, não é? Já sei! — disse o pintor, com um gesto indolente.

— Só que não veio sozinho — acrescentou Nikita.

— Veio com quem?

— Não sei quem era aquele... Um policial.

— Por que viria com um policial?

— Sei lá! Disse que o senhor não pagava mais o aluguel.

— Não pagava, e daí?

— Daí, não sei bem: ele disse que, se o senhor não queria pagar, tinha de cair fora do apartamento; foi isso que disse... E os dois queriam vir outra vez, amanhã.

— Que venham — disse Tchartkov, triste e indiferente. E seu sombrio estado de espírito dominou-o inteiramente.

Esse jovem Tchartkov era um pintor cujo dom prometia mundos e fundos: de lampejo em lampejo, de átimo em átimo, seu pincel revelava capacidade de observar, imaginação e forte impulso para chegar mais perto da natureza. "Veja bem, meu caro", dizia-lhe, com frequência, seu professor: "você tem um talento, e seria até um pecado se acaso o desperdiçasse. Só que não tem paciência. Algo lhe agrada, algo o seduz, e eis que se dedica apenas a isso, e nada mais presta para você, e não se importa mais com o restante nem mesmo quer vê-lo. Tome cuidado, pois, para não se tornar um artista em voga. É que já agora essas suas tintas começam, não sei por quê, a berrar demais. Seu desenho é desleixado e, vez por outra, simplesmente fraco: não dá para discernir a linha; porém, é atrás da luz popular que você corre, atrás daquilo que salta logo aos olhos. Assim, veja se entende, é que adotará a maneira inglesa. Cuidado aí, que a alta-roda já o atrai pouco a pouco; eu cá percebo que põe, às vezes, um lenço garrido no pescoço, que usa um chapéu espalhafatoso... Isso é atraente, sim, e pode ser que acabe pintando aqueles quadrinhos apreciados, aqueles retratozinhos pagos. Só que o talento não se desenvolve, mas se desperdiça com isso. Seja paciente. Reflita em cada trabalho que fizer e deixe a janotice de lado: que os outros se endinheirem daquele jeito. O que for seu não fugirá de você".

Em parte, o professor tinha razão. De fato, esse nosso pintor queria, de vez em quando, cair na farra, exibir-se... numa palavra, colocar, aqui ou acolá, sua juventude à mostra. Sabia, não obstante, controlar seus arroubos. Por momentos, podia esquecer-se de tudo, mal empunhava um pincel, e só o largava depois como quem acordasse de um belo sonho interrompido. Seu gosto se desenvolvia a olhos vistos. Ele não entendia ainda toda a grandeza de Rafael, mas já se empolgava com as largas e céleres pinceladas de Guido, parava diante dos retratos de Ticiano,[12] admirava os mestres flamengos. A penumbra que envolvia aqueles velhos quadros não se dissipara ainda aos seus olhos, porém ele já vislumbrava algo que o levava a discordar, em seu âmago, do professor, para quem a perfeição dos

---

[12] Rafael Sanzio (1483-1520), Guido Reni (1575-1642) e Ticiano Vecellio (c. 1473-1576) foram grandes expoentes da arte italiana nas épocas renascentista e barroca.

pintores antigos era inacessível para os hodiernos. Até mesmo lhe parecia que o décimo nono século chegava, em certo sentido, a ultrapassá-los consideravelmente, que a imitação da natureza era, de certo modo, mais viva, mais animada e mais precisa em nossos dias; em suma, ele raciocinava, nesse caso, igual aos jovens que já entendem de certas coisas e orgulham-se disso em sua percepção interior. Aborrecia-se, por vezes, ao ver um pintor viajante, francês ou alemão e nem sempre artista por vocação, deixar todo mundo extasiado apenas com seu estilo rotineiro, a desenvoltura de seu pincel e a viveza de suas cores, e acumular, num piscar de olhos, uma vultosa fortuna. Isso não lhe vinha à mente quando, todo absorto em seu trabalho, ele se esquecia de beber, de comer e do mundo inteiro, mas quando, por fim, sua penúria se tornava premente em demasia, quando não havia mais com que comprar pincéis e tintas, quando o locador importuno voltava, umas dez vezes por dia, a cobrar aluguel. Então se pintava, em sua imaginação faminta, o invejável destino de um artista ricaço; então lhe surgia mesmo aquela ideia que surge frequentemente numa cabeça russa, a de abandonar tudo e de mergulhar na esbórnia para desafiar a todos. Agora estava à beira dessa situação.

— Seja paciente, sim, seja paciente! — murmurou, desgostoso. — Só que a paciência também chega ao fim. Seja paciente! E com que dinheiro é que vou almoçar amanhã? Ninguém me emprestará um tostão furado, e, nem que eu fosse vender todos os meus quadros e desenhos, ganharia duas *grivnas* com eles. Na certa, são todos úteis: percebo isso; não foi à toa que fiz cada um deles; aprendi, com cada um deles, umas coisinhas. Mas qual seria a utilidade? Esses ensaios, essas tentativas, não passam de ensaios e tentativas, e nunca vão acabar. E quem é que os compraria, sem me conhecer pelo nome; quem é que precisaria daqueles desenhos de antiguidades, que fiz na sala de modelos, ou daquele "Amor de Psiquê"[13] que nem terminei, ou a perspectiva deste meu quarto, ou o retrato de meu Nikita, embora seja melhor, palavra de honra, que os retratos de algum pintor aclamado? Enfim, o que estou fazendo? Por que me torturo assim, mexendo, feito um escolar, com o bê-á-bá, enquanto poderia brilhar como todos os outros e ficar, como eles, endinheirado?

Dito isso, o pintor estremeceu de repente e ficou pálido: encarava-o, assomando por trás de uma tela em pé, um rosto desfigurado por convulsões. Dois olhos medonhos cravavam-se nele de frente, como se fossem devorá-lo, e uma ordem imperiosa, a de se calar, transparecia nos lábios. Assustado, ele quis gritar, chamar por Nikita, cujo ronco vigoroso já se ouvia na antessala, mas subitamente parou e deu uma risada. Seu medo se esvaiu num instante. Era o retrato que tinha comprado, do qual já se esquecera. O luar que alumiava o quarto roçava nele também, revestindo-o de uma bizarra vivacidade. O pintor se pôs a examiná-lo e a limpá-lo. Embebeu uma esponja de água, passou-a diversas vezes pelo retrato, tirou quase

---

[13] Personagem da mitologia grega: linda mortal por quem se apaixonou Eros, o deus do amor.

toda a poeira que o cobria e toda a sujeira acumulada nele, pendurou-o na parede, em sua frente, e mais ainda se surpreendeu com esse quadro extraordinário: o rosto se animara todo, e os olhos o fitavam agora de tal modo que ele estremeceu novamente e, recuando, disse estupefato: "Está olhando, olhando com olhos humanos!". De chofre, lembrou-se de uma história contada havia muito tempo pelo seu professor, a de um dos retratos do famoso Leonardo da Vinci, criado pelo grande mestre ao longo de vários anos, mas ainda inacabado em sua opinião, se bem que todos o tomassem, no dizer de Vasari,[14] por uma obra de arte perfeita e definitiva. E a parte mais definitiva daquele retrato eram os olhos, que espantavam os contemporâneos: nem as veias mais exíguas, quase imperceptíveis neles, teriam sido omitidas, constando todas da tela. Entretanto, nesse retrato ora exposto em sua frente, havia algo estranho, algo que deixava de ser arte e destruía a própria harmonia da obra. Eram dois olhos vivos, eram dois olhos humanos! Pareciam arrancados a um homem vivo e insertos nesse retrato. E ele não suscitava mais aquele prazer sublime que se apossa da alma perante uma obra artística, por mais horrível que seja o tema escolhido pelo autor, mas tão somente uma sensação mórbida e angustiante. "O que seria?", perguntava Tchartkov, involuntariamente, a si mesmo. "É a natureza como ela é, uma natureza

---

[14] Giorgio Vasari (1511-1574): pintor e arquiteto italiano, cujas biografias de grandes artistas, inclusive a de Leonardo da Vinci, contêm um valioso material histórico.

viva. Então de onde vem essa sensação estranha e desagradável? Ou uma servil, uma literal imitação da natureza já é, por si só, uma falta, que redunda num berro forte, mas feio? Ou, se escolhermos um tema imparcial, insensivelmente, sem simpatizarmos com ele, veremos apenas a tétrica realidade do tema, aquela realidade que, sem ser iluminada pela luz de certa ideia imperscrutável, contida em todas as coisas, aparece quando nos armamos com uma faca cirúrgica e, querendo desvendar uma linda pessoa, abrimos as entranhas dela e vemos um ser horrendo. Então por que essa natureza, simples e ordinária, é revelada por alguém lá como se uma luz a iluminasse, sem nos impor nenhuma impressão baixa, de forma que, pelo contrário, achamo-la deleitosa e percebemos, ao vê-la, que tudo se movimenta e flui mais calma e suavemente à nossa volta? E por que a mesma natureza parece, se revelada por outro pintor, vil e suja, embora ele também tenha sido fiel ao seu tema? Mas não, ela não tem nada que a ilumine. É como uma paisagem real: por mais esplendorosa que seja, sempre lhe falta algo, a menos que esteja ensolarada."

O pintor se achegou de novo àquele retrato, a fim de examinar seus estranhos olhos de perto, e percebeu, aterrorizado, que o fitavam mesmo. Não era mais uma cópia da natureza: era aquela insólita animação que teria iluminado o rosto de um defunto a sair do túmulo. Fosse o luar que trouxesse consigo o delírio do sonho e transformasse tudo em novas imagens, contrárias às positivas imagens diurnas, fosse outra coisa que provocasse tal sensação, o jovem se sentiu de súbito, por algum motivo, receoso de ficar sozinho no quarto. Afastou-se devagar do retrato e virou-lhe as costas, fazendo questão de não olhar para ele, ao passo que seu olho se enviesava espontaneamente para espiá-lo. Agora sentia medo até de andar pelo quarto: parecia-lhe que outra pessoa se poria logo a andar em seu encalço, e todas as vezes ele se voltava, com timidez, para ver se não havia ninguém por trás. Nunca fora medroso; porém, sua imaginação e seus nervos estavam sensíveis, e ele não conseguia explicar para si mesmo, naquela noite, o medo involuntário que sentia. Enfurnou-se num canto, mas lhe parecia, ainda assim, que alguém se inclinaria logo por cima de seu ombro e olharia para seu rosto. Nem o ronco de Nikita, que retumbava na antessala, rechaçava-lhe o temor. Afinal, ele se levantou, muito tímido, e foi, sem erguer os olhos, para a cama, que ficava atrás dos biombos. Deitou-se, mas, através das frestinhas daqueles biombos, continuava vendo seu quarto enluarado e o retrato que pendia em sua frente. Ainda mais expressivos e atemorizantes, os olhos se cravavam em nosso pintor, como se não quisessem mirar absolutamente nada que não fosse ele. Tomado de uma penosa angústia, ousou levantar-se da cama, pegou um lençol e, acercando-se do retrato, cobriu-o todo.

Feito isso, deitou-se de novo, agora mais calmo, e ficou refletindo sobre a pobreza e a sina deplorável de um pintor, sobre aquele caminho árduo que esperava por ele neste mundo, enquanto seu olhar se dirigia involuntariamente, passando por uma fresta dos biombos, para o retrato. O luar cintilante ressaltava a brancura do lençol que o recobria, e parecia-lhe que aqueles olhos medonhos já se viam, luzentes, embaixo do tecido. Apavorado, passou a olhar com maior atenção, como quem quisesse certificar-se de ser um absurdo. E eis que, de fato... avistou claramente: o lençol não estava mais lá... o retrato ficara todo descoberto e olhava, despercebendo tudo quanto houvesse ao redor, diretamente para ele, olhava mesmo para dentro dele... Entorpeceu-se seu coração. E ele viu: aquele ancião se movera e colocara, de chofre, ambas as mãos sobre a moldura. Depois se soergueu, apoiando-se nas mãos, tirou ambas as pernas e saltou fora da moldura... Agora só dava para ver, pela fresta dos biombos, uma moldura vazia. O som de passos repercutia pelo quarto, cada vez mais próximo dos biombos. E o coração do coitado do pintor batia cada vez mais forte. Quase sem respirar de tanto pavor, entendia que o ancião estava prestes a aparecer detrás dos biombos. E apareceu mesmo, com aquele seu rosto bronzeado e seus grandes olhos vivos. Tchartkov tentou gritar e sentiu que não tinha mais voz; tentou fazer algum gesto, algum movimento, porém seus membros não se mexiam mais. De boca escancarada, olhava, sem respirar, para aquele terrível fantasma de estatura bem alta, envolto numa larga sotaina asiática, e esperava pelo que ele faria. O velho se sentou, quase rente às suas pernas; a seguir, retirou algo das pregas de sua veste folgada. Era um saco. O velho desatou-o, segurou-o por duas pontas e sacudiu-o: pesados embrulhos, em forma de pilhas compridas, caíram com um ruído surdo no chão. Cada uma das pilhas estava embrulhada em papel azul, e estava escrito em cada embrulho: 1 000 *tchervônnys*.[15] Com suas grandes mãos ossudas, que assomavam das largas mangas, o velho se pôs a abrir os embrulhos. Fulgiu o ouro. E, por mais angustiado e louco de medo que o pintor se achasse, cravou os olhos naquele ouro, quedou-se imóvel, mirando as mãos ossudas que o desembrulhavam, esplêndido, a tilintar ora aguda, ora mortiçamente, e depois tornavam a embrulhá-lo. Então reparou num dos embrulhos, o qual rolara mais longe do que os outros e estava à sua cabeceira, justo ao pé da cama. Pegou-o, quase espasmodicamente, e ficou à espreita, temendo que o velho desse pela sua falta. Contudo, o velho parecia ocupadíssimo. Juntou todos os seus embrulhos, colocou-os de volta naquele saco e, sem olhar para o pintor, foi embora. O coração de Tchartkov batia descompassado, ouvindo ele o farfalhar dos passos que se distanciavam. Segurava o embrulho, apertava-o cada vez mais forte, tremia com o corpo todo, por medo de perdê-lo... e, de repente, ouviu os passos do velho, que regressava: lembrara, sem dúvida, que lhe faltava um embrulho. E eis que apareceu outra vez detrás dos biombos. Cheio de desespero, o pintor cerrou, com toda a força, a mão que segurava o embrulho, valeu-se de todo o seu vigor para se mover, deu um grito e acordou.

Banhava-se todo em suor gélido; seu coração batia tão forte quanto pudesse bater; contraía-se tanto

---

[15] Moedas de ouro, também denominadas *tchervônetzs*, equivalentes a dez rublos cada.

seu peito como se o último alento estivesse prestes a abandoná-lo. "Será que foi um sonho?", disse ele, pondo ambas as mãos na cabeça; porém, a terrível vivacidade de sua visão não se assemelhava a um sonho. Vira, já acordado, o ancião entrar na moldura, de sorte que até mesmo a aba daquele traje folgado passara ante seus olhos, e tinha ainda a sensação nítida de sua mão ter segurado, um minuto antes, algo pesado. O luar iluminava o quarto, fazendo surgirem, nos cantos escuros dele, ora uma tela, ora um braço de gesso, ora uma tapeçaria deixada sobre uma cadeira, ora uma calça e um par de botas sujas. Só então o pintor notou que não estava deitado em sua cama e, sim, postado defronte ao retrato. Não conseguia entender, de maneira alguma, como chegara até lá. Surpreendeu-se ainda mais ao notar que o lençol havia sumido e que, realmente, o retrato estava todo descoberto. Fitava-o com um terror petrificante e via aqueles olhos vivos, humanos, que se fixavam nele. Um suor frio molhou-lhe o rosto; ele quis afastar-se, mas seus pés estavam como que pregados no chão. Então viu que não era um sonho, não: as feições do ancião moviam-se, os lábios se esticavam, como se quisessem sugá-lo todo, em sua direção... Com um grito desesperado, ele saltou para trás e acordou.

"Será que também foi um sonho?" Ficou apalpando tudo à sua volta, enquanto seu coração estava para explodir. Sim, continuava deitado em sua cama, naquela exata posição em que adormecera. Os biombos estavam em sua frente, e o luar enchia o quarto. O retrato se via através das frestas dos seus biombos, devidamente coberto por um lençol: fora ele mesmo quem o cobrira. Teria sido, pois, outro sonho! Contudo, ele sentia ainda que sua mão cerrada acabara de segurar alguma coisa. E as batidas de seu coração eram muito fortes, quase assustadoras, e um peso insuportável premia-lhe o peito. E seu olhar, passando pela fresta, fixava-se naquele lençol. E eis que ele viu claramente: o lençol se desenrolava aos poucos, como se mãos humanas se debatessem, lá dentro, e procurassem jogá-lo no chão. "Deus meu Senhor, o que é isso?", exclamou, benzendo-se com desespero, e acordou.

Aquele também fora um sonho! Desvairado, ensandecido, Tchartkov pulou da cama, sem poder mais explicar o que se dava com ele, o que era, enfim: a pressão de um pesadelo, a obra de um duende, o delírio de uma febre, ou então uma imagem real. Tentando apaziguar, ao menos um pouco, sua perturbação espiritual e a efervescência do sangue que pulsava ansiosamente em todas as suas veias, foi até a janela e abriu o postigo. Uma rajada de vento fresco reanimou-o. Cintilante, o luar se espalhava ainda pelos telhados e pelas paredes brancas dos prédios, embora as nuvenzinhas cruzassem, cada vez mais numerosas, o céu noturno. Estava tudo silencioso: só de vez em quando é que se ouvia ao longe o retinir de um *drójki*,[16] cujo cocheiro dormitava algures, num beco invisível, embalado pelo seu rocim preguiçoso à espera de um cliente atrasado. Ao passar a cabeça

---

[16] Carruagem leve de quatro rodas.

pelo postigo, o jovem ficou olhando por muito tempo. Os sinais da próxima aurora já despontavam no céu, quando se sentiu, afinal, sonolento, fechou o postigo, afastou-se da janela, deitou-se de novo e, logo em seguida, imergiu num sono de pedra.

    Acordou muito tarde, naquele estado desagradável que se apossa de quem está de ressaca, importunado pela dor de cabeça. O quarto estava mal iluminado: a umidade impregnava o ar, passando, irritante, pelas frestas das suas janelas, tapadas com quadros ou telas imprimadas. Sombrio, descontente feito um galo molhado, Tchartkov se sentou sobre o sofá esfrangalhado, sem saber, ele mesmo, o que faria agora, e recordou finalmente todo aquele sonho. À medida que o recordava, revia-o em sua imaginação tão penosamente real que acabou duvidando de ter sido apenas um sonho ou um delírio qualquer. Teria sido algo bem diferente: quem sabe uma visão? Arrancando o lençol, examinou o terrível retrato à luz do dia. Os olhos estarreciam, de fato, com sua vivacidade fantástica, mas ele já não os achava por demais medonhos; tão só lhe restava, no fundo da alma, uma sensação imprecisa que o incomodava. Apesar de tudo, não chegava a ter plena certeza de que fora apenas um sonho. Parecia-lhe que houvera, em meio àquele sonho, um pavoroso fragmento de sua realidade. Algo contido no olhar e na expressão facial do velho parecia dizer que ele viera, na noite passada, ao quarto do pintor, cuja mão sentia ainda um peso que acabara de segurar, como se alguém lhe tivesse arrebatado, um minutinho antes, algum objeto. Parecia-lhe enfim que, se tivesse segurado o embrulho com maior força, decerto continuaria a segurá-lo depois de acordar.

"Meu Deus do céu, se tivesse, pelo menos, um pouco daquele dinheiro!", disse o pintor, com um profundo suspiro, e eis que foram caindo, em sua imaginação, todos os embrulhos guardados no saco, com a inscrição sedutora "1 000 *tchervônnys*" que tinha visto. Os embrulhos se abriam, o ouro resplandecia, voltava a ser embrulhado, e ele estava ali sentado, cravando um olhar imóvel, aparvalhado, no oco do ar, e não podia mais despregá-lo do tal espetáculo, igual a uma criança que está sentada em face de um prato com doces e vê, com água na boca, os outros comerem. Ouviu-se, por fim, uma batida à porta, que interrompeu bruscamente esse seu devaneio. Entrou o locador, seguido pelo inspetor do quarteirão cuja visita é, como se sabe, ainda mais desagradável para a gentinha pobre do que a cara de um mendicante para a gente abastada. O dono do pequeno prédio onde morava Tchartkov era uma daquelas criaturas que costumam ser os proprietários de imóveis situados por lá, na décima quinta linha da ilha Vassílievski, no Lado Petersburguense ou num canto distante de Kolomna,[17] uma das criaturas que são muitas na Rússia e cujo caráter é tão difícil de definir como a cor de uma sobrecasaca surrada. Em sua juventude, era capitão e gritalhão, mexia também com os assuntos

---

[17] O autor se refere aos bairros populares de São Petersburgo.

civis, sabia açoitar para valer, era desenvolto, faceiro e tolo, porém todas essas peculiaridades distintas se misturaram, quando envelheceu, em algo amorfo e descorado. Viúvo e reformado de seu serviço, já não se ajanotava, não se exibia nem brigava, mas gostava apenas de tomar chá e de falar, nesse meio-tempo, sobre várias bobagens; andava pelo quarto, ajustava o coto de sua vela de sebo; visitava religiosamente, ao término de cada mês, seus inquilinos, a fim de lhes cobrar o aluguel; saía do prédio com uma chave na mão para ver o telhado; expulsava amiúde o zelador do cubículo onde ele se escondia para tirar uma soneca — numa palavra, era um militar reformado a quem só restavam, após toda uma vida desregrada e o sacolejo das diligências que usara inúmeras vezes, seus hábitos vis.

— Digne-se a notar, Varukh Kuzmitch — disse o locador, dirigindo-se ao inspetor do quarteirão e abrindo os braços —: não paga o aluguel, mas não paga mesmo!

— Como pagar, se não tenho dinheiro? Espere um pouco, que pagarei.

— Eu, queridinho, não posso esperar — disse o locador, zangado, e fez um gesto com a chave que segurava. — Mora, aqui comigo, o tenente-coronel Potogônkin, já faz sete anos que mora; Anna Petrovna Bukhmísterova aluga um porão e duas baias na minha cocheira, e com ela moram três criados ainda... Esses são meus inquilinos! Não tenho aqui, para ser franco, nenhuma regra de não pagar o aluguel. Digne-se, então, a pagar logo o que me deve e vá embora.

— Pois é: se combinado assim, digne-se a pagar — confirmou o inspetor do quarteirão, abanando de leve a cabeça e enfiando um dedo por trás de um botão de seu uniforme.

— Mas com que pagarei, eis a questão! Não tenho agora nem um vintém.

— Nesse caso, satisfaça Ivan Ivânovitch com os produtos de sua profissão — disse o inspetor. — Talvez ele consinta em aceitar suas pinturas.

— Não, meu querido, obrigado pelas pinturas! Se fossem, pelo menos, pinturas de teor nobre, para a gente poder pendurar uma ou outra na parede, o retrato de algum general ali, com uma estrela,[18] ou, quiçá, do príncipe Kutúzov,[19] ainda bem, mas ele pintou um mujique, aquele mujique de camisa, seu criado que tritura as tintas. Fez o retrato daquele porco, hein? Eu cá vou dar uma surra nele, que me tirou, safadão, todos os pregos das trancas. Veja só o que ele está pintando: digamos, esse seu quarto. Se estivesse arrumadinho, limpinho, ainda bem, mas ele o pinta assim, com todo o lixo, com toda a porcaria que tem. Veja só como me emporcalhou o quarto, veja o senhor mesmo! Mas meus inquilinos moram, aqui comigo, faz sete anos: uns coronéis, Anna Petrovna Bukhmísterova... Não, eu digo para o senhor: não

---

[18] Trata-se das ordens do Império Russo, confeccionadas com a forma de estrelas.

[19] Mikhail Illariônovitch Kutúzov (1745-1813): marechal russo, comandante do exército que derrotou as tropas de Napoleão durante a Guerra Pátria de 1812.

há inquilino pior do que um pintor! Vive como um porco, Deus me acuda!

E nosso pobre pintor teve de escutar pacientemente tais coisas. Enquanto isso, o inspetor se pôs a examinar os quadros e esboços dele, e logo mostrou que sua alma estava mais viva do que a do locador e não completamente alheia às impressões artísticas.

— Ih! — disse, apontando para uma das telas, que representava uma mulher nua. — Que tema... brejeiro, hein? E aquele dali, por que está tudo preto embaixo do seu nariz? Cheirou muito rapé, não foi?

— É uma sombra — respondeu Tchartkov, num tom severo, mas sem olhar para ele.

— Bem que podia botar a sombra em outro lugar: embaixo do nariz dá muito na vista... — comentou o inspetor. — E este retrato é de quem? — prosseguiu, achegando-se ao retrato do velho. — Mas que cara medonha! Será que foi mesmo tão medonho assim? Puxa vida, como está olhando! Mas puxa vida, que Gromobói![20] Quem foi seu modelo?

— Foi um... — disse Tchartkov e... não terminou a frase. Ouviu-se um forte estralo. Dado o feitio grosseiro de suas mãos policiais, o inspetor devia ter exagerado em apertar a moldura do quadro, e eis que as tabuinhas laterais se quebraram, bem para dentro, e uma delas caiu no chão, e juntamente caiu, com um baque pesado, um embrulho de papel azul. E foi uma inscrição que saltou aos olhos de Tchartkov: "1 000

---

[20] Nome de um guerreiro lendário, dotado de poderes sobrenaturais.

tchervônnys". E, como enlouquecido, ele se precipitou sobre o embrulho e o apanhou, e o apertou, convulsamente, com sua mão que se baixou devido ao peso.

— Até parece que moedas tiniram — disse o inspetor, que ouvira algo cair ruidosamente no chão, mas não conseguira o que era por causa da rapidez com que Tchartkov fora pegar.

— Por que precisa saber o que tenho, aqui em casa?

— Porque lhe cumpre pagar imediatamente o aluguel ao seu locador, e porque o senhor tem dinheiro, mas não deseja pagar: é isso aí!

— Está bem: pagarei hoje para ele.

— Então por que não quis pagar antes, por que atormenta seu locador e incomoda a polícia também?

— Porque não queria tocar neste dinheiro. Hoje à noite, pagarei tudo para ele e amanhã mesmo vou embora daqui, pois não me apetece mais alugar um apartamento desses.

— Pois bem, Ivan Ivânovitch: ele pagará ao senhor — disse o inspetor do quarteirão, dirigindo-se ao locador. — E se porventura não ficar satisfeito, hoje à noite, conforme lhe agradar... então nos desculpe, senhor pintor.

Dito isso, pôs seu tricórnio e foi à antessala, seguido pelo locador, que estava cabisbaixo e parecia todo pensativo.

— Graças a Deus, o diabo levou os dois! — disse Tchartkov, ouvindo a porta se fechar na antessala.

Conferiu se ambos tinham saído, mandou Nikita embora com alguma comissão, a fim de ficar totalmente só, trancou a porta atrás dele e, retornando ao quarto, começou a abrir, de coração palpitante, aquele embrulho. Havia muitos *tchervônetzs* lá dentro, todos novinhos e rútilos como o fogo. Sentado diante da pilha de ouro, quase enlouquecido, o pintor se perguntava ainda se não estava sonhando. O embrulho continha exatamente mil moedas, e sua aparência era igual à que ele vira em sonho. Revolveu-as durante vários minutos, examinou-as, porém demorou a voltar a si. De súbito, foram ressuscitando em sua imaginação todas as histórias dos tesouros que conhecia, daqueles cofres munidos de gavetinhas secretas que os avós deixavam para seus netos arruinados, sabendo de antemão que viveriam futuramente na miséria. Raciocinava assim: será que, nesse caso também, algum avô inventou de deixar um presente para seu neto, encerrando-o na moldura de um retrato familiar? Cheio de devaneios românticos, acabou pensando, inclusive, que havia nisso, talvez, algum vínculo misterioso com o destino dele, que a existência do retrato estava ligada à sua existência, e que a aquisição desse retrato podia ter sido predefinida. Curioso, pôs-se a examinar a moldura. Um pequeno sulco atravessava-a de um lado, tampado com uma tabuinha de modo tão hábil e discreto que, se a mão vigorosa do inspetor do quarteirão não tivesse arrebentado a tampa, aqueles *tchervônetzs* ficariam em paz até o fim dos tempos. Mirando o retrato, Tchartkov se surpreendeu novamente com a mestria do seu autor, com o feitio extraordinário dos olhos: não os achava mais terrificantes, porém, cada vez que os via, restava-lhe, no fundo da alma, uma sensação involuntária e penosa.

"Não", disse consigo, "seja de quem for o avô, mandarei envidraçá-lo e fazer, por me haver socorrido, uma moldura de ouro para você!". Então deitou a mão sobre a pilha de ouro que estava em sua frente, e seu coração passou a bater forte com esse toque. "O que vou fazer?", pensou, de olhos fixos nela. "Agora tenho do que viver, ao menos, por uns três anos: posso ficar trancado no quarto e trabalhar. Agora tenho dinheiro para comprar minhas tintas, para almoçar, para tomar chá, para alugar e mobiliar um apartamento. Agora ninguém me atrapalhará nem me importunará: vou comprar um ótimo manequim, encomendar um torsinho de gesso, moldar as perninhas, botar uma Vênus aqui, arranjar as gravuras dos melhores quadros. E, se trabalhar por uns três anos para mim mesmo, sem me apressar nem vender minhas obras, superarei a todos. Aí me tornarei um baita pintor."

Assim ele mesmo dizia o que seu juízo lhe sugeria, ao passo que uma voz mais alta, mais sonora, ouvia-se em seu âmago. E, mal voltou a olhar para o ouro, foram seus vinte e dois anos e o ardor de sua juventude que lhe disseram algo bem diferente. Agora estava em seu poder tudo quanto mirasse, até então, com olhos gananciosos, tudo quanto admirasse, com água na boca, de longe. Oh, como vibrou seu coração exaltado, mal ele pensou naquilo! Vestir uma casaca que estivesse na moda, encher a barriga após um longo jejum, alugar um bom apartamento, ir logo ao teatro, à confeitaria, a uma casinha daquelas, *et cætera* e tal! E, pegando o dinheiro, saiu.

Antes de tudo, passou por uma alfaiataria, vestiu-se da cabeça aos pés e, feito uma criança, ficou olhando, de todos os lados, para si mesmo; comprou perfumes, pomadas; alugou, sem barganhar, o primeiro apartamento luxuosíssimo que encontrou na Avenida Nêvski,[21] cheio de espelhos e janelões; adquiriu, por acaso, um caro *lorgnon*[22] numa loja, depois, também por acaso, comprou mais gravatas do que chegaria a usar; frisou seus cachos num salão de beleza, percorreu duas vezes, de carruagem, a cidade toda sem motivo algum, comeu montões de bombons numa confeitaria e foi a um restaurante francês o qual só julgava, até então, pelos rumores, tão nebulosos quanto aqueles que correm acerca do império chinês. Almoçou lá, todo assoberbado, lançando olhares assaz orgulhosos para outros clientes e ajeitando volta e meia, diante de um espelho, seus cachos frisados. Despejou lá uma garrafa de champanhe, bebida que também conhecia, até então, principalmente por ouvir falarem dela. Tal vinho produziu certo barulho em sua cabeça, e ele saiu do restaurante tão excitado e animado que até se podia dizer, como se diz na Rússia, que não temia mais nem a Deus nem ao diabo. Pavoneou pela calçada, dirigindo seu *lorgnon* para quem passasse. Avistou seu antigo professor, plantado sobre uma ponte, e rapidinho se escafedeu, fingindo que nem sequer reparara nele, de sorte que o professor se quedou, por muito

---

[21] A principal via pública do centro histórico de São Petersburgo.
[22] Par de lentes munido de um cabo longo e usado, na época descrita, como óculos.

tempo ainda, petrificado no mesmo lugar, com um ponto de interrogação no meio da cara.

Todos os seus pertences foram transportados, na mesma noite, para o luxuoso apartamento. Deixando o que havia de melhor à mostra e empilhando o que havia de pior num cantinho, o pintor vagueava pelos seus cômodos magníficos e mirava-se, sem parar, nos espelhos. Ressuscitou em sua alma um desejo irresistível, o de agarrar prontamente a glória pela cauda e de se exibir perante o mundo. Já soavam, em seus ouvidos, os brados: "Tchartkov, Tchartkov! Viram o quadro de Tchartkov? Que pincel ágil é que Tchartkov tem! Que poderoso talento é que Tchartkov possui!". Andava, extasiado, pelo seu quarto, deixava-se levar pelo sonho. Logo no dia seguinte, pegou uma dezena de *tchervônetzs* e foi conversar com o editor de um jornal bem vendido, buscando sua ajuda benevolente; o jornalista recebeu-o com toda a cordialidade, apelidou-o, na mesma hora, de "digníssimo", apertou-lhe ambas as mãos, indagou-lhe, nos mínimos detalhes, sobre o nome, o patronímico,[23] o domicílio dele, e eis que, um dia depois, apareceu naquele jornal, logo embaixo do anúncio referente às velas de sebo recém-inventadas, um artigo intitulado *Dos talentos excepcionais de Tchartkov*: "Apressamo-nos a alegrar os habitantes letrados de nossa capital com uma novidade que podemos chamar de bela em todos os seus

---

[23] Parte integrante do nome russo, derivada do nome do pai.

aspectos. Todos concordam que temos, aqui conosco, muitas fisionomias lindíssimas e faces maravilhosas, porém não havia, até hoje, meios de recriá-las sobre a tela mágica, de transmiti-las às gerações por vir; agora essa lacuna está preenchida: existe um artista a reunir, em seu cerne, todas as faculdades necessárias. Agora uma beldade pode ter certeza de que será retratada em toda a graça de sua beleza airosa, ligeira, fagueira e portentosa, igual às borboletinhas esvoaçantes por sobre as flores primaveris. Um respeitável pai de família ver-se-á rodeado de seus familiares. Um comerciante e um militar, um cidadão comum e um homem de Estado — cada qual prosseguirá, com verve renovada, em sua carreira. Venham depressa, depressa, venham após um passeio, após uma visita à casa de seu companheiro, de sua prima, ou a uma loja esplêndida, venham depressa de onde vierem! O deslumbrante ateliê do pintor (Avenida Nêvski, número tal) está repleto de retratos de sua autoria, dignos de van Dyck[24] e de Ticiano. Nem sabemos o que admiraríamos: a fidelidade e a semelhança aos originais ou aquele estilo fora de série, enérgico e moderno! Seja louvado, artista: tirou o bilhete premiado da loteria. Salve, Andrei Petróvitch (o jornalista gostava, pelo visto, de tratar as pessoas amicalmente)! Glorifique a nós e a si mesmo. Sabemos estimá-lo. O interesse geral, assim como o dinheiro (embora alguns dos

---

[24] Antoon van Dyck (1599-1641): pintor flamengo, famoso por seus retratos palacianos e quadros religiosos.

nossos colegas jornalistas se voltem contra ele), será sua recompensa".

Foi com prazer íntimo que o pintor leu esse artigo; seu rosto ficou radiante. Já se falava dele na imprensa, o que era inédito para ele. Tornou a ler essas linhas diversas vezes. A comparação com van Dyck e Ticiano lisonjeava-o muito. A frase "Salve, Andrei Petróvitch!" também lhe agradava em cheio: citavam-se, impressos, seus nome e patronímico, e era uma honra que antes desconhecia. Pôs-se a andar rapidamente pelo quarto, a eriçar os cabelos; ora se sentava numa poltrona, ora se levantava, num pulo, e se sentava num sofá, imaginando, a cada minuto, como receberia os visitantes de ambos os sexos; aproximava-se de uma tela e deixava nela uma pincelada desinibida, tentando fazer que sua mão se movesse graciosa. No dia seguinte, a campainha tocou às suas portas; o pintor foi correndo abri-las; entraram uma dama, antecedida por um lacaio que trajava uma libré forrada de peles, e uma moça novinha, de dezessete anos de idade, a filha dela.

— *Monsieur*[25] Tchartkov? — perguntou a dama.

O pintor fez uma mesura.

— Escrevem tanto sobre o senhor; dizem que seus retratos são o cúmulo de perfeição. — Dito isso, a dama levou um *lorgnon* aos olhos e correu a examinar as paredes em que não havia coisa nenhuma. — Onde estão, pois, esses seus retratos?

---

[25] Senhor (em francês).

— Ainda não estão aqui — disse o pintor, um tanto confuso. — Acabei de me mudar para este apartamento... Eles estão a caminho, já vão chegar.

— O senhor esteve na Itália? — perguntou a dama, dirigindo seu *lorgnon* para Tchartkov, já que não achara mais nada que pudesse mirar com ele.

— Não estive, não, mas queria ir para lá... De resto, adiei essa minha viagem por um tempinho... Aqui estão as poltronas: a senhora está cansada...

— Agradeço, mas fiquei sentada por muito tempo na carruagem. Até que enfim, estou vendo seu trabalho! — disse a dama, correndo até a parede oposta e dirigindo o *lorgnon* para os estudos, ensaios, perspectivas e retratos espalhados pelo chão. — *C'est charmant, Lise; Lise, venez ici*:[26] um quarto no estilo de Teniers,[27] está vendo? Desordem, desordem por toda parte: uma mesa; um busto, uma mão, uma paleta em cima dela; e a poeira, ali... Está vendo como foi desenhada a poeira? *C'est charmant!* E lá, numa outra tela, uma mulher que lava o rosto: *quelle jolie figure!*[28] Ah, um mujiquezinho! *Lise, Lise*, um mujiquezinho de camisa russa! Veja só: um mujiquezinho! Pois então o senhor não se limita aos retratos?

— Oh, são umas bobagens... Estava brincando... fazendo esboços...

---

[26] É encantador, Lisa; Lisa, venha cá (em francês).
[27] David Teniers, o Jovem (1610-1690): pintor flamengo de estilo barroco.
[28] Que belo semblante (em francês).

— Diga-me: o que pensa desses retratistas de hoje? Não há mais artistas como Ticiano, não é verdade? Não há mais aquela força no colorido, não há mais aquela... Que pena eu não poder explicar isso em russo (a dama adorava pintura e já percorrera, com o *lorgnon* nas mãos, todas as galerias da Itália)! Todavia, o *Monsieur* Nol... ah, como ele pinta! Que estilo extraordinário! Acho que os rostos dele são ainda mais expressivos do que os de Ticiano. O senhor não conhece o *Monsieur* Nol?

— Quem é esse Nol?[29] — questionou o pintor.

— Nosso *Monsieur* Nol! Ah, que talento é que ele tem! Fez o retrato de minha filha, quando ela estava com apenas doze anos. É preciso que o senhor nos visite em casa. *Lise*, mostre seu álbum para ele. Chegamos especialmente para o senhor começar logo o retrato dela, sabe?

— Pois bem, estou pronto a qualquer momento.

Num instante, o pintor puxou o cavalete, com uma tela já preparada, pegou a paleta e fixou os olhos no rostinho pálido da moça. Se fosse conhecedor da natureza humana, teria lido nele, num só minuto, o início de sua paixão infantil por bailes, o início de seu tédio, de suas queixas do tempo, que estava lento antes do almoço e depois do almoço, de sua vontade de correr, com um novo vestido, de festa em festa, bem como os tristes vestígios de sua indiferente aplicação nas diversas artes que sua mãe a fazia estudar para

---

[29] A palavra russa ноль (nol) significa "zero, nulidade".

lhe enaltecer a mente e a alma. Contudo, o pintor só enxergava naquele terno rostinho uma transparência de quase porcelana da carne, tão atraente para quem o pintasse, e uma suave languidez sedutora, além de atentar para aquele fino pescoço branquinho e para a esbelteza aristocrática daquele corpo. E já se dispunha, de antemão, a triunfar revelando a leveza e a fulgência de seu pincel, que lidava apenas, até então, com os traços rígidos de seus toscos modelos, com as austeras antiguidades e as cópias de certas pinturas clássicas. Já idealizava, em seu pensamento, a imagem daquele suave rostinho.

— Sabe — disse a dama, cuja expressão facial se tornara até mesmo um pouco tocante — o que eu quero? Agora ela está de vestido, mas eu gostaria, confesso, que usasse esse vestido, ao qual estamos tão acostumadas: gostaria que tivesse algum traje bem simples e ficasse sentada à sombra de um verdor, defronte a um campo, e que houvesse rebanhos ao longe, ou então um bosque qualquer... para ninguém ver que está indo a um baile ou um sarau em voga. Confesso que nossos bailes mortificam muito a alma da gente, destroem os restos dos sentimentos... Quero que haja mais simplicidade, simplicidade... (Mas ai: estava escrito, nos rostos da mãe e da filha, que tinham dançado tanto naqueles bailes, que eram ambas praticamente de cera.)

Tchartkov se pôs ao trabalho: assentou a modelo em sua frente, pensou em como a representaria; passou o pincel pelo ar, definindo mentalmente os pontos cruciais; entrefechou um olho, recuou um pouco, olhou de longe e, numa hora apenas, começou e concluiu o primeiro esboço. Ficou contente e foi logo pintando, entusiasmado com sua tarefa. Ao esquecer-se de tudo, até mesmo de se encontrar na presença de duas damas aristocráticas, expunha, de vez em quando, certos cacoetes artísticos, pronunciando diversos sons em voz alta e, por momentos, cantarolando como acontece aos pintores absortos, de corpo e alma, em seu trabalho. Sem cerimônia alguma, com um movimento do pincel, fazia a modelo erguer a cabeça, de modo que ela já se virava amiúde, de um lado para o outro, e exprimia um cansaço geral.

— Basta para a primeira sessão, basta — disse a dama.

— Mais um pouquinho — insistia o pintor, inspirado.

— Não, está na hora! Já são três horas, *Lise*! — respondeu ela, tirando um pequeno relógio suspenso, com uma corrente de ouro, em sua cintura, e exclamou —: Ah, mas como é tarde!

— Apenas um minutinho — dizia Tchartkov, com uma voz tão singela e suplicante quanto a de uma criança.

Entretanto, a dama não estava, aparentemente, nem um pouco disposta a satisfazer, dessa feita, suas necessidades artísticas: prometeu-lhe, em vez disso, que a próxima sessão seria mais longa.

"Que dissabor!", pensou Tchartkov. "E minha mão acabava de se animar." Então recordou que ninguém o interrompia, nem o fazia parar, quando ele trabalhava em seu estúdio na ilha Vassílievski:

Nikita ficava sentado, sem se mover, no mesmo lugar, por mais que o pintor demorasse em retratá-lo, e até mesmo adormecia naquela pose que lhe fora imposta. Aborrecido, colocou o pincel e a paleta numa cadeira e veio postar-se, meditativo, diante da tela. Um cumprimento, que a dama mundana lhe dirigia, tirou-o desse estupor. E, para se despedir de suas visitas, o pintor foi correndo até as portas; ao receber, já na escadaria, o convite de ir à casa delas, de almoçar lá na próxima semana, retornou, de semblante alegre, ao seu quarto. Estava completamente encantado por aquela dama mundana. Antes considerava tais criaturas algo inacessível, pensava que nasciam apenas para passarem voando, numa pomposa caleça,[30] com seus lacaios uniformizados e seu elegante cocheiro, na frente de quem perambulasse a pé, vestindo um casaquinho pobre, e jogarem-lhe um olhar cheio de indiferença. E eis que uma daquelas criaturas entrara, de chofre, em seu quarto; ele encetara o retrato dela, fora convidado para almoçar numa casa aristocrática. Ficou por demais contente com isso e, satisfeito como estava, brindou-se com um excelente almoço, um espetáculo vespertino e um passeio de carruagem, através da cidade toda, que deu por não ter mais o que fazer.

Em todos aqueles dias, seu trabalho rotineiro nem lhe vinha à cabeça. Apenas se aprontava, esperando pelo momento em que a campainha tocasse. Finalmente, a

---

[30] Carruagem com dois assentos e quatro rodas, também denominada "caleche".

dama aristocrática veio com sua filha palidazinha. O pintor acomodou-as, depois achegou a tela, agindo, desde já, com plena desenvoltura e aparentando ter um jeitinho mundano, e começou a pintar. Beneficiou-se com o dia ensolarado e a iluminação boa. Vislumbrou, em sua modelo airosa, vários detalhes que, uma vez apanhados e postos na tela, poderiam aumentar muito os méritos do retrato; percebeu que conseguiria fazer algo singular, se pintasse tudo naquele estado definitivo em que sua modelo se apresentava agora aos seus olhos. Até seu coração voltou a palpitar de leve, quando ele sentiu que exprimiria tudo quanto os outros nem intuíssem ainda. Ficou absorto em seu trabalho, sem reparar em nada além do pincel nem se importar, outra vez, com a origem aristocrática de sua modelo. Faltava-lhe ar, quando via surgirem, ali na tela, as feições delicadas e o corpo quase translúcido dessa moça de dezessete aninhos. Apreendia cada nuança, um tênue amarelo, um azul sutilíssimo sob os olhos; já se preparava mesmo para captar uma pequena espinha, que estava na testa da moça, porém ouviu, de repente, a voz de sua mãe dizer perto dele: "Ah, mas por quê? Não precisa isso" — comentou a dama. "Também aqui... e ali, em vários lugares... como se fosse meio amarelo assim... e lá também, parece que há pintinhas escuras." O pintor tentou explicar que justamente aquelas pintinhas e o matiz amarelo eram bem oportunos, porque compunham os tons suaves e agradáveis do rosto. Contudo, recebeu a resposta de que não compunham nenhum tom, nem eram oportunos, sendo apenas uma impressão dele. "Mas permita que eu passe aqui, num só ponto, um pouquinho de tinta amarelinha", pediu o pintor, simplório. Mas foi isso, notadamente, que não lhe permitiram fazer. Disseram-lhe, alto e bom som, que apenas naquele dia *Lise* estava um tanto indisposta, que não tinha nada de amarelo e era admirada, em especial, por causa de sua tez fresca. Desanimado, o pintor se pôs a apagar aquilo que seu pincel fizera aparecer sobre a tela. Sumiram muitos traços quase imperceptíveis; sumiu, junto com eles, parte da semelhança. Ficou aquele colorido geral, insensível, que os alunos decoram e que torna qualquer imagem, inclusive a de um modelo vivo, friamente ideal, como em programas didáticos. A dama se contentou, todavia, com o sumiço das cores chocantes. Surpreendeu-se, aliás, com a demora do pintor e alegou ter ouvido alguém contar que só lhe bastavam duas sessões para finalizar um retrato. O pintor não achou o que responder. Ambas as damas se levantaram, prestes a sair. Ele deixou o pincel, acompanhou-as até as portas e depois se deteve por muito tempo, meditativo, defronte ao retrato da moça. Fitava-o, obtuso, enquanto pairavam em sua mente aquelas suaves feições femininas, aqueles matizes e tons etéreos, apreendidos por ele, que seu pincel extinguira sem dó nem piedade. Ainda cheio de devaneios, pôs o retrato de lado e foi procurar pela cabecinha de Psiquê, esboçada, havia tempos, sobre uma tela que fora, mais tarde, abandonada. Era uma carinha bem desenhada, mas totalmente ideal, fria, composta de traços gerais, desprovida de carne viva. Por falta de outras ocupações, Tchartkov começou a refazê-la, rememorando aos poucos tudo o que tinha vislumbrado no rosto de sua visitante aristocrática. Os traços, matizes e tons que apreendera então ressurgiam, naquele retrato novo, purificados, tais e quais como os vê um pintor que já se fartou de contemplar seu modelo e agora se distancia dele e produz uma imagem equivalente. Pouco a pouco, Psiquê ganhou vida, e uma ideia, que mal se manifestava, ficou encarnada num corpo visível. O mesmo feitio que apresentava o rosto daquela mocinha mundana transmitiu-se espontaneamente ao de Psiquê, e ela adquiriu, desse modo, uma expressão própria que a transformava, de fato e de direito, numa obra original. Parecia que o pintor se aproveitara, um por um, de todos os traços de sua modelo, atando-os, juntos e separados, ao novo retrato. Passou alguns dias sem se desgrudar dele. E foi durante esse trabalho que o flagraram as damas conhecidas. Nem sequer teve tempo para tirar o quadro do cavalete: ambas as damas soltaram um grito lépido, arroubado, e agitaram as mãos.

— *Lise, Lise*! Ah, como é parecida! *Superbe, superbe!*[31] Que ideia maravilhosa é que o senhor teve, a de pintá-la com esse traje grego! Ah, que surpresa!

O pintor nem sabia como tirar as damas do seu equívoco agradável. E sussurrou, envergonhado e cabisbaixo:

— É Psiquê...

---

[31] Excelente, magnífico (em francês).

— Em forma de Psiquê? *C'est charmant!* — disse a mãe da moça, sorrindo; aliás, a moça também se pôs a sorrir. — A melhor forma de pintá-la, *Lise*, é aquela de Psiquê, não é mesmo? *Quelle idée délicieuse!*[32] Mas que trabalho! É um Correggio[33] puro. Confesso que já li e ouvi falarem sobre o senhor, mas não sabia que era tão talentoso assim. Não, o senhor deve, sem falta, pintar meu retrato também.

Decerto apetecia àquela dama ser vista como alguma Psiquê por ali.

"O que faria com elas?", pensou o pintor. "Se querem tanto assim, que minha Psiquê se transforme naquilo que lhes agradar." E disse em voz alta:

— Tenha a bondade de se sentar por um minutinho, que vou retocar mais um pouco.

— Ah, receio que o senhor... Ela é tão parecida agora!

O pintor entendeu que tais receios se referiam à cor amarela e acalmou as visitas, dizendo que só tornaria os olhos mais expressivos e reluzentes. Na verdade, estava com muita vergonha e desejava tornar o retrato, ao menos, um pouco mais semelhante à sua modelo, para que ninguém viesse a censurá-lo depois por ser tão descarado assim. E, realmente, as feições da moça palidazinha foram transparecendo, cada vez mais nítidas, naquela imagem de Psiquê.

---

[32] Que ideia deliciosa (em francês).
[33] Antonio Allegri, conhecido sob o nome de Correggio (1489-1534): famoso pintor renascentista, contemporâneo de Leonardo da Vinci, Rafael e outros mestres italianos.

— Basta! — disse a mãe, começando já a temer que a semelhança acabasse ficando demasiada.

O pintor foi agraciado com tudo: um sorriso e uma gorjeta, um cumprimento, um franco aperto de mão e um convite para vários almoços — numa palavra, recebeu mil recompensas lisonjeadoras. O retrato da moça fez muito barulho pela cidade. A dama mostrou-o às suas amigas, e todas ficaram surpresas com a arte que permitira ao pintor conservar a semelhança e, ao mesmo tempo, embelezar tanto a sua modelo. É claro que repararam nesse último detalhe com um leve rubor de inveja. E, de repente, o pintor se viu carregado de encomendas. Parecia que a cidade toda queria que a retratasse. A cada minuto, alguém tocava a campainha às suas portas. Por um lado, isso podia ser bom, já que a variedade dessa multidão de rostos fornecia ao pintor uma infinidade de exercícios. Por outro lado, infelizmente, eram só pessoas difíceis de lidar, pessoas apressadas, atarefadas ou então pertencentes à alta sociedade, ou seja, ainda mais atarefadas do que quaisquer outras e, portanto, impacientes ao extremo. Só lhe pediam, de todos os lados, que pintasse bem, mas depressa. O pintor percebeu que não poderia, decididamente, aprimorar seus retratos, que teria de substituir o esmero pela destreza e pela astuciosa rapidez do pincel. Teria de apanhar a totalidade, apenas uma expressão geral, sem se aprofundar em minúcias requintadas; numa palavra, não poderia, decididamente, observar a natureza em seu estado definitivo. Acrescentavam-se a isso as mais diversas pretensões de quase todas aquelas pessoas que buscavam ser retratadas. As damas exigiam que seus retratos explicitassem, sobretudo, a alma e o caráter, sem se aterem, por vezes, a todo o resto, que todos os ângulos fossem arredondados e todos os defeitos, atenuados ou então, se possível, omitidos pelo retratista. Queriam, em suma, que desse para admirar seus semblantes e até mesmo, quiçá, para se apaixonar por elas. Destarte, quando se sentavam para posar, elas tomavam, vez por outra, tais atitudes que o pintor ficava boquiaberto: uma delas tentava fazer que seu rosto exprimisse melancolia, outra posava de sonhadora, outra ainda se esforçava para diminuir, custasse o que custasse, a boca e cerrava-a tanto que a transformava, por fim, num pontinho nada maior do que a cabeça de um alfinete. E, apesar disso tudo, elas ansiavam pela semelhança e pela naturalidade desempenada. Os cavalheiros, por sua vez, não eram nem um pouco melhores do que as damas. Um deles solicitava que Tchartkov o representasse de cabeça virada com força e vigor, outro mandava que o pintasse de olhos erguidos e cheios de inspiração; um tenente da guarda imperial exigia que Marte[34] se refletisse sem falta nos olhos dele; um funcionário civil queria que houvesse mais retidão e nobreza em sua face e que sua mão se apoiasse num livro sobre o qual fosse escrito, com todas as letras: "sempre defendeu a verdade". De início, o pintor ficava suando com tais exigências: precisava imaginar, ponderar

---

[34] Na mitologia romana, deus da guerra.

tudo isso, enquanto tinha pouquíssimo tempo à sua disposição. Compreendeu, afinal, do que se tratava e, desde então, não tinha mais dificuldade alguma. Bastavam-lhe duas ou três palavras para adivinhar, logo de cara, quem desejava ser o quê. A quem desejasse ser Marte, ele oferecia a imagem de Marte; quem pretendia ser Byron[35] ganhava uma postura tipicamente byroniana. Visando as damas serem Corina,[36] Ondina[37] ou Aspásia,[38] ele concordava, e de bom grado, com tudo e acrescia-lhes a todas, mesmo sem terem pedido, uma porção daquela boniteza que não estraga, como se sabe, quadro nenhum e pela qual se perdoa ao retratista, de vez em quando, até mesmo a falta de semelhança. Pouco depois, já se espantava também com a rapidez milagrosa e a desenvoltura de seu pincel. E todos os seus modelos estavam, bem entendido, extáticos e aclamavam-no como um gênio.

Tchartkov se tornou um pintor famoso em todos os sentidos. Foi andando de almoço em almoço, passou a acompanhar as damas nas galerias de arte e até mesmo a passear com elas por ali; vestia-se agora com muito garbo e afirmava, em público, que o pintor devia pertencer à alta sociedade e dignificar sua condição,

---

[35] George Gordon Byron, popularmente conhecido como Lorde Byron (1788-1824): grande poeta inglês, considerado o maior expoente do Romantismo literário em toda a Europa.

[36] Corina de Tânagra (séc. V a.C.): célebre poetisa grega.

[37] Ente fantástico, semelhante à iara brasileira, que, segundo as lendas germânicas e escandinavas, vivia em rios e lagos.

[38] Aspásia (séc. V a.C.): cortesã ateniense cuja beleza arrebatava quem a conhecesse, concubina do famoso político Péricles.

que os pintores se vestiam como os sapateiros, não tinham boas maneiras nem respeitavam o trato social, estavam privados de toda e qualquer educação. Insistia em manter, tanto sua casa quanto seu ateliê, arrumados e limpos no mais alto grau, tinha dois lacaios soberbos e uma turma de elegantes alunos, trocava amiúde de roupas, usava diversos trajes matinais, frisava os cabelos, tratava de melhorar seus modos de receber as visitas e de embelezar, de todas as formas possíveis, sua aparência, para que impressionasse favoravelmente as damas — numa palavra, não se podia mais, pouco depois, reconhecer nele o humilde pintor que trabalhara outrora, imperceptível, em seu tugúrio na ilha Vassílievski. Agora se expressava energicamente sobre os pintores e a arte como tal: sustentava que se atribuía aos antigos mestres um mérito excessivo, que todos eles pintavam, antes de Rafael, arenques[39] em vez de figuras humanas, que só na imaginação dos espectadores existia a ideia de se ver, naquelas pinturas, a presença de certa santidade, que nem sequer Rafael pintava bem o tempo todo, continuando muitas das suas obras a ser tão gloriosas assim por mera tradição, que Miguel Ângelo[40] não passava de um fanfarrão, pois não queria outra coisa senão se gabar de seu conhecimento da anatomia, porém não era nada gracioso, e que cumpria procurar o verdadeiro brilho, a

---

[39] Peixe proveniente do Mar Báltico e de outros mares setentrionais, muito apreciado por seu sabor.
[40] Michelangelo Buonarroti (1475-1564): pintor, escultor, poeta e arquiteto, tido como um dos maiores gênios da Renascença italiana.

força artística e o colorido apenas no século presente, na época atual. Então, espontânea e naturalmente, chegava a falar de si próprio.

— Não entendo — dizia — aquela tensão com que os outros ficam ali penando. Quem passa meses sentado diante de sua tela não é um pintor, para mim, mas antes um trabalhador. Não acredito que tenha mesmo um talento. Os gênios criam rápida, corajosamente. Eu, por exemplo — prosseguia, dirigindo-se, por hábito, aos visitantes —: fiz este retrato em dois dias, aquela cabecinha num dia só, isto aqui em algumas horas, aquilo ali numa horinha e pouco. Não, eu mesmo, eu... confessarei que não reconheço o que se faz linha por linha como uma arte: não é mais uma arte e, sim, um ofício.

Era o que contava aos seus fregueses, e eles se embasbacavam com a energia e a desenvoltura de seu pincel e soltavam diversas exclamações, mal ouviam quão rapidamente seus quadros se produziam, e depois comunicavam uns aos outros: "É um talento, um verdadeiro talento! Vejam só como ele fala, como seus olhos brilham! *Il y a quelque chose d'extraordinaire dans toute sa figure!*".[41]

O pintor ficava lisonjeado com esses boatos. Quando apareciam, nos jornais, os elogios a ele, rejubilava-se como uma criança, apesar de tais elogios terem sido pagos do seu próprio bolso. Ele andava por toda parte com as folhas desses jornais, mostrando-as, como que

---

[41] Há algo extraordinário em toda a sua aparência (em francês).

por acaso, aos seus companheiros e conhecidos, e isso o alegrava em sua mais simplória ingenuidade. Sua fama crescia, suas encomendas e obras se multiplicavam. Aos poucos, ele se aborrecia com os mesmos retratos e rostos, tendo já decorado suas posições e viradas. Agora os pintava sem muita vontade, buscando esboçar, de qualquer jeito, tão só a cabeça e incumbindo seus alunos de concluí-los. Antes tentava, pelo menos, representar alguma postura nova, arrebatar os espectadores com algum efeito potente. Agora se enfadava com isso também. Sua mente estava cansada de inventar e de refletir. Ele não tinha mais força nem tempo para tanto: sua vida desregrada, e a sociedade na qual procurava fazer o papel de homem mundano, tudo isso o afastava muito do seu trabalho e das suas ideias. Seu estilo se tornava frio e tosco, e o pintor se restringia insensivelmente às formas monótonas, predefinidas e, havia tempos, desgastadas. Aquelas idênticas, frias, sempre ordenadas e, por assim dizer, abotoadas figuras dos servidores civis e militares não davam muito espaço para o pincel, que vinha omitindo o luxo dos cenários, a expressividade das poses e a força das paixões. Nem se tratava mais de pintar grupos de pessoas, de construir um drama artístico com seu enredo sublime. Apenas estavam em sua frente um uniforme, um corpete, um fraque, perante os quais um pintor se sente tomado de frio e falto de toda imaginação. Nem as vantagens mais ordinárias se viam agora em suas obras, que, não obstante, eram ainda prestigiadas, embora os verdadeiros conhecedores e artistas só dessem de ombros ao contemplarem os últimos quadros dele. Havia mesmo quem não pudesse entender, conhecendo Tchartkov desde antes, como desaparecera aquele talento, cujos indícios se revelavam nele, tão manifestos, bem no começo de sua carreira, e procurasse em vão desvendar a extinção de um dom artístico num homem que acabava de desenvolver plenamente todas as suas aptidões.

Entretanto, o pintor deslumbrado não ouvia esses rumores. Já se tornava sério, já entrava nos anos, já engordava e aumentava visivelmente de largura. Já lia, em jornais e revistas, tais epítetos como "nosso ilustre Andrei Petróvitch, nosso emérito Andrei Petróvitch". Já lhe ofereciam cargos honoríficos no serviço público, incluíam-no em bancas examinadoras e comissões. Ele já se dispunha, como sempre acontece numa idade honrada, a tomar o partido de Rafael e dos mestres antigos, mas não porque se convencera afinal de seu alto mérito e, sim, para desafiar, com tal mérito, os jovens pintores. Já começava, segundo o hábito de quem atingisse essa idade, a acusar todos os jovens, sem exceção alguma, de serem imorais e transviados. Já acreditava que tudo se fazia mui simplesmente neste mundo, que a inspiração suprema não existia e que tudo devia, necessariamente, obedecer à mesma e rigorosa ordem de pontualidade e uniformidade. Numa palavra, sua vida estava chegando àquela época em que tudo quanto for impetuoso contrai-se dentro do homem, em que o poderoso arco passa a cantar cada vez mais baixo em sua alma e não envolve mais seu coração em sons penetrantes, em que o aflorar da beleza não converte mais suas forças virgens em fogo e flama, mas todos os seus sentimentos incinerados se voltam aos poucos para o tinir do ouro, prestam cada vez mais atenção à sua melodia encantadora e acabam, já reduzidos a cinzas, por se deixar embalar totalmente por ela. A glória não pode ser deleitosa para quem a tiver furtado, sem merecê-la; só faz palpitar incessantemente a quem for digno dela. Portanto, todos os seus sentimentos e ímpetos se voltaram para o ouro. O ouro se transformou em sua paixão, seu ideal, seu medo, seu prazer, sua meta. Os maços de notas bancárias cresciam em seus baús, e, como qualquer pessoa a que coubesse tal quinhão tenebroso, ele foi ficando maçante, fechado a tudo, exceto ao ouro, avarento sem causa, acumulador sem motivo: já estava prestes a tornar-se uma daquelas estranhas criaturas que são muitas em nosso mundo desumano, para as quais as pessoas cheias de vida e emoção olham apavoradas, tomando cada uma delas por um ataúde de pedra que deambula com um cadáver por dentro, no lugar do coração. Mas houve um acontecimento que despertou e transtornou, drástico, toda a sua essência vital.

Um dia ele viu, em cima da sua mesa, um bilhete em que a Academia de Belas-Artes[42] lhe pedia que fosse, sendo um respeitável membro dessa instituição, avaliar uma nova obra de certo artista russo que a enviara da Itália, onde se aperfeiçoava em pintura.

---

[42] Estabelecimento de ensino artístico, médio e superior, fundado em 1757, situado em São Petersburgo (na Ilha Vassílievski) e atualmente denominado Instituto Rêpin de pintura, escultura e arquitetura.

Esse artista era um dos seus antigos colegas; apaixonado, desde criança, pela arte, mergulhara nela com toda a sua alma ardente e laboriosa, apartara-se dos amigos, dos familiares, dos seus queridos costumes e fora correndo àquelas paragens onde floresce, debaixo dos lindos céus, um majestoso jardim das artes, àquela maravilhosa Roma cujo nome faz bater, com tanta força e plenitude, o coração fogoso de todo pintor. Lá mergulhara, qual um eremita, em seu trabalho, em seus estudos que nada interrompia. Pouco lhe importava que se falasse de sua índole, de sua incapacidade de lidar com outras pessoas e de observar as conveniências mundanas, daquela humilhação que ocasionava à condição de pintor com seu traje parco e nada garboso. Quer seus pares se zangassem com ele, quer não, tampouco lhes dava atenção. Desdenhava de tudo quanto não fosse arte. Não se cansava de frequentar as galerias, passava horas inteiras em face das obras de grandes mestres, perseguindo e capturando as suas mágicas pinceladas. Não terminava nenhuma das próprias obras sem antes conferi-las, diversas vezes, com as daqueles grandes mentores, sem antes ler, nas criações deles, algum conselho silencioso, mas eloquente. Não participava das ruidosas conversas e discussões, não se pronunciava nem a favor dos puristas[43] nem contra eles. Rendia iguais homenagens a todos, extraindo de tudo apenas o que havia de belo,

---

[43] Artistas ou estudiosos que defendem a preservação rigorosa das características originais e autênticas de determinada cultura ou tradição.

e finalmente escolheu, como seu único mentor, o divino Rafael. Assemelhava-se àquele grande artista-poeta que, ao ler muitos livros distintos, belos e imponentes, acabara escolhendo, como seu único livro de cabeceira, *A Ilíada*, de Homero, consciente de ela conter tudo quanto se desejasse e de não existir nada que ela não espelhasse com uma perfeição profunda e sublimada. Acabou aprendendo, nessa escola, a grandiosa ideia de sua criação, a poderosa beleza de seu pensamento, o alto encanto de seu estilo celeste.

Ao entrar na sala, Tchartkov encontrou toda uma multidão de espectadores reunidos diante do quadro. Um silêncio completo, bem raro no meio dos numerosos apreciadores de artes, reinava, dessa feita, por toda parte. O pintor se apressou a tomar um ar significativo, o de um perito, e achegou-se ao quadro. Mas, Deus do céu, o que foi que ele viu!

Pura, imaculada, linda como uma noiva, a obra do artista estava em sua frente. Humilde e divina, ingênua e simplesmente genial, sobrepujava a tudo. Parecia que, pasmados com tantos olhares que se fixavam neles, os entes celestiais abaixavam, pudicos, suas belíssimas sobrancelhas. Com uma perplexidade involuntária é que os conhecedores miravam aquele novo estilo jamais visto antes. Era como se todos os elementos se juntassem na tela: o estudo de Rafael, que se refletia na alta nobreza das poses, e o estudo de Correggio, que as pinceladas perfeitas respiravam. Contudo, a mais poderosa era a manifestação daquela força criativa que já se encerrava na própria alma do pintor. Ele ponderara os mínimos pormenores do quadro, fazendo que a lei artística e a potência interior transparecessem em tudo. Captara, por toda parte, aquela fluida redondeza das linhas, inerente à natureza, que apenas o olho de um artista criador vê, e que se torna angulosa sob o pincel de um copista. Percebia-se que primeiro o artista guardara em sua alma tudo quanto havia extraído do mundo externo, e que depois canalizara, a partir dessa fonte espiritual, para fora, igual a um canto solene e harmonioso. E até mesmo os leigos compreendiam agora que imensurável abismo separava uma obra de arte de uma simples cópia da natureza. Seria quase impossível descrever aquele silêncio extraordinário em que estavam imersos, quisessem ou não, todos os que cravavam os olhos no quadro: nem um som, nem sequer um murmúrio; enquanto isso, o quadro parecia a cada minuto mais e mais belo; cada vez mais luminoso e prodigioso, distanciava-se de tudo, e eis que se transformou, afinal, num instante, fruto de uma ideia que descera do céu sobre o pintor, naquele instante ao qual toda a vida humana serve de mera introdução. As lágrimas estavam prestes a rolar, involuntárias, pelos rostos dos visitantes a rodearem o quadro. Parecia que todas as preferências, todos os pendores ousados e irregulares do gosto artístico amalgamavam-se num hino silencioso à obra divina.

Imóvel, de boca aberta, Tchartkov estava plantado em face do quadro e finalmente, quando os visitantes e conhecedores se puseram a conversar, debatendo os méritos daquela obra, e pediram que ele também expressasse a sua opinião, recuperou os sentidos. Queria tomar, como de praxe, um ar indiferente, queria dizer, a exemplo dos seus colegas de pouca sensibilidade, algo banal e pífio, algo como: "Sim, claro: é verdade que não falta talento àquele pintor; há, sim, alguma coisa ali, é óbvio que ele queria exprimir alguma coisa, porém, no que diz respeito ao principal...", e adicionar certamente, logo em seguida, tais elogios que não trariam sucesso a nenhum pintor. Queria fazer tudo isso, mas a palavra expirou em seus lábios, os prantos e soluços prorromperam, confusos, em resposta, e, como um louco, ele saiu correndo da sala.

Petrificado, aturdido, quedou-se, por um minuto, no meio do seu ateliê suntuoso. Toda a sua essência, toda a sua vida ficara acordada num átimo, como se sua juventude estivesse de volta, como se as centelhas de seu talento, já apagadas, tornassem a arder. Uma venda caiu, de súbito, dos seus olhos. Deus! Destruir, tão implacavelmente assim, os melhores anos de sua mocidade; abafar, extinguir a fagulha daquele fogo que bruxuleava, talvez, em seu peito, que estaria, talvez, flamejando agora, belo e majestoso, que também provocaria, talvez, esses prantos de êxtase e gratidão! Destruir tudo isso, destruir sem sombra de pena! Parecia que, nesse momento, ressuscitavam em sua alma, todos juntos e todos de vez, aqueles lampejos, aqueles impulsos que ele já conhecera outrora. Agarrou um pincel e aproximou-se de uma tela. Seu rosto suou de tanto esforço: ele se transformou todo num só desejo, ficou dominado por uma só ideia, a de pintar o anjo rebelde. Essa ideia combinava sobremaneira com o estado de sua alma. Mas ai: os vultos e as poses, os grupos e as ideias vinham forçados e desconexos. Seu pincel e sua imaginação já estavam por demais sujeitos a uma medida predefinida, e sua efêmera tentativa de traspassar os limites, de romper as amarras que ele impusera a si mesmo, revelava-se, desde já, errônea e falha. O pintor desprezara a longa e cansativa escada da aprendizagem gradual, não se importara com as primeiras e principais leis de um grande futuro. Ficou desgostoso. Mandou tirarem do seu ateliê todas as suas últimas obras, todas aquelas inânimes pinturazinhas em voga, todos os retratos de hussardos,[44] damas e servidores da quinta classe.[45] Trancou-se sozinho em seu quarto, proibindo que quaisquer pessoas entrassem, e absorveu-se todo em seu trabalho. Como um jovem perseverante, como um aluno, dedicava-se ao seu quadro. Mas quão inexoravelmente ingrato era tudo quanto pintasse seu pincel! A cada passo, ele se via retido pelo desconhecimento das noções mais básicas; um mecanismo simples e reles arrefecia-lhe todos os ímpetos criativos, sendo um limiar intransponível para sua imaginação. Seu pincel adotava, espontaneamente, as formas que o pintor decorara: as mãos se juntavam do mesmo modo fixo, a cabeça não se atrevia a tomar uma postura incomum, nem sequer os vincos das roupas, também

---

[44] Cavalaria ligeira de vários países europeus, inclusive da Rússia.
[45] Os servidores civis e militares do Império Russo dividiam-se em catorze classes consecutivas, sendo a 1ª (chanceler, marechal de exército ou almirante) a mais alta.

decorados, queriam obedecer-lhe nem se harmonizavam com a pose ignota do corpo. E ele sentia, sentia e via, com os próprios olhos, tudo isso.

— Será que tive mesmo um talento? — disse ele, por fim. — Será que não me enganei? — E, ditas essas palavras, acercou-se das suas obras antigas, feitas outrora, com tanta pureza e sem interesse algum, lá em seu pobre casebre, naquela solitária ilha Vassílievski, longe da multidão, da abundância e de todos os caprichos. Agora se acercou delas, pondo-se a examiná-las todas, cheio de atenção, e a rememorar, enquanto as examinava, toda a sua modesta vida antiga. — Sim — disse, com desespero —, eu tinha um talento. Em tudo, de lado a lado, dá para ver os indícios e traços dele...

Deteve-se e, de repente, estremeceu com o corpo todo: seus olhos se depararam com outros olhos que o fitavam. Era aquele retrato extraordinário, comprado no Pátio de Chtchúkin. Ficara sempre coberto, vedado por outras pinturas, e acabara completamente esquecido. Mas eis que, levados embora todos os retratos e quadros em voga que abarrotavam seu ateliê, viera à tona com as antigas obras de sua mocidade. Tão logo Tchartkov recordou toda aquela história bizarra, tão logo recordou que, de certo modo, aquele estranho retrato fora a causa de sua metamorfose, que o tesouro adquirido de forma tão milagrosa engendrara todos os seus fúteis desejos que dariam cabo de seu talento, sentiu que uma verdadeira raiva estava prestes a invadir-lhe a alma. De imediato, mandou levarem embora o odioso retrato. Mas seu distúrbio espiritual não se apaziguou com isso: todos os seus sentimentos, todo o seu íntimo, ficaram perturbados a fundo, e o pintor conheceu aquele terrível suplício que ocorre por vezes, como uma exceção assombrosa, na face da terra, quando um talento fraco se esforça para criar algo maior do que ele próprio, mas não consegue criá-lo, aquela angústia que resulta, para um jovem, em grandes ações, porém se transforma, para quem já atravessou o limite de seus devaneios, numa sede insaciável, numa dor lacerante que torna um homem capaz de horrendas atrocidades. Uma inveja descomunal, inveja a beirar uma fúria, apoderou-se dele. A bílis lhe tingia o rosto, mal ele via uma obra marcada pelo selo de um talento. Rangia então os dentes e devorava-a com um olhar de basilisco.[46] Nasceu, em sua alma, a intenção mais infernal que jamais nutrira um homem, e, com uma força raivosa, ele se pôs a realizá-la. Passou a comprar tudo o que as artes produziam de melhor. Comprando uma pintura a preço de ouro, carregava-a cautelosamente para seu quarto e, uma vez lá, partia, enraivecido como um tigre, para cima dela, rasgava-a, fazia-a em pedaços, cortava-a e pisoteava-a às gargalhadas de gozo. As incontáveis riquezas que tinha acumulado forneciam-lhe todos os meios de satisfazer esse infernal desejo. Desamarrou todos os sacos repletos de ouro, abriu todos os seus baús. Nunca nenhum monstro ignorante exterminara tantas belas pinturas quantas exterminou esse cruel

---

[46] Criatura lendária, serpente ou lagarto, capaz de matar com seu olhar.

vingador. Em todos os leilões onde aparecia, qualquer um se desesperava de antemão, sabendo que não poderia adquirir a obra almejada. Era como se o céu iracundo tivesse mandado, propositalmente, aquele flagelo para o mundo, querendo tomar-lhe toda a harmonia. Essa terrível paixão revestira-o de um colorido apavorante: a bílis se esparramava sempre pelo seu rosto. Um insulto que dirigia ao mundo inteiro e uma constante negação imprimiam-se naturalmente nas suas feições. Parecia encarnar o monstruoso demônio idealizado por Púchkin. Seus lábios não pronunciavam nada que não fosse ora uma peçonhenta injúria, ora uma censura invariável. Qual uma harpia,[47] surgia no meio da rua, e todos os que o avistavam de longe, mesmo seus conhecidos, buscavam esquivar-se dele e evitar tal encontro, dizendo que bastaria para lhes estragar depois o dia todo.

Felizmente para o mundo e para as artes, uma vida tão penosa e violenta assim não poderia ser longa: a intensidade de suas paixões era por demais perversa e colossal para as suas escassas forças. Os acessos de fúria e de loucura vinham cada vez mais frequentes e, finalmente, tudo isso lhe provocou a doença mais perigosa. Uma febre implacável, ligada à tísica[48] mais galopante, apossou-se dele com tanto furor que, três dias depois, não restava senão uma sombra do nosso pintor. Juntavam-se a isso os sintomas de uma

---

[47] Monstro da mitologia grega com cabeça de mulher e corpo de abutre, com garras e asas (Dicionário Caldas Aulete).
[48] Antiga denominação da tuberculose pulmonar.

insanidade incurável. Às vezes, nem vários homens juntos conseguiam segurá-lo. Em seu delírio, ele via os olhos vivos daquele retrato extraordinário, dos quais se esquecera havia tempos, e sua raiva era, nesses momentos, aterradora. Todas as pessoas que rodeavam sua cama tomavam a forma de medonhos retratos. E aquele retrato dobrava, quadruplicava aos seus olhos, e todas as paredes pareciam cobertas de retratos que não desviavam dele um olhar fixo e vivo. Os medonhos retratos fitavam-no do teto, do chão, seu quarto se alargava, crescia infinitamente para caberem lá ainda mais olhos que nele se fixavam. O médico que se encarregara de cuidar do pintor enfermo, e que já estava um pouco ciente de sua estranha história, fez de tudo para descobrir a correlação oculta entre os fantasmas a assediarem-no e os acidentes de sua vida, mas não chegou a nenhuma conclusão. O doente não entendia nem sentia mais nada, além dos seus sofrimentos, soltando apenas gritos horripilantes e balbucios ininteligíveis. Enfim, sua vida acabou num derradeiro, já silencioso, rasgo de agonia. Seu cadáver era pavoroso. Não acharam nada que sobrasse das suas enormes riquezas, porém, vendo os pedaços esmiuçados daquelas obras de arte cujo valor excedia a milhões, compreenderam o sinistro destino delas.

Parte II

Muitos coches, *drójkis* e caleças estavam à entrada de uma casa, onde se leiloavam os pertences de um daqueles ricos amantes das artes que passaram a vida inteira num doce cochilo, imersos em zéfiros e amores,[49] foram ingenuamente rotulados de mecenas e gastaram para tanto, de igual modo ingênuo, os milhões acumulados pelos seus pais sisudos ou, vez por outra, até mesmo ganhos com seus próprios trabalhos antigos. Já não existem agora, como se sabe, tais mecenas, e este nosso século XIX já adquiriu, há muito tempo, a tediosa fisionomia de um banqueiro que se deleita com seus milhões vistos unicamente como números escritos no papel. Uma sala comprida estava cheia de visitantes a formarem uma multidão variegadíssima, parecidos com os abutres que cercam um corpo abandonado. Havia lá toda uma caterva de comerciantes russos, vindos tanto do Pátio Gostíny[50] quanto da feira do rolo, com suas sobrecasacas alemãs, bem azuis. Sua aparência e sua expressão facial estavam, nessa ocasião, mais firmes e desenvoltas, sem denotarem aquela solicitude enjoativa que se revela em demasia quando um comerciante russo fica, em sua loja, face a face com um freguês. Não se acanhavam nem um pouco, embora se encontrassem, na mesma sala, muitos daqueles aristocratas perante os quais estariam prontos, num outro lugar, a varrer com suas mesuras toda a poeira trazida em suas próprias botas. Andavam totalmente desinibidos, apalpavam, sem

---

[49] Cita-se a comédia *A Desgraça de Ser Inteligente*, de Alexandr Griboiédov (1795-1829), personificando os "zéfiros e amores" a soma dos prazeres terrenos.

[50] Imenso conjunto de lojas e armazéns situado no centro histórico de São Petersburgo.

cerimônia alguma, os livros e as pinturas, querendo saber se a mercadoria estava boa mesmo, e cobriam afoitamente os preços oferecidos por condes conhecedores. Havia lá também vários frequentadores compulsivos, dispostos a ir, toda manhã, a qualquer leilão desses em vez de tomar seu café; fidalgos conhecedores que tinham por dever não deixar escapar o menor ensejo de aumentarem suas coleções e não tinham, aliás, mais nada a fazer entre o meio-dia e uma hora da tarde; e, finalmente, alguns senhores nobres, de trajes ruins e bolsos vazios, que vinham todos os dias, sem nenhum objetivo ganancioso, mas tão somente a fim de verem o desfecho do leilão e de saberem quem pagaria mais e quem pagaria menos, quem acabaria vencendo e arremataria tal ou tal obra. Montes de quadros estavam lá, espalhados sem sombra de ordem; mesclavam-se com eles diversos móveis, bem como os livros ornados de monogramas de seu antigo proprietário, que nem tivera, talvez, a louvável curiosidade de folheá-los. Os vasos chineses; as tampas marmóreas de mesas; os móveis velhos e novos com seus contornos recurvos, seus grifos, esfinges e patas de leões, com douraduras e sem douraduras; os lustres, os *quinquets*[51] — tudo isso estava amontoado e, ao contrário das lojas de arte, desordenado. Era uma espécie de caos artístico... De modo geral, a sensação que temos durante um leilão é horrível: ali, tudo nos traz à memória uma procissão fúnebre. A

---

[51] Antigos candeeiros a óleo (em francês).

sala onde ele transcorre é sempre sombria: tapadas com móveis e quadros, as janelas só deixam passar uma luz muito parca. O silêncio dos visitantes e a voz torva do leiloeiro, que bate seu martelinho e salmodia uma homenagem póstuma às artes reunidas ali de maneira tão esquisita: parece que tudo isso reforça ainda essa impressão estranha e desagradável.

O leilão estava, aparentemente, em seu apogeu. Toda uma multidão de pessoas decentes espremia-se lá, discutindo à porfia. As palavras "rublo, rublo, rublo", que ecoavam de todos os lados, não deixavam ao leiloeiro sequer um instante para repetir o preço crescente, já quatro vezes maior do que o declarado de início. A multidão, que o circundava, discutia por causa de um retrato, irresistivelmente atraente para quem tivesse a mais ínfima noção de artes plásticas. O alto estilo do seu autor evidenciava-se nele. Esse retrato, que já fora, pelo visto, diversas vezes restaurado e renovado, era o semblante moreno de um asiático, de roupas folgadas, cuja expressão facial parecia estranha e singular. E era, sobretudo, a extraordinária viveza de seus olhos que pasmava os espectadores: quanto mais atentassem neles, tanto mais esses olhos aparentavam adentrá-los todos. Tal estranheza, tal enfoque invulgar do pintor, atraía uma atenção quase generalizada. Muitos dos competidores já tinham aberto mão dele, porque seu preço estava exorbitante. Restavam apenas dois aristocratas bem conhecidos, amantes da pintura, que não queriam, de modo algum, desistir de uma aquisição dessas. Ambos arrebatados, chegariam, por certo, a levar o preço ao último dos extremos, mas, de repente, um dos homens que contemplavam aquele retrato disse: "Permitam-me interromper, por um tempo, a discussão dos senhores. Pode ser que eu mesmo tenha maiores direitos a esse retrato do que qualquer outra pessoa".

Essa frase lhe garantiu, num átimo, a atenção de todos. Era um homem esbelto, de uns trinta e cinco anos de idade, cujos cabelos eram compridos, negros e cacheados. Seu rosto simpático, marcado por um desleixo luminoso, revelava uma alma alheia a todas as angústias e viravoltas mundanas; em suas roupas não havia nenhuma pretensão de serem vistosas: tudo mostrava que era um artista. Era, de fato, o pintor B., que muitos dos presentes conheciam pessoalmente.

— Por mais estranhas que lhes pareçam estas palavras minhas — continuou, vendo que atraía a atenção geral —, os senhores verão, desde que consintam em escutar uma pequena história, que tive o direito de pronunciá-las. Tudo me convence de ser aquele mesmo retrato que estou procurando.

Uma curiosidade bem natural iluminou quase todos os rostos; até mesmo o leiloeiro ficou parado e boquiaberto, com seu martelinho erguido na mão, aprontando-se para escutar. No começo de seu relato, muitos volviam ainda, involuntariamente, os olhos para aquele retrato, mas, à medida que a narração se tornava cada vez mais empolgante, passaram a dirigi-los apenas para quem narrava.

— Os senhores conhecem aquela parte da cidade que chamam de Kolomna — foi assim que ele começou. — Ela não se assemelha em nada aos outros bairros de Petersburgo: não é capital nem província; parece que nos sentimos, passando pelas ruas de Kolomna, privados de todos os anelos e arroubos de nossa juventude. O futuro não aparece por lá; é tudo silêncio e aposentadoria, tudo o que sobra do nosso vaivém metropolitano. É bem ali que fixam sua residência os servidores aposentados, as viúvas, as pessoas não muito ricas que chegaram a conhecer o Senado e foram, portanto, fadadas a passar ali toda a vida; as cozinheiras idosas que ficam o dia todo andando pela feira, batendo papo com o mujique da loja de quinquilharias e gastando, em cada ocasião, cinco copeques com café e quatro copeques com açúcar, e, afinal de contas, toda uma categoria de pessoas que se pode nomear com uma só palavra, "cinza", ou seja, das pessoas que têm, com seus trajes, semblantes, cabelos e olhos, uma aparência turva, acinzentada, igual a um dia sem chuva nem sol, quando o céu não está nem sombrio nem claro, e a névoa úmida tira qualquer nitidez dos objetos. Podemos incluir nesse grupo os camaroteiros teatrais aposentados, os servidores aposentados da nona classe, os pupilos de Marte, aposentados também, de olho furado e lábio inchado. Essas pessoas são todas imperturbáveis: andam sem olhar para nada, caladas, sem pensamento algum. Há poucos pertences nos quartos delas: às vezes, tão só um *stof*[52] de pura vodca russa, que sugam, em

---

[52] Antiga medida de volume, equivalente a 1/10 do balde ou, aproximadamente, a 1,23 litro.

plena monotonia, o dia todo, sem que aflua demais à sua cabeça, como sói ocorrer, por exemplo, àquele jovem alemão, àquele valente artesão da Rua Mechtchânskaia,[53] o qual farreia aos domingos e possui sozinho, quando o tempo passa da meia-noite, a calçada inteira.

"A vida é terrivelmente solitária, lá em Kolomna: raramente aparece um carro, salvo aquele usado pelos atores, o único a perturbar o silêncio geral com seus estrondos, tinidos e retintins. São todos pedestres por lá; o cocheiro se arrasta amiúde sem passageiro, levando o feno para seu cavalinho barbudo. Dá para alugar um apartamento por cinco rublos mensais, inclusive com o café da manhã. As viúvas, que recebem suas pensões, são as damas mais aristocráticas do bairro: portam-se bem, varrem seu quarto com frequência, conversam com suas amigas sobre a carestia da carne de vaca e do repolho; muitas vezes, têm uma filha novinha, uma criatura submissa, calada e, vez por outra, até bonitinha, bem como um cachorrinho asqueroso e um relógio de parede cujo pêndulo faz tique-taques tristonhos. Quem está em segundo lugar são os atores cuja renda não deixa que saiam de Kolomna: um povo livre, como todos os artistas que vivem por prazer. Ficam sentados, com seus roupões, consertando uma pistola, colando várias coisinhas de papelão, úteis em casa, jogam damas ou

---

[53] Havia, em São Petersburgo, três ruas Mechtchânskaia — a Grande, a Média e a Pequena —, famosas por seus bordéis e botequins.

cartas com um companheiro, que vem visitá-los, e assim passam a manhã toda, fazendo o mesmo à noite também, com eventual acréscimo de ponche. Abaixo desses figurões e fidalgos de Kolomna encontram-se biltres e lagalhés extraordinários. É tão difícil nomeá-los quanto contar aquele mundão de insetos que proliferam no vinagre vencido. Há velhas que rezam; velhas que se embebedam; velhas que rezam e depois se embebedam; velhas que sobrevivem por conta de bicos inimagináveis, carregando, iguais às formigas, antigos trastes e roupas de baixo da ponte Kalínkin até o mercado de pulgas, a fim de vendê-los ali por quinze copeques — numa palavra, não raro os resíduos mais infelizes da humanidade. Nenhum benfazejo economista político acharia meios de melhorar o estado dessa gentinha.
"Mencionei-a para lhes mostrar quão frequentemente aquele povinho precisa buscar por uma ajuda rápida e temporária, recorrer a empréstimos: então surge, em seu meio, uma espécie peculiar de agiotas, que cedem pequenas quantias contra penhores e com altos juros. Tais agiotas pequenos são amiúde muito mais insensíveis do que os agiotas grandes, porquanto se originam no meio da pobreza e da miséria esfarrapada e manifesta, que um agiota rico, lidando apenas com quem vai vê-lo de carruagem, simplesmente não enxerga. Por isso é que perece cedo demais, nas almas deles, toda e qualquer sensação de piedade. Havia, entre tais agiotas, um... Porém não faria mal em dizer que o acidente do qual comecei a contar remonta ao século passado, notadamente ao reino de nossa

finada imperatriz Yekaterina II.⁵⁴ Os senhores hão de entender logo que o próprio aspecto de Kolomna e a vida desse bairro mudaram bastante de lá para cá. Pois bem: havia, entre os agiotas, um homem, um ser extraordinário em todos os sentidos, que morava, desde muito tempo naquela parte da cidade. Usava um largo traje asiático; sua tez escura patenteava a origem meridional dele, mas a que nação ele pertencia, se era indiano, grego ou persa, disso ninguém tinha nenhuma certeza. Sua estatura alta, quase gigante, seu rosto moreno e magro, quase tostado, e sua tez inconcebivelmente medonha, seus olhos grandes e cheios de fogo estranho, suas sobrancelhas espessas, hirsutas, diferençavam-no, clara e nitidamente, de todos os habitantes acinzentados da capital. Nem sua morada se parecia com as outras casinhas de madeira. Era uma construção de alvenaria, semelhante àquelas erguidas outrora, tão numerosas assim, pelos mercadores de Gênova, com janelas de formas irregulares e tamanhos variados, com contraventos e trancas de ferro. Esse agiota se distinguia dos demais agiotas, primeiro, com sua capacidade de emprestar qualquer quantia a qualquer pessoa, desde uma velha indigente até um palaciano esbanjador. Viam-se volta e meia, diante da sua casa, as carruagens mais luxuosas, em cujos postigos assomavam, de vez em quando, as cabeças daquelas esplêndidas damas da alta-roda.

---

⁵⁴ Yekaterina II, a Grande (1729-1796): imperatriz russa a partir de 1762, cujo reinado era tido como "século de ouro" da monarquia absoluta na Rússia.

Como de praxe, corriam rumores de que seus baús de ferro estavam repletos de incalculáveis moedas, joias, diamantes, além dos mais diversos penhores, sem ele ser, todavia, tão ganancioso quanto os outros agiotas. Emprestava dinheiro com gosto, fixando os prazos de pagamento, pelo que parecia, de modo bem conveniente. Ainda assim, empregava umas bizarras operações aritméticas que faziam seus devedores pagarem juros imensuráveis. Esses, pelo menos, eram os rumores. Contudo, a coisa mais estranha, que não podia deixar de surpreender muitas pessoas, era o destino de quem lhe pedisse empréstimo: a vida de todos os seus devedores tinha um fim trágico. Não se sabe ao certo se era apenas uma conversa fiada, um absurdo comentário supersticioso ou um boato lançado de propósito, mas vários casos, ocorridos em pouco tempo e a olhos vistos, eram verídicos e abismantes.

"Em meio à fidalguia daquela época, atraiu logo a atenção um moço de boa família, que se destacara desde cedo no serviço público, venerador fervoroso de tudo o que fosse sublime e verdadeiro, adepto de tudo o que criassem as habilidades e a mente humana, e que seria, talvez, um futuro mecenas. Foi destacado, rápida e devidamente, pela própria imperatriz, que lhe outorgou um cargo considerável, de pleno acordo com as preferências dele, um cargo em que pudesse agir em benefício das ciências e do bem-estar geral. Esse jovem fidalgo rodeou-se de pintores, poetas e cientistas. Queria dar trabalho a todos, incentivar a tudo. Empreendeu, por conta própria, muitas edições úteis, distribuiu muitas encomendas, estabeleceu prêmios de incentivo, gastou montes de dinheiro com isso e, finalmente, arruinou-se. Mas, cheio de intenções magnânimas, não quis interromper as suas atividades: foi contraindo empréstimos por toda parte e acabou recorrendo àquele agiota famoso. Conseguindo um valor considerável com ele, mudou, sem demora, como da água para o vinho: passou a perseguir e a oprimir a mente e o talento em desenvolvimento. Passou a ver, em todas as obras, algo ruim, a interpretar tortuosamente cada palavra. Foi então que se deu, para mal dos pecados, a Revolução Francesa. Isso lhe serviu de pretexto para todas as torpezas possíveis. De súbito, chegou a ver em tudo alguma vertente revolucionária, a lobrigar alusões em qualquer assunto. Tornou-se desconfiado a ponto de começar, afinal de contas, a suspeitar de si mesmo; foi redigindo denúncias terríveis e injustas e desgraçou a vida de uma legião de pessoas. Entende-se bem que suas ações chegaram, por fim, ao conhecimento da corte. A imperatriz magnânima horrorizou-se e, cheia daquela nobreza espiritual a adornar os monarcas, pronunciou as palavras cujo profundo significado ficou, ainda que não tivessem chegado com toda a sua exatidão aos nossos tempos, gravado em muitos corações. A imperatriz notou que não se oprimiam, sob um regime monárquico, os altos e nobres impulsos da alma, que não se menosprezavam nem eram perseguidas ali as obras da mente, da poesia e da arte; que, pelo contrário, só os monarcas se dispunham a patrociná-las, que Shakespeare e Molière prosperavam sob a generosa proteção deles, enquanto Dante não conseguia achar um canto seguro em sua pátria republicana; que os verdadeiros gênios apareciam em meio ao esplendor e ao poderio dos soberanos e de seus Estados, mas não durante aqueles horrendos fenômenos políticos e terrorismos republicanos que até agora não tinham dado ao mundo um só poeta; que se precisava favorecer os poetas-artistas, pois eles não perturbavam as almas com agitações e protestos, mas tão somente as enchiam de paz e bela serenidade; que os cientistas, poetas e todos os criadores das obras de arte eram as pérolas e os diamantes da coroa imperial, graças aos quais a época de um grande soberano adquiria ainda mais brilho e glória. Em suma, a imperatriz se revestiu, no momento em que pronunciava aquelas palavras, de uma beleza divina. Que me lembre, os anciães não podiam falar a respeito sem lágrimas. Todos se solidarizaram com ela. Cumpre-me dizer, para a honra de nosso orgulho nacional, que sempre habita, no coração russo, o belo sentimento de proteção aos oprimidos. O fidalgo que abusara da confiança suprema foi exemplarmente punido e afastado daquele seu cargo. Entretanto, era um castigo bem mais severo que lia no rosto de seus compatriotas. Via-se, decididamente, desprezado por todos. Nem se pode contar como sofria sua alma vaidosa: a soberba, a ambição frustrada, as esperanças logradas — tudo se juntou de vez, e sua vida se interrompeu em acessos terrificantes de loucura e raiva.

"Outro exemplo impressionante teve lugar a olhos vistos também: dentre todas as beldades, das quais nossa metrópole setentrional não estava então nada pobre, uma moça alcançou uma primazia absoluta. Era uma esplendorosa mistura de nossa beleza nórdica com a beleza do Sul, um diamante que raras vezes se encontra no mundo. Meu pai confessava que nunca vira, ao longo de toda a sua vida, nada que se parecesse com ela. Como se encarnasse todas as qualidades, era uma moça rica, inteligente e dotada de uma alma encantadora. Muitíssimos homens queriam desposá-la, e o mais eminente deles era o príncipe R., o melhor e o mais nobre de todos os jovens, de rosto belíssimo e sentimentos magnânimos e cavalheirescos, o alto ideal dos romances e das mulheres, um Grandison[55] em todos os sentidos. A paixão do príncipe R. beirava a loucura; a moça lhe retribuía o mesmo amor ardente. Contudo, os pais dela achavam que o partido seria desigual. As propriedades hereditárias do príncipe não lhe pertenciam havia tempos, sua família caíra em desfavor, e o estado precário de suas finanças era de conhecimento público. E eis que o príncipe deixou, por algum tempo, a capital, alegando a necessidade de melhorar seus negócios, e reapareceu, pouco depois, cercado de luxo e fausto inacreditáveis. Os bailes e festas magnificentes tornaram-no conhecido na corte. O pai da beldade mostrou-se benévolo, e ocorreu, em nossa cidade, um casamento interessantíssimo. Ninguém sabia explicar, com toda

---

[55] Charles Grandison: protagonista do romance sentimental *A História de Sir Charles Grandison*, de Samuel Richardson (1689-1761), publicado em 1753 e muito popular em fins do século XVIII, a par do romance *Clarissa, ou a História de Uma Jovem Lady*.

a certeza, nem como se dera tamanha reviravolta nem donde vinha a inaudita riqueza do noivo, porém se falava por lá de seu trato com um agiota misterioso e do empréstimo que contraíra com ele. Fosse como fosse, o casamento repercutiu pela cidade toda. Os noivos provocaram uma inveja geral. Todos estavam cientes de seus amores constantes e veementes, das longas provações aturadas por ambos os jovens, das altas qualidades de ambos. As mulheres fogosas já pressentiam aqueles gozos paradisíacos com os quais o novo casal se deleitaria à farta. Aconteceu, porém, o contrário. Em apenas um ano, o marido sofreu uma mudança horrível. Antes belo e nobre, seu caráter foi envenenado por suspeitas ciumentas, intolerâncias e caprichos inesgotáveis. Ele se fez um tirano, passou a atormentar sua esposa e, sem que ninguém pudesse tê-lo previsto, lançou mão dos meios mais desumanos, inclusive das agressões. Um ano depois, ninguém reconhecia mais aquela mulher, que tanto brilhava, pouco antes, e atraía multidões de submissos adoradores. Por fim, sem ter mais forças para suportar sua triste sina, foi ela mesma a primeira a falar em divórcio. O marido se enfureceu tão só com a ideia. Num primeiro rompante de violência, invadiu o quarto dela, com uma faca na mão, e tê-la-ia, sem dúvida, apunhalado na hora, se não o tivessem rendido e segurado. Louco de raiva e desespero, ele voltou a faca contra si mesmo e, numa tétrica agonia, terminou sua vida.

"Além desses dois casos presenciados pela sociedade toda, contava-se sobre muitas ocorrências em classes baixas, as quais teriam tido, quase todas, um desfecho funesto. Aqui, um homem probo e sóbrio tornou-se um patusco; acolá, o feitor de um negociante roubou seu patrão; ali também, um cocheiro que trabalhara honestamente por vários anos degolou seu cliente por um vintém. Seria impossível que tais eventos, recontados, por vezes, com certos acréscimos, deixassem de gerar uma espécie de pavor involuntário no meio dos modestos habitantes de Kolomna. Nenhum deles duvidava de haver uma força diabólica naquele homem. Diziam que, com as condições propostas por ele, os cabelos do devedor ficavam em pé e que esse infeliz nunca se atrevia a participá-las a outrem; que o dinheiro dele exercia uma atração poderosa, incandescia sem ser esquentado e trazia alguns signos estranhos... Numa palavra, corriam muitos rumores disparatados. E, o que era notável, toda aquela população de Kolomna, todo aquele mundinho de velhas pobres, de servidores miúdos, de artistas insignificantes e, resumindo, toda aquela plebe que acabamos de mencionar preferia aturar a extrema penúria a recorrer ao temível agiota; encontravam, inclusive, as velhas mortas de fome por preferirem trucidar seu corpo a destruir sua alma. Cruzando com ele na rua, todos se intimidavam sem querer. Quem passasse recuava prudentemente e depois se virava, por muito tempo ainda, para espiar seu vulto desmesurado que sumia ao longe. Sua aparência era, por si só, tão extraordinária que qualquer um lhe teria atribuído, de modo espontâneo, um feitio sobrenatural. Aqueles traços fortes, mais reentrantes que os de um homem comum; aquela tórrida cor de seu rosto bronzeado;

aquela espessura demasiada de suas sobrancelhas, aqueles olhos medonhos, insuportáveis, e até mesmo as largas pregas de sua veste asiática — tudo parecia afirmar que, ante as paixões a arderem no corpo dele, todas as paixões dos outros seriam bem pálidas. Meu pai ficava imóvel todas as vezes que se deparava com ele e todas as vezes dizia, sem se conter: 'Um demônio, um rematado demônio!'. Tenho, porém, de lhes apresentar logo meu pai, que é, diga-se de passagem, o verdadeiro protagonista desta minha história.

"Meu pai era um homem insigne em vários sentidos. Era um daqueles artistas que são poucos, um daqueles prodígios que só a Rússia engendra em sua matriz desmedida, um pintor autodidata que encontrara no fundo da alma, sem professores nem escolas, as regras e leis artísticas, que ansiava apenas pelo aperfeiçoamento e, por motivos que ele mesmo talvez ignorasse, seguia o único caminho que sua alma lhe indicava; um daqueles portentos natos que os contemporâneos rotulam frequentemente com a palavra injuriosa 'broncos' e que não se desapontam com tais injúrias nem seus próprios malogros, mas só adquirem novos estímulos, novas forças, e acabam por se afastar muito, em seu âmago, daquelas obras que lhes valeram o título de broncos. Com seu alto instinto interior, ele intuiu a presença de uma ideia em cada objeto; apreendeu, sem ninguém o ajudar, o verdadeiro significado do termo 'pintura histórica'; descobriu a razão pela qual uma simples cabecinha, um simples retrato de Rafael, Leonardo da Vinci, Ticiano ou Correggio podia ser chamado de quadro histórico, e uma enorme pintura de conteúdo histórico seria, ainda assim, *un tableau de genre*,[56] por mais que seu autor pretendesse pintar quadros históricos. Tanto esse seu sentimento interior quanto sua convicção própria voltaram-lhe o pincel para os temas cristãos, o derradeiro e o mais alto degrau do sublime. Não tinha ambição nem irritabilidade, tão inerentes à índole de muitos pintores. Era uma personalidade íntegra, um homem honesto e franco, até um pouco rude, coberto por fora de uma casca levemente endurecida e não privado de certo orgulho espiritual, que tratava as pessoas com indulgência e, ao mesmo tempo, com rispidez. 'Por que me importaria com elas?', costumava dizer. 'Não estou trabalhando para elas. Não levarei meus quadros para um salão: serão expostos numa igreja. Quem me entender agradecerá; quem não me entender rezará, todavia, a Deus. Não se deve acusar um homem mundano de não apreciar a pintura: aprecia, em compensação, o baralho, entende de bons vinhos, de cavalos — por que é que um senhorzinho saberia de outras coisas? Se porventura provar mesmo disto e daquilo, quem sabe se não vai exibir sua erudição, estragando a vida da gente! Cada um com seu cada qual, que cada um mexa com seu ofício. Para mim, é melhor que um homem diga, às claras, não compreender nada, em vez de bancar o hipócrita, dizendo que sabe tudo quanto não sabe, e de fazer, por ali, vilezas e porcarias.' Trabalhava por

---

[56] Uma pintura de gênero (em francês).

uma recompensa módica, ou seja, cobrava somente o que lhe era necessário para sustentar a família e ter a possibilidade de trabalhar mais. Além disso, não se negava, em caso algum, a ajudar a quem precisasse, a dar uma mãozinha a um pintor miserável; tinha a fé de seus ancestrais, sincera e piedosa, e era por isso, talvez, que suas imagens tomavam sozinhas aquela excelsa expressão que nem os brilhantes talentos conseguiam representar. Afinal, graças ao seu trabalho ininterrupto e à retidão do caminho que havia traçado para si mesmo, passou a granjear deferência por parte daquelas pessoas que o taxavam de bronco e de tosco autodidata. Recebia, o tempo todo, encomendas da igreja, não cessava de trabalhar. E eis que ficou absorto num daqueles trabalhos. Não lembro mais em que consistia precisamente seu tema, só sei que lhe cumpria colocar, num dos seus quadros, o espírito das trevas. Meu pai refletiu longamente em quem pintaria: visava representar no rosto do personagem tudo o que fosse penoso e afligisse um ser humano. Enquanto se entregava a tais reflexões, surgia, vez por outra, em sua mente a imagem do misterioso agiota, e ele pensava sem querer: 'Seria bem ele quem deveria posar como o diabo'. Imaginem, pois, os senhores a estupefação dele, quando certa feita, trabalhando em seu estúdio, ouviu alguém bater à porta e viu, logo a seguir, o tétrico agiota entrar. Não pôde deixar de sentir um tremor interno, que lhe percorreu repentinamente o corpo todo.

"— És um pintor? — disse ele, sem cerimônia alguma, ao meu pai.

"— Sou — respondeu meu pai, atônito, esperando pelo que sucederia.

"— Está bem. Pinta então meu retrato. Talvez eu morra em breve e não tenho filhos; não quero, porém, morrer por inteiro, quero viver ainda. Será que podes fazer que eu seja, nesse retrato, como se estivesse vivo?

"Meu pai pensou: 'O que seria melhor? Ele mesmo pede para ser o diabo desse meu quadro'. Prometeu que o pintaria. Eles combinaram o prazo e o valor, e logo no dia seguinte, pegando sua paleta e seus pincéis, meu pai foi à casa do agiota. Uma cerca alta, cães de guarda, portas e trancas de ferro, janelas arredondadas, baús recobertos de estranhos tapetes e, finalmente, o bizarro dono da casa que se sentara, imóvel, em sua frente — tudo isso lhe suscitou uma impressão esquisita. As janelas estavam, como que de propósito, tapadas e obstruídas por baixo, de sorte que a luz só passava pela parte de cima. 'Mas como seu rosto ficou bem iluminado, que o diabo o carregue!', disse meu pai consigo, pondo-se a pintar com sofreguidão, como se receasse perder, por acaso, a iluminação favorável. 'Que força!', repetiu no íntimo. 'Se eu conseguir, ao menos pela metade, representá-lo tal como está agora, ele matará todos os meus santos e anjos: vão todos empalidecer ao seu lado. Que força demoníaca! Ele saltará, pura e simplesmente, para fora da tela, se eu conseguir ser fiel, pelo menos um pouco, à natureza. Que feições extraordinárias!', repetia sem parar, esforçando-se cada vez mais e já percebendo, ele próprio, que algumas dessas feições começavam a despontar em sua tela. Contudo, à medida que se aproximava do seu original, crescia em seu âmago uma sensação angustiante, perturbadora, incompreensível para ele mesmo. Apesar disso, fazia questão de reproduzir, com exatidão absoluta, cada traço imperceptível, cada expressão instantânea. Dedicou-se, antes de tudo, ao acabamento dos olhos. Havia tamanha força naqueles olhos que parecia impensável pintá-los como eram na realidade. Meu pai decidira, porém, que descobriria, custasse o que custasse, os mínimos traços e matizes deles, que desvendaria seu enigma... No entanto, assim que se aprofundou e mergulhou neles com seu pincel, ressurgiram, em sua alma, tanta aversão singular, tanto peso ininteligível, que ele teve de abandonar, por algum tempo, o pincel e de retomá-lo mais tarde. Por fim, não podia mais aguentar, sentia que aqueles olhos se cravavam em sua alma e produziam, lá dentro, uma angústia inconcebível. No dia seguinte e no terceiro dia, sentiu-se pior ainda. Ficou aterrorizado. Largou o pincel e disse, resoluto, que não poderia continuar pintando. Seria preciso ver como se transtornou, com essas palavras, o estranho agiota. Prostrou-se aos pés de meu pai, implorando que concluísse o retrato, dizendo que disso dependiam seu destino e sua existência terrena, que o pintor já havia tocado, com seu pincel, nas feições dele ainda vivo, que, se acaso o retratasse fielmente, a vida dele ficaria conservada, de maneira sobrenatural, naquele retrato, que a morte dele não seria, portanto, completa, que ele necessitava permanecer neste mundo. Meu pai se assustou com as falas dele: acharam-nas tão estranhas e pavorosas que abandonou seus pincéis, sua paleta, e saiu do quarto correndo a toda a brida.

"Pensou naquilo, inquieto como estava, o dia inteiro e a noite inteira. Pela manhã, recebeu o retrato de volta, trazido por uma mulher, o único ser vivo que trabalhava para o agiota: ela disse na hora que seu patrão não queria mais o retrato, nem pagaria nada por ele, e que preferia devolvê-lo. No mesmo dia, ao entardecer, meu pai soube que o agiota acabara de falecer e que já se aprontavam para enterrá-lo conforme os ritos de sua religião. Tudo isso lhe pareceu inexplicavelmente estranho. E eis que se revelou, a partir desse momento, uma mudança sensível em seu caráter: passou a sentir inquietude, angústia, sem atinar com as possíveis causas, e pouco depois fez algo que ninguém teria podido sequer esperar da sua parte. As obras de um dos seus alunos começavam a atrair, havia algum tempo, a atenção de um pequeno círculo de conhecedores e amadores. Meu pai o achava talentoso e sempre o tratava, portanto, com especial simpatia. De chofre, sentiu inveja dele. Não conseguia mais suportar o interesse que todos mostravam pelo seu aluno, nem os boatos que o envolviam. Afinal, para cúmulo do desgosto, ficou sabendo que seu aluno recebera a proposta de pintar um quadro para uma igreja recém-construída e muito rica. Explodiu de ira. 'Não deixarei aquele fedelho triunfar, não!', disse. 'Foi cedo que resolveste, maninho, botar os velhos na lama! Ainda tenho forças, graças a Deus. Veremos ainda quem vai para o brejo primeiro.' E esse homem sincero, honesto no fundo da alma, usou de intrigas e artimanhas, que sempre desprezara até então, e arranjou finalmente um concurso para aquele quadro, fazendo que outros pintores também pudessem apresentar suas obras. A seguir, trancou-se no quarto e empunhou, frenético, o pincel. Aparentava a vontade de concentrar todas as suas forças, todo o seu ser naquilo. E produziu, de fato, uma das suas melhores obras. Ninguém duvidava que seria o vencedor do concurso. As obras foram expostas, e todas as outras pareceram, se comparadas à dele, uma treva em comparação com a luz do dia. E, de improviso, uma das pessoas ali presentes (um eclesiástico, se não me engano) fez uma objeção que surpreendeu a todos. 'O quadro desse pintor, realmente, encerra muito talento', disse ele. 'Contudo, não há santidade nos rostos; há mesmo, pelo contrário, algo demoníaco nos olhos, como se um sentimento impuro tivesse guiado a mão do artista.' Todos olharam para o quadro e não puderam deixar de reconhecer a justiça dessas palavras. Meu pai acorreu também, para vê-lo de perto e verificar pessoalmente se procedia tal objeção insultante, e viu, atemorizado, que dera a quase todos os personagens os olhos do agiota. Eles o miravam tão impactantes, tão demoníacos, que meu pai estremeceu sem querer. O quadro foi rejeitado, e ele teve de ouvir, para seu desgosto inenarrável, que a primazia coubera ao seu aluno. Não se poderia descrever a fúria com que voltou para casa. Quase espancou minha mãe, afugentou as crianças, quebrou os pincéis e o cavalete, agadanhou o retrato do agiota, que pendia numa parede, mandou trazerem uma faca e acenderem a lareira, na intenção de cortá-lo em pedaços e de queimá-lo. Foi nesse desvario que o flagrou, entrando no quarto, um companheiro dele, também pintor, jovial e sempre contente consigo mesmo, que não se entregava a nenhum desejo quimérico, aceitava, com alegria, todas as encomendas e, mais alegre ainda, ia almoçar e caía na farra.

"— O que está fazendo, o que vai queimar? — perguntou, acercando-se do retrato. — Misericórdia, mas é uma das suas melhores obras! É aquele agiota que morreu há pouco... sim, é um quadro irreprochável. Não foi o sobrolho que você acertou, mas o olho dele.[57] Jamais houve olhos que olhassem como aqueles ali.

"— Pois vejamos como vão olhar lá no fogo — disse meu pai, indo atirar o retrato à lareira.

"— Pare, pelo amor de Deus! — disse seu companheiro, detendo-o. — É melhor que o dê para mim, já que lhe irrita tanto os olhos.

"Primeiro meu pai ficou teimando, mas, afinal, concordou, e aquele brincalhão, satisfeitíssimo com sua aquisição, levou o retrato consigo.

"Tão logo ele foi embora, meu pai se sentiu de repente mais calmo. Dir-se-ia que se livrara, junto com o retrato, de algo que lhe pesava na alma. Então se surpreendeu com seus sentimentos maldosos, com sua inveja e uma patente mudança de sua índole. Ao

---

[57] O ditado russo "não acertar o sobrolho e, sim, o olho" significa "acertar em cheio, conseguir o melhor resultado possível".

ponderar o que tinha feito, entristeceu-se, no íntimo, e pronunciou com um pesar subjacente:

"— Não, foi Deus quem me castigou: não foi à toa que minha obra ficou infamada! Inventei-a para destruir meu confrade. O demoníaco sentimento de inveja é que guiou meu pincel, e demoníaco havia de ser o sentimento que transparecesse em meu quadro.

"Foi, sem demora, procurar seu antigo aluno, abraçou-o com força, pediu-lhe perdão e buscou redimir-se, o quanto pudesse, da culpa que tinha para com ele. Voltou a trabalhar com a mesma serenidade, porém seu rosto tomava cada vez mais uma expressão pensativa. Rezava agora com uma frequência maior, calava-se muitas vezes e não tratava mais as pessoas com sua rispidez costumeira; até mesmo seu caráter, rude em aparência, suavizou-se aos poucos. E logo surgiu uma circunstância a mais que lhe causou novo transtorno. Fazia bastante tempo que não se encontrava com aquele seu companheiro ao qual repassara o retrato. Já se dispunha a ir visitá-lo quando, de súbito, ele mesmo entrou em seu quarto. Após umas palavras e perguntas de ambos os lados, disse:

"— Pois bem, mano, não foi por acaso que você quis queimar aquele retrato. Há nele algo estranho, que o diabo o carregue... Não acredito em bruxas, mas, diga o que disser: há uma força das trevas nele...

"— Como assim? — perguntou meu pai.

"— Assim mesmo: desde que o pendurei em meu quarto, tenho sentido tanta agonia... como se quisesse degolar alguém lá. Nunca soubera, em toda a minha vida, o que era uma insônia... e não só tive insônia, mas também alguns sonhos... Nem posso dizer, eu mesmo, se eram sonhos ou não sei mais o quê... como se um duende me sufocasse... E sempre via aquele maldito velho em minha frente. Numa palavra, não posso descrever esse meu estado. Nunca me acontecera nada de semelhante. Tenho andado como um doido todos esses dias, sentindo um temor, esperando, com aflição, por alguma coisa. Sentia que não podia mais dizer uma só palavra alegre e franca a ninguém, como se um espião ficasse o tempo todo perto de mim. Apenas depois de entregar o retrato ao meu sobrinho, que estava a fim dele, é que me senti, de repente, como se uma pedra me tivesse caído dos ombros: foi assim, de repente, que me senti, como está vendo, outra vez alegre. Pois é, mano: você fabricou um diabo aí!

"Enquanto ele contava, meu pai o escutava com uma atenção impassível e, afinal, questionou:

"— E o retrato está agora com seu sobrinho?

"— Sobrinho, que nada! Não aguentou — respondeu o brincalhão. — Parece que a alma daquele agiota foi morar no retrato: ele sai da moldura, anda pelo quarto... Nem dá para imaginar aquilo que meu sobrinho tem contado. Eu pensaria até que ele perdera a razão, se não tivesse sentido, em parte, a mesma coisa. Ele vendeu o retrato para um colecionador de pinturas, que tampouco aguentou e teve de revendê-lo.

"Esse relato deixou meu pai perturbado. Ele caiu numa profunda meditação, deu margem à hipocondria e acabou totalmente persuadido de que seu pincel servira de ferramenta ao diabo, que certa parte da vida daquele agiota passara mesmo para o retrato e agora estava inquietando as pessoas, impondo-lhes vários impulsos demoníacos, tirando os pintores do bom caminho, gerando horríveis crises de inveja e assim por diante. Três desgraças que sobrevieram logo em seguida, a morte súbita de sua mulher, sua filha e seu filho pequeno, fizeram-no pensar que vinha sofrendo um castigo divino e tomar a decisão de se afastar infalivelmente da sociedade. Assim que eu completei nove anos, ele me matriculou na Academia de Belas-Artes e, acertando suas contas com os credores, retirou-se num monastério isolado, onde se ordenou, sem demora, monge. Uma vez lá, deixou todos os frades pasmados com a austeridade de sua vida e o rigoroso cumprimento de todas as regras monásticas. Ciente da arte de seu pincel, o abade solicitou que pintasse o principal ícone para o monastério, porém o humilde irmão respondeu, com firmeza, que não era digno de manejar aquele pincel, que o profanara e que devia antes, com seu labor e muitos sacrifícios, purificar sua alma para merecer uma honra tão grande assim. Não quiseram forçá-lo. E, por vontade própria, ele aumentava, o quanto lhe fosse possível, a austeridade da vida monástica que levava. Por fim, essa vida não lhe bastava mais, nem parecia severa o suficiente. Então ele se retirou, com a bênção do abade, numa ermida, a fim de viver totalmente só. Ali construiu uma cela de galhos de árvores, nutria-se apenas de raízes cruas, carregava pedras de lá para cá, permanecia no mesmo lugar, desde o alvorecer até o pôr do Sol, erguendo os braços para o céu e rezando sem interrupção. Numa palavra, aparentava atingir todos os graus possíveis da paciência e daquela inconcebível abnegação cujos exemplos poderiam ser encontrados somente na vida dos santos. Assim se quedou exaurindo, ao longo de vários anos, seu corpo, ao passo que o revigorava com a força vivificante da oração. Afinal, regressou um dia ao monastério e disse firmemente ao abade: 'Agora estou pronto. Se Deus quiser, farei meu trabalho'. O tema que escolheu foi o nascimento de Jesus. Passou um ano inteiro pintando, sem sair da sua cela, mal se alimentando com uma comida frugal e rezando sem trégua. Ao fim desse ano, o quadro estava pronto. Era um verdadeiro milagre artístico. É preciso saber que nem os frades nem o abade tinham amplas noções de pintura, porém ficaram todos encantados com a santidade extraordinária daquela imagem. O sentimento de resignação e docilidade celestiais que se via no rosto da santíssima mãe inclinada sobre o recém-nascido, a profunda inteligência expressa nos olhos do bebê divino, como se vislumbrassem, desde já, algo ao longe, o solene silêncio dos reis magos, fascinados com o milagre supremo e prosternados aos pés de Jesus, e, finalmente, aquela santa paz inexprimível que abarcava o quadro inteiro — tudo isso se revelara com tanta beleza harmoniosa e poderosa que a impressão era mágica. Todos os frades se ajoelharam perante o novo ícone, e o abade proferiu, enternecido: 'Não poderia um homem, tão só com o auxílio da arte humana, fazer uma obra dessas, não poderia! Foi uma força santa e máxima que guiou teu pincel; foi a bênção celeste que repousou em teu quadro'.

"Àquela altura, eu mesmo já havia terminado meus estudos na Academia, ganhado uma medalha de ouro e, com ela, a feliz esperança de viajar para a Itália: o melhor sonho de um artista de vinte anos. Só tinha de despedir do meu pai, de quem me separara havia doze anos. Confesso que até mesmo sua imagem se apagara, havia tempos, da minha memória. Já ouvira diversas vezes falarem da severa santidade de sua vida e pensava de antemão que encontraria um eremita de feições rígidas, alheio a tudo neste mundo, além de sua cela e sua oração, extenuado e ressequido pelo eterno jejum e pela meditação. Como fiquei surpreso quando surgiu, diante de mim, um ancião belo, quase divino! Nem as menores marcas de exaustão se notavam em seu semblante, que irradiava a luz da alegria celeste. Sua barba, branca como a neve, e seus cabelos finos, quase aéreos, da mesma cor prateada, espalhavam-se de maneira pitoresca pelo seu peito e pelas dobras de seu hábito negro, descendo até a corda que cingia seu mísero traje de monge. Contudo, o que mais me surpreendeu foram as palavras ouvidas da sua boca e suas ideias sobre a arte: confesso que as guardarei, por muito tempo, em minha alma e gostaria sinceramente que cada confrade meu fizesse o mesmo.

"— Esperava por ti, meu filho — disse ele, quando me aproximei pedindo sua bênção. — Tens, em tua frente, um caminho pelo qual transcorrerá, daqui em diante, a tua vida. Esse caminho é puro: vê se não te afastas dele. És talentoso, e o talento é um preciosíssimo dom de Deus: vê se não o destróis. Explora, estuda tudo quanto vires, submete tudo ao teu pincel, mas sabe achar em tudo uma ideia interna e, antes de tudo, procura abranger o sublime enigma da criação. Bem-afortunado é o eleito que o domina. Para ele, não há temas baixos na natureza. Esse pintor-criador é tão grande no ínfimo como no gigantesco: não despreza o que for desprezado, pois transparece naquilo, imperceptível, a bela alma de quem o criou, e aquilo que for desprezado já adquiriu sua expressão elevada ao passar pelo purgatório de sua alma. Para o homem, a alusão ao paraíso divino, celestial, encerra-se nas artes, e só por esse motivo é que elas estão acima de tudo. E quantas vezes a solene paz sobrepuja qualquer celeuma mundana, quantas vezes a criação sobrepuja a destruição, quantas vezes um anjo sobrepuja, tão só com a cândida inocência de sua alma iluminada, todas as legiões incontáveis e todas as soberbas paixões de Satã, tantas vezes é que a alta criação das artes sobrepuja tudo o que existir neste mundo. Sacrifica tudo a elas, ama-as com toda a paixão, não aquela paixão que respira a lascívia terrena, mas uma serena paixão celeste, sem a qual um homem não consegue desprender-se da terra nem ouvir os maravilhosos sons da serenidade. É para apaziguar e reconciliar a todos que a alta criação das artes tem vindo ao mundo. Não pode provocar queixumes na alma, mas sempre se dirige, como uma prece audível, a Deus. Ainda assim, há momentos, sombrios momentos...

"Ele parou de falar, e percebi que seu luminoso semblante ficara de chofre obscurecido, como se uma nuvem o recobrisse instantaneamente.

"— Houve um acidente em minha vida — disse ele. — Até agora não consigo entender o que era aquela estranha imagem que representei. Era como se o diabo tivesse aparecido em minha frente. Sei que a sociedade nega a existência do diabo, portanto não vou falar a respeito. Direi apenas que o pintei com asco, que não senti, nesse meio-tempo, nenhum amor pelo meu trabalho. Queria forçar a mim mesmo e, abafando cruelmente quaisquer sentimentos, copiar meu modelo. Não era uma obra de arte, por isso as emoções que se apoderam de quem a mirar são emoções rebeldes e inquietantes, mas não as de um artista, pois um artista permanece sereno em meio às suas angústias. Pelo que dizem, aquele retrato passa de mão em mão e semeia impressões aflitivas, suscitando ao pintor os sentimentos de inveja, de lúgubre ódio por seus confrades, o perverso anelo de persegui-los e de oprimi-los. Que nosso Senhor te proteja dessas paixões! Nada é mais terrível do que elas. É melhor suportares todo o amargor das eventuais perseguições do que lançares tão só uma sombra hostil sobre quem quer que seja. Preserva a pureza de tua alma. A alma de quem encerrar em si um talento deve ser a mais pura de todas. Muita coisa será perdoada a outrem, mas a ele não se perdoará coisa nenhuma. Basta um homem que saiu de casa com roupas de festa, bem claras, ter uma só mancha nelas, se salpicadas de lama por uma roda qualquer, para que o povo inteiro o rodeie e aponte para ele com o dedo e comente acerca de seu desasseio, enquanto o mesmo povo nem repara em quem passar de roupas cotidianas, nem que estejam todas manchadas. É que não se veem as manchas em roupas cotidianas.

"Ele me abençoou e me abraçou. Nunca tive, em toda a minha vida, um incentivo tão sublime assim. Com uma veneração maior do que teria sido um respeito filial, aconcheguei-me ao peito dele e beijei-lhe aqueles cabelos prateados que se desgrenhavam. E foi uma lágrima que brilhou em seus olhos.

"— Vê se atendes, meu filho, a um pedido meu — disse-me ele, quando da despedida. — Talvez venhas a encontrar algures o retrato de que te falei. Vais reconhecê-lo de pronto, pelos seus olhos estranhos e pela expressão antinatural deles. Custe o que custar, acaba com ele...

"Julguem os senhores mesmos se eu podia deixar de jurar que cumpriria sua vontade. Durante quinze anos seguidos, não me aconteceu nenhuma vez encontrar nada que se parecesse, ao menos um pouco, com a descrição feita pelo meu pai, e eis que agora, neste leilão..."

Então o pintor, que não terminara ainda seu discurso, volveu os olhos para a parede, a fim de rever aquele retrato. Toda a multidão de ouvintes fez, num átimo, igual movimento, procurando o retrato extraordinário com os olhos. No entanto, para imensa surpresa de todos, ele não pendia mais na parede. Um ruído, um burburinho indistinto, percorreu a multidão toda e, logo a seguir, ouviu-se nitidamente a palavra "roubaram". Alguém o escamoteara, sem dúvida, ao aproveitar-se da distração provocada pelo empolgante relato. E, por muito tempo ainda, todos os presentes continuaram perplexos, sem saber se realmente haviam visto aqueles olhos estranhos ou se fora apenas um sonho que se apresentara, por um instante, à sua visão fatigada de tanto examinarem os quadros antigos.

Alexei Tolstói

A Família do Vurdalak*

* Corruptela da palavra *volkolak*, encontrada em várias línguas eslavas, que designa um lobisomem e, eventualmente, outros entes míticos.

Fragmento inédito das memórias de um desconhecido

O ano de 1815 havia reunido em Viena tudo o que mais se destacava no meio da erudição europeia, da brilhante civilidade e da alta capacidade diplomática. Entretanto, o Congresso[1] chegou ao fim.

Os emigrantes monarquistas preparavam-se para retornar definitivamente aos seus castelos; os guerreiros russos, para rever seus lares abandonados; e alguns poloneses descontentes, para levar até Cracóvia seu amor pela liberdade, a fim de abrigá-lo sob aquela tríplice e duvidosa independência que lhes tinham

---

[1] Conferência internacional, transcorrida entre setembro de 1814 e junho de 1815, cujo principal objetivo consistia em restaurar as monarquias europeias, abaladas pela Revolução Francesa de 1789 e pelas consecutivas guerras napoleônicas, e demarcar o território dos respectivos países.

reservado o Príncipe de Metternich, o Príncipe de Hardenberg e o Conde de Nesselrode.[2]

Semelhante ao final de um baile animado, a reunião, havia pouco tão barulhenta, reduzira-se a um pequeno grupo de homens propensos à diversão, que, fascinados pelo charme das damas austríacas, demoravam a fazer as malas e postergavam a partida.

Aquela jovial turma, da qual eu mesmo fazia parte, encontrava-se, duas vezes por semana, no castelo da Senhora Princesa Viúva de Schwarzenberg, situado a algumas milhas da cidade, além de um burgo denominado Hitzing. As requintadas maneiras da dona da casa, relevadas pela sua graciosa amabilidade e a fineza de seu espírito, tornavam a estada em sua residência agradabilíssima.

Dedicávamos as nossas manhãs ao passeio; almoçávamos todos juntos, ora no castelo, ora nas redondezas, e de noite, sentados perto daquele bom fogo da lareira, divertíamo-nos conversando e contando histórias. Era estritamente proibido falar sobre política. Todo mundo já se fartara dela, e nossos relatos envolviam ora as lendas pátrias de cada um, ora nossas próprias recordações.

Uma noite, quando todos já haviam contado alguma coisa e nossas mentes permaneciam naquele estado

---

[2] Klemens Wenzel Lothar von Metternich (1773-1859), Karl August von Hardenberg (1750-1822) e Karl Vassílievitch Nesselrode (1780-1862) foram os representantes oficiais da Áustria, da Prússia e da Rússia no Congresso de Viena.

de tensão que costuma aumentar com a escuridão e o silêncio, o Marquês d'Urfé, velho emigrante de quem nós todos gostávamos em razão de sua vivacidade bem juvenil e da maneira picante como ele falava de suas antigas conquistas amorosas, aproveitou um momento de silêncio e tomou a palavra:

— Suas histórias, cavalheiros — disse-nos —, são, sem dúvida, extraordinárias, porém lhes falta, a meu ver, um ponto essencial — quero dizer, a autenticidade —, pois não me parece que algum dos senhores tenha visto, com os próprios olhos, as coisas maravilhosas que acaba de narrar, nem possa afirmar a veracidade delas com sua palavra de gentil-homem.

Fomos obrigados a concordar com isso, e o ancião continuou, alisando seu babado:

— Quanto a mim, cavalheiros, conheço apenas uma aventura desse gênero, mas ela é, de uma vez, tão estranha, tão horrível e tão verdadeira que bastaria, por si só, para deixar assombrada até uma das imaginações mais incrédulas. Infelizmente, fui testemunha e, ao mesmo tempo, participante dela e, posto que, de ordinário, não goste de relembrá-la, vou contá-la agora, e de bom grado, para os senhores, se é que nossas damas têm a bondade de me permitir isso.

O consentimento foi unânime. É verdade que alguns olhares se fixaram, receosos, naqueles quadrados luminosos que o luar começava a desenhar sobre o assoalho, mas logo o pequeno círculo se estreitou, e cada um se calou para ouvir a história do marquês. O Senhor d'Urfé tomou uma pitada de rapé, cheirou-a sem pressa e pôs-se a contar nestes termos:

— Antes de tudo, minhas senhoras, eu lhes peço perdão se acontecer, ao longo de minha narração, que fale de meus assuntos íntimos com maior frequência do que conviria a um homem da minha idade. Cumpre-me, todavia, mencioná-los para que meu relato seja bem claro. De resto, é perdoável que se tenha, na velhice, alguns lapsos de memória, e a culpa será das senhoras, se porventura, vendo-as tão belas em minha frente, eu me sentir ainda tentado a achar que continue sendo jovem. Direi, pois, sem mais preâmbulos que, no ano de 1759, estava perdidamente apaixonado pela linda Duquesa de Gramont. Aquela paixão, que me parecia então profunda e duradoura, não me dava trégua nem de dia nem de noite, e a duquesa se comprazia, como fazem amiúde as lindas mulheres, em aumentar, com seu coquetismo, a minha angústia. Tanto assim que, num momento de desgosto, cheguei a solicitar e a obter uma missão diplomática junto ao *Hospodar*[3] da Moldávia, que discutia, na época, com o gabinete de Versalhes uns negócios que seria tão enfadonho quanto inútil reportar às senhoras. Às vésperas de minha partida, compareci à casa da duquesa. Ela me recebeu com um ar menos jocoso que de costume, dizendo-me com uma voz que denotava certa emoção:

"— Está fazendo aí, d'Urfé, uma grande besteira. Mas conheço você e sei que jamais desistirá de uma decisão tomada. Assim, só lhe peço uma coisa: aceite

---

[3] Mestre, senhor (em várias línguas eslavas).

esta pequena cruz como um penhor de minha amizade e guarde-a consigo até retornar. É uma relíquia de família que muito valorizamos.

"Com um galanteio talvez inapropriado num momento desses, não beijei a relíquia e, sim, a encantadora mão que a apresentava para mim, e pendurei no pescoço a cruz que está aqui e que nunca mais tirei desde então.

"Não vou cansá-las, minhas senhoras, com os detalhes de minha viagem, nem com as observações que fiz a respeito dos húngaros e dos sérvios, aquele povo pobre e ignorante, mas bravo e honesto, o qual, por mais que fosse escravizado pelos turcos, não se esquecera nem de sua dignidade nem de sua antiga independência. Bastará dizer que, tendo aprendido um pouco de polonês durante uma temporada que passara em Varsóvia, fiquei logo familiarizado com o sérvio, pois esses dois idiomas, assim como o russo e o boêmio,[4] são apenas, conforme deve ser, sem dúvida, de seu conhecimento, ramos diversos do mesmo e único idioma chamado eslavônico.[5]

"Pois então, dominava-o o suficiente para me fazer entender, quando cheguei, um dia, a uma aldeia cujo nome não seria de seu interesse. Encontrei os moradores da casa onde me hospedei tomados de uma consternação que me pareceu tanto mais estranha que

---

[4] Arcaica denominação do idioma tcheco.
[5] Língua eslava antiga, até hoje usada pela Igreja Ortodoxa Russa em suas liturgias.

era um domingo, dia em que o povo sérvio costuma entregar-se a múltiplas diversões, tais como a dança, o tiro de arcabuz,[6] a luta, etc. Atribuindo a atitude de meus anfitriões a alguma desgraça recente, já estava para me retirar, quando um homem de aproximadamente trinta anos, de estatura alta e rosto imponente, acercou-se de mim e segurou minha mão.

"— Entre, estrangeiro, entre — disse-me —, não se deixe repelir pela nossa tristeza: o senhor vai compreendê-la quando souber sua causa.

"Então me contou que seu velho pai, cujo nome era Gorcha, homem de caráter inquieto e intratável, levantara-se, certo dia, da sua cama e tirara da parede seu comprido arcabuz turco.

"— Meus filhos — dissera aos seus dois filhos, um dos quais se chamava Georges, e o outro, Pierre —, ora vou às montanhas, unir-me aos bravos que andam caçando aquele cão de Alibek (era o nome de um bandido turco que, havia algum tempo, devastava a região). Esperem por mim durante dez dias e, se eu não estiver de volta no décimo dia, façam rezar o ofício dos mortos, pois não estarei mais em vida. Mas — acrescentara o velho Gorcha, tomando o seu ar mais sério —, se (valha-lhes Deus) eu voltar depois de se passarem esses dez dias, não me permitam entrar para se salvarem. Ordeno que se esqueçam, em tal caso, de ter sido seu pai e que me perfurem com uma estaca de choupo-negro, diga eu o que disser e faça

---

[6] Antiga arma de fogo, com cano curto e largo, que era apoiada numa forquilha para efetuar o disparo.

o que fizer, pois nada mais seria senão um maldito *vurdalak* que viria sugar o seu sangue.

"É oportuno dizer-lhes, minhas senhoras, que os *vurdalaks*, ou vampiros dos povos eslavos, nada mais são, como se pensa naquelas paragens, senão os cadáveres que saem dos seus túmulos para sugar o sangue dos vivos. Até lá, seus hábitos são os mesmos de todos os vampiros, porém eles têm, igualmente, outro costume, que os torna mais pavorosos ainda. Os *vurdalaks*, minhas senhoras, sugam de preferência o sangue dos seus parentes mais próximos e dos seus amigos mais íntimos, que, uma vez mortos, também se transformam em vampiros, de sorte que se pretende ter visto, na Bósnia e na Hungria, aldeias inteiras povoadas de *vurdalaks*. O Abade Augustin Calmet cita, em seu interessante tratado sobre as aparições, alguns exemplos terrificantes. Os imperadores alemães nomearam, diversas vezes, comissões incumbidas de esclarecer tais casos de vampirismo. Elas redigiram protocolos, exumaram cadáveres encharcados de sangue e fizeram queimá-los em praça pública, mandando que antes lhes perfurassem o coração. Vários magistrados, testemunhas daquelas execuções, declaram ter ouvido os cadáveres uivarem no momento em que o carrasco lhes cravava uma estaca no peito. Fizeram depoimentos formais acerca daquilo, corroborando-os com seu juramento e sua firma.

"Cientes dessas informações, as senhoras hão de compreender com facilidade a impressão que as palavras do velho Gorcha causaram aos seus filhos. Prostrando-se ambos aos pés dele, haviam implorado que os deixasse tomar seu lugar, mas, em resposta, o pai só lhes virara as costas e partira cantarolando o refrão de uma antiga balada. O dia em que cheguei à aldeia era precisamente aquele em que devia expirar o prazo fixado por Gorcha, e não me foi difícil explicar, para mim mesmo, a inquietude de seus filhos.

"Era uma família boa e honesta. Georges, o primogênito, tinha feições másculas, expressivas, e parecia um homem sério e resoluto. Casado, era pai de dois filhos. Seu irmão Pierre, belo jovem de dezoito anos, cuja fisionomia revelava antes a delicadeza que a ousadia, aparentava ser o xodozinho de sua irmã caçula, chamada Sdenka, que bem poderia representar o próprio tipo da beleza eslava. Além daquela beleza, incontestável em todos os aspectos, foi sua remota semelhança com a Duquesa de Gramont que me comoveu desde logo. Havia, sobretudo, um sinal característico na testa, que só encontrei, em toda a minha vida, nessas duas pessoas. Tal marca podia desagradar à primeira vista, porém se apegava irresistivelmente a ela assim que se chegasse a vê-la diversas vezes.

"Fosse eu mesmo por demais novo àquela altura, ou produzisse essa semelhança, unida a um espírito original e ingênuo, uma impressão deveras irresistível, o fato é que havia conversado com Sdenka por apenas dois minutos, e a simpatia que ela me suscitara já estava viva demais para não se converter, quem sabe, num sentimento mais terno caso eu prolongasse a minha estada naquela aldeia.

"Estávamos todos reunidos na frente da casa, ao redor de uma mesa guarnecida de queijos e de gamelas com leite. Sdenka fiava; sua cunhada preparava o jantar das crianças, que brincavam na areia; Pierre, com falsa indolência, assobiava limpando um iatagã, isto é, um facão turco. Georges, que fincara os cotovelos na mesa, segurava a cabeça com ambas as mãos, franzia a testa e, sem dizer meia palavra, devorava a estrada mestra com os olhos.

"Eu mesmo, vencido pela tristeza geral, contemplava melancolicamente as nuvens vespertinas, que emolduravam o fundo dourado do céu, e a silhueta de um convento meio vedado por um pinheiral negro.

"Aquele convento, como eu saberia mais tarde, havia gozado outrora grande celebridade graças a uma milagrosa imagem da Virgem, que, segundo rezava a lenda, fora trazida por anjos e depositada sobre um carvalho. Todavia, em princípios do século passado, os turcos tinham invadido a região, degolando os monges e saqueando o convento. Apenas sobravam dele os muros e uma capela servida por uma espécie de eremita. Este último, todo amável, mostrava as ruínas aos curiosos e abrigava os peregrinos que, caminhando de um lugar de devoção para o outro, gostavam de parar no convento da Virgem do Carvalho. Conforme já disse, eu só viria a saber disso tudo posteriormente, já que não refletia, naquela noite, sobre a arqueologia da Sérvia, mas sobre algo bem diferente. Como ocorre amiúde quando nos deixamos levar pela imaginação, pensava nos tempos idos, nos dias felizes de minha infância, na minha bela França que eu abandonara para visitar um país distante e selvagem.

"Pensava na Duquesa de Gramont, bem como — por que não o confessaria? — em algumas outras contemporâneas de suas avós, minhas senhoras, cujas imagens se haviam insinuado em meu coração, sem eu mesmo ter reparado nisso, seguindo a da charmosa duquesa.

"Pouco depois, não me lembrava mais de meus anfitriões nem de sua inquietude.

"De súbito, Georges rompeu o silêncio.

"— Mulher — disse ele —, a que horas é que o *velho* partiu?

"— Às oito — respondeu sua esposa —: ouvi bem o sino do convento tocar.

"— Está bem, então — prosseguiu Georges —: não podem ser mais de sete e meia. E ele se calou, volvendo outra vez os olhos para a estrada mestra, que se perdia na floresta.

"Eu me esqueci de lhes dizer, minhas senhoras, que, quando os sérvios suspeitam alguém de vampirismo, evitam chamá-lo pelo nome ou designá-lo de maneira direta, pois acham que assim o evocariam em seu túmulo. Portanto, havia algum tempo, Georges não chamava mais seu pai, quando falava dele, senão de 'o velho'.

"Alguns instantes se passaram em silêncio. De chofre, uma das crianças disse a Sdenka, puxando-lhe o avental:

"— Tia, quando é que o vovozinho voltará para casa?

"Uma bofetada de Georges foi a resposta àquela pergunta intempestiva.

"O menino se pôs a chorar, mas seu irmãozinho disse, com ares de surpresa e, ao mesmo tempo, de receio:

"— Por que nos proíbe, papai, de falar do nosso vovô?

"Outra bofetada lhe tapou a boca. Ambos os meninos ficaram berrando, e a família toda se benzeu.

"Estávamos lá, quando ouvi o relógio do convento soar lentamente oito horas. Mal a primeira das badaladas ressoou em nossos ouvidos, avistamos um vulto humano surgir à margem da floresta e avançar em nossa direção.

"— É ele! Deus seja louvado! — exclamaram juntos Sdenka, Pierre e sua cunhada.

"— Que Deus nos tenha sob a santa proteção! — disse solenemente Georges. — Como saber se esses dez dias já se passaram ou não?

"Todos o miraram com pavor. Nesse meio-tempo, o vulto humano continuava avançando. Era um velho alto, de bigode prateado, semblante pálido e severo, que se arrastava penosamente, com o auxílio de um bastão. À medida que avançava, Georges se tornava cada vez mais sombrio. Quando o velho chegou perto de nós, deteve-se a correr pela sua família olhos que pareciam não ver nada, embaçados e afundados nas órbitas.

"— Pois bem — disse, com uma voz cavernosa —: ninguém se levanta para me receber? O que quer dizer esse silêncio? Não veem mesmo que estou ferido?

"Então percebi que o flanco esquerdo do ancião estava ensanguentado.

"— Arrime, pois, seu pai — disse a Georges —; e você, Sdenka, deveria dar algum cordial[7] para ele, já que está prestes a desmaiar!

"— Meu pai — disse Georges, achegando-se a Gorcha —, mostre-me sua ferida. Entendo disso e vou pensá-la...

"Tentou abrir-lhe o casaco, mas o ancião empurrou-o rudemente e cobriu seu flanco com ambas as mãos.

"— Vai, desastrado — disse. — Está doendo!

"— Mas é bem no coração que o senhor está ferido! — exclamou Georges, todo pálido. — Vamos lá, vamos, tire seu casaco, que é preciso... é preciso, digo-lhe eu!

"O ancião se aprumou, hirto.

"— Cuidado aí — disse, com uma voz surda —: se me tocares, eu te amaldiçoo!

"Pierre se postou entre Georges e seu pai.

"— Deixa-o — disse. — Bem vês que ele está sofrendo!

"— Não o contraries — acrescentou sua esposa. — Sabes que ele jamais tolerou isso!

"Nesse momento, vimos um rebanho que retornava do pasto e, envolto numa nuvem de poeira, dirigia-se à casa. Fosse por não reconhecer seu velho dono, fosse por outro motivo, o cão, que o acompanhava, parou tão logo avistou Gorcha de longe e desandou a uivar, eriçando o pelo, como se visse algo sobrenatural.

---

[7] Bebida alcoólica ou medicinal, capaz de restabelecer depressa as forças do organismo.

"— O que tem aquele cão? — inquiriu o ancião, parecendo cada vez mais descontente. — O que tudo isso quer dizer? Será que me tornei um estranho em minha própria casa? Mudei tanto, nesses dez dias que passei nas montanhas, que nem sequer meus cães me reconhecem?

"— Ouves isso? — perguntou Georges à sua mulher.

"— O quê?

"— Ele confessa que os dez dias se passaram!

"— Não se passaram, não, já que voltou dentro do prazo!

"— Está bem, está bem, eu sei o que temos a fazer.

"Visto que o cão continuava a uivar:

"— Quero que o matem! — exclamou Gorcha. — Ouviram, hein?

"Georges não se moveu, mas Pierre se levantou, com lágrimas nos olhos, e, pegando o arcabuz de seu pai, atirou no cão, que caiu rolando naquela poeira.

"— Era, porém, meu cão favorito — disse Pierre, baixinho. — Nem sei por que o pai quis que o matassem!

"— Porque merecia ser morto — respondeu Gorcha. — Vamos, que faz frio e quero entrar.

"Enquanto isso se passava lá fora, Sdenka havia preparado para o velho uma tisana de aguardente fervida com peras, mel e uvas secas, mas seu pai rejeitou-a com asco. Demonstrou a mesma aversão pela carne de carneiro com arroz, que lhe oferecera Georges, e foi sentar-se junto ao forno, murmurando, por entre os dentes, umas palavras ininteligíveis.

"O pinho ardia, crepitante, naquele forno, e sua luz trêmula iluminava o rosto do ancião, tão pálido e desfigurado que, sem essa iluminação, teríamos podido tomá-lo pela face de um defunto. Sdenka veio sentar-se ao lado dele.

"— Meu pai — disse —, o senhor não quer tomar nada nem descansar. E se nos contasse de suas aventuras, ali nas montanhas?

"Dizendo isso, a jovem sabia que estava tocando numa corda sensível, pois o velho gostava de falar sobre guerras e combates. Assim, uma espécie de sorriso surgiu em seus lábios descoloridos, sem que seus olhos se animassem também, e o ancião respondeu, passando a mão pelos lindos cabelos louros dela:

"— Sim, minha filha, sim, Sdenka, quero contar para ti o que se deu comigo naquelas montanhas, mas será em outra ocasião, pois hoje estou cansado. Direi, entretanto, que Alibek não está mais vivo e que eu o matei com minhas próprias mãos. Se alguém duvidar disso — continuou o ancião, lançando olhares para sua família —, eis aqui a prova!

"Ele desamarrou algo parecido com um alforje,[8] que pendia em seu dorso, e tirou de lá uma cabeça lívida e sangrenta, cuja palidez se igualava, aliás, à de seu próprio rosto! Horrorizados, viramos-lhe as costas, mas Gorcha disse, passando aquela cabeça a Pierre:

"— Pega e pendura isto acima da porta, para todos os passantes saberem que Alibek está morto e que

---

[8] Saco fechado nas extremidades e aberto no meio, de modo a formar duas bolsas separadas, usado no ombro, para distribuir o peso de ambos os lados do corpo, ou no lombo de animais de carga.

as estradas estão livres de bandidos, à exceção dos janízaros[9] do sultão!

"Pierre obedeceu, cheio de asco.

"— Agora compreendo tudo — disse. — Aquele pobre cão que matei uivava apenas por farejar um cadáver!

"— Sim, ele farejava um cadáver — respondeu, com ar sombrio, Georges, que saíra sem termos dado por isso e agora voltava, segurando um objeto que colocou num canto. Achei que fosse uma estaca.

"— Georges — disse-lhe, a meia-voz, sua mulher —, espero que tu não queiras...

"— Irmão — acrescentou sua irmã —, o que queres fazer? Mas não, não, tu não farás nada disso, não é?

"— Deixem-me em paz — respondeu Georges. — Eu sei o que tenho a fazer e não farei nada que não seja necessário.

"Entrementes, a noite havia chegado, e a família foi deitar-se naquela parte da casa que estava separada do meu quarto tão só por um tabique bem fino. Confesso: o que tinha visto ao entardecer impressionara a minha imaginação. A luz estava apagada, a Lua cheia resplandecia numa janelinha baixa, ao lado da minha cama, e jogava reflexos esbranquiçados sobre o chão e as paredes, mais ou menos como ela o faz agora, minhas senhoras, neste salão onde estamos. Quis dormir, mas não pude. Atribuí minha insônia ao brilho da Lua; procurei por algo que pudesse servir de cortina,

---

[9] No Império Otomano, a infantaria de elite que protegia o sultão e cumpria missões especiais a serviço dele.

mas não encontrei nada. Então, ouvindo umas vozes confusas detrás do tabique, pus-me à escuta.

"— Deita-te, mulher — dizia Georges —, e tu, Pierre, e tu, Sdenka, também. Não se preocupem com nada: vigiarei por todos.

"— Mas, Georges — respondeu sua esposa —, antes a mim cabe vigiar: trabalhaste na noite passada, deves estar cansado. Aliás, não fosse isso, eu teria de velar o nosso filho mais velho. Sabes que ele não está bem desde ontem!

"— Deita-te e fica tranquila — disse Georges —: vigiarei por nós dois!

"— Mas, meu irmão — disse então Sdenka, com sua voz mais suave —, acho que seria inútil vigiarmos. Nosso pai já adormeceu, e olha só como ele parece calmo e sereno.

"— Não entendem nada disso, nem uma nem a outra — disse Georges, num tom que não admitia réplicas. — Digo para se deitarem ambas e me deixarem vigiar.

"Então se fez um profundo silêncio. Pouco depois, senti minhas pálpebras ficarem cada vez mais pesadas, e eis que o sono se apoderou de meus sentidos.

"Pareceu-me que vira a porta se abrir devagar, e que o velho Gorcha aparecera à soleira. Mais suspeitava, porém, que fosse o velho do que enxergava mesmo seu vulto, pois o cômodo donde ele vinha estava muito escuro. Também me pareceu que seu olhar extinto buscava adivinhar meus pensamentos e seguia o vaivém de minha respiração. Ele avançou um pé, depois avançou o outro. Depois, com extrema cautela, caminhou, a passos de lobo, em minha direção. Depois deu um salto e ficou ao lado da minha cama. Eu nem teria podido expressar a minha angústia, mas uma força invisível me mantinha inerte. O velho se inclinou sobre mim e aproximou tanto seu rosto lívido do meu que imaginei sentir seu hálito cadavérico. Então, com um esforço sobrenatural, acordei banhado em suor. Não havia ninguém no meu quarto, porém, olhando em direção à janela, vi nitidamente o velho Gorcha, que grudara, do lado de fora, o rosto no vidro e fixava em mim seus olhos apavorantes. Tive bastante força para não gritar e presença de espírito para permanecer deitado, como se nada tivesse visto. Entretanto, o velho aparentava ter vindo apenas para se certificar de que eu dormia, pois não tentou entrar, mas, ao examinar-me com atenção, afastou-se da janela. Ouvi-o andar pelo quarto vizinho. Georges tinha adormecido, e seu ronco fazia as paredes estremecerem. Naquele momento, o menino tossiu, e eu distingui a voz de Gorcha.

"— Não dormes, netinho? — disse ele.

"— Não, vovô — respondeu o menino —: queria tanto falar contigo!

"— Ah, tu querias falar comigo? E de que falaríamos?

"— Queria que me contasses como lutaste com os turcos, porque eu também gostaria de lutar com eles!

"— Pensei nisso, pequeno, e trouxe para ti um iatagãzinho, que te darei amanhã.

"— Ah, vovô, será que não o dás logo para mim, já que não estás dormindo?

"— Mas por que não me pediste antes do anoitecer, hein, netinho?

"— Porque o papai me proibiu!

"— Ele é precavido, teu papai. Pois então gostarias mesmo de pegar esse teu iatagãzinho?

"— Oh, sim, gostaria muito, mas não aqui, já que o papai poderia acordar!

"— Onde seria, então?

"— Prometo que, se saíssemos, eu ficaria quietinho e não faria nenhum barulho!

"Pareceu-me que ouvia Gorcha soltar uma risadinha e o menino ficar em pé. Eu não acreditava em vampiros, mas o pesadelo que acabara de ter excitara meus nervos, e, como não queria reprochar posteriormente qualquer coisa que fosse, a mim mesmo, levantei-me e dei um murro no tabique. Aquele murro teria bastado para acordar sete dorminhocos, porém nada comprovou que fora ouvido pela família. Decidido a salvar o menino, precipitei-me à porta, mas a encontrei trancada do lado de fora, e os ferrolhos não cederam aos meus esforços. Enquanto tentava arrombá-la, vi o ancião passar, diante da minha janela, com a criança nos braços.

"— Acordem, levantem-se! — gritei, com todas as minhas forças, e fui esmurrando o tabique. Só então é que Georges acordou.

"— Onde está o velho? — perguntou ele.

"— Saiam rápido! — gritei-lhe. — Ele acabou de levar seu filho!

"Com um pontapé, Georges derrubou a porta, que estava, assim como a minha, trancada do lado de fora, e correu em direção à floresta. Enfim consegui acordar Pierre, sua cunhada e Sdenka. Reunimo-nos defronte à casa e, após alguns minutos de espera, vimos Georges voltar com seu filho. Encontrara-o desmaiado, lá na estrada mestra, mas o menino recuperou logo os sentidos, sem parecer mais doente do que já estava. Em meio às nossas indagações, respondeu que seu avô não lhe causara mal algum, que ambos tinham saído para conversarem melhor, porém, uma vez fora de casa, ele perdera a consciência sem mais recordar de que modo. Quanto a Gorcha, ele havia sumido.

"Como se pode imaginar, passamos o resto da noite em claro.

"No dia seguinte, fiquei sabendo que o Danúbio,[9] que cortava a estrada mestra a um quarto de légua da aldeia, começara a carrear pedaços de gelo, o que sempre ocorre naquelas paragens pelo fim do outono e com a chegada da primavera. A passagem ficara interceptada por alguns dias, e eu não podia nem pensar em partir. De resto, mesmo se pudesse, a curiosidade, ligada a um chamariz mais potente ainda, ter-me-ia retido. Mais via Sdenka e mais me sentia tendente a amá-la. Não sou daqueles homens, minhas senhoras, que acreditam nas paixões súbitas e irresistíveis cujos exemplos nos são oferecidos pelos romances, mas creio que em certos casos o amor se desenvolve

---

[9] Um dos maiores rios europeus, que nasce na Alemanha, atravessa a Áustria, a Eslováquia, a Hungria, a Croácia, a Sérvia e a Romênia, alcança também a Bulgária, a Moldávia e a Ucrânia, e finalmente deságua no Mar Negro.

mais depressa que de costume. A beleza original de Sdenka, aquela singular semelhança com a Duquesa de Gramont, que eu abandonara em Paris e reencontrava ali, com um traje pitoresco, falando uma língua estrangeira e harmoniosa, aquele sinal característico em seu semblante, pelo qual já quisera vinte vezes, na França, duelar até a morte — tudo isso, junto com a bizarrice de minha situação e os mistérios que me cercavam, devia contribuir para amadurecer em meu íntimo um sentimento que, noutras circunstâncias, só se teria manifestado, talvez, de um modo vago e passageiro.

"No decorrer do dia, ouvi Sdenka conversar com o mais novo dos seus irmãos.

"— O que estás pensando disso tudo? — dizia ela. — Será que também suspeitas de nosso pai?

"— Não ouso suspeitar dele — respondeu Pierre —, ainda menos depois de o menino dizer que não o machucou. E, quanto ao seu sumiço, bem sabes que ele jamais prestou contas de sua ausência.

"— Sei, sim — disse Sdenka —, mas então temos de salvá-lo, pois tu conheces Georges...

"— Sim, é claro que o conheço. Não adiantaria falar com ele, porém; se esconderatue a estaca, ele não vai procurar por outra, já que não há, deste lado das montanhas, um só choupo-negro!

"— Vamos esconder a estaca, sim, mas não falemos disso com as crianças, pois seriam capazes de tagarelar na frente de Georges!

"— De jeito nenhum — disse Pierre. E eles se separaram.

"A noite veio sem nada termos sabido acerca do velho Gorcha. Eu estava, como na véspera, estendido sobre a minha cama, e a Lua cheia iluminava meu quarto. Quando o sono começou a embaralhar minhas ideias, senti, como que por instinto, a aproximação do ancião. Abri os olhos e vi seu rosto lívido, grudado em minha janela.

"Dessa vez, quis levantar-me, mas isso era impossível. Parecia-me que todos os meus membros estavam paralisados. Ao olhar para mim, o velho se afastou. Ouvi-o contornar a casa e bater, bem de mansinho, à janela do quarto onde dormiam Georges e sua esposa. O menino se revirou em sua cama e gemeu sonhando. Alguns minutos se passaram em silêncio; a seguir, ouvi o ancião bater outra vez à janela. Então o menino tornou a gemer e acordou...

"— És tu, vovô? — perguntou.

"— Sou eu — respondeu-lhe uma voz surda — e trouxe o teu iatagãzinho.

"— Estou com medo, porque o papai me proibiu de sair!

"— Não tens de sair, não: só abre a janela e vem abraçar teu vovô!

"O menino se levantou, e ouvi-o abrir a janela. Então, juntando toda a minha energia, saltei da cama e fui correndo bater no tabique. Num só minuto, Georges estava de pé. Ouvi-o praguejar, sua mulher se pôs a gritar bem alto, e logo a família toda estava reunida ao redor da criança exânime. Gorcha havia sumido, como na véspera. Tomando conta do pequeno, conseguimos fazê-lo voltar a si, mas ele estava muito fraco e mal respirava. O pobre menino ignorava a causa de seu desmaio. Sua mãe e Sdenka atribuíram-no ao susto que levara flagrado a conversar com seu avô. Eu mesmo não disse nada. Nesse ínterim, visto que a criança se acalmara, todos, exceto Georges, deitaram-se novamente.

"Ao amanhecer, ouvi-o acordar sua mulher, e eles falaram em voz baixa. Sdenka também veio, e ouvi-a soluçar com sua cunhada.

"O menino estava morto.

"Mantenho silêncio sobre o desespero daquela família. Ninguém, no entanto, atribuía a desgraça ao velho Gorcha. Ao menos, não se falava disso abertamente.

"Georges estava calado, mas sua cara, sempre sombria, tinha agora uma expressão terrível. Durante dois dias, o velho não apareceu mais. Na noite que se seguiu ao terceiro dia (àquele em que o menino fora enterrado), pareceu-me que ouvia o ancião andar à volta da casa e chamar pelo irmãozinho do finado. Tive outrossim, por um momento, a impressão de ver o rosto de Gorcha grudado na minha janela, porém não pude entender se era a realidade ou um efeito de minha imaginação, pois, naquela noite, a Lua estava encoberta. Pensei, não obstante, que me cumpria falar disso com Georges. Ele indagou ao pequeno, e este lhe respondeu que, de fato, tinha ouvido seu avô chamar por ele e que o vira espiar através da janela. Georges ordenou severamente que seu filho o acordasse, caso o velho voltasse a aparecer.

"Nenhuma dessas circunstâncias impedia a minha ternura por Sdenka de se tornar cada vez maior.

"De dia, não conseguira falar-lhe sem testemunhas. Quando veio a noite, a ideia de minha próxima partida afligiu-me o coração. Não havia, entre o quarto de Sdenka e o meu, senão uma espécie de corredor que dava para a rua, de um lado, e para o pátio, do outro lado.

"A família de meus anfitriões já se deitara, quando me deu na veneta ir passear no campo para me distrair. Uma vez no corredor, vi que a porta de Sdenka estava entreaberta.

"Detive-me involuntariamente. Bem conhecido, o ruge-ruge de seu vestido fez meu coração disparar. Em seguida, ouvi umas palavras cantadas a meia-voz. Era o adeus que um rei sérvio dirigia, indo para a guerra, à sua amada.

"— Oh, meu jovem álamo — dizia o velho rei —, eu vou para a guerra, e tu me esquecerás!

"'As árvores que crescem ao pé da montanha são esguias e delicadas, mas tua cintura é mais delicada!

"'Os frutos da sorveira, que o vento balança, são vermelhos, mas teus lábios são mais vermelhos do que os frutos da sorveira!

"'E eu sou como um velho carvalho despido de folhas, e minha barba é mais branca do que a espuma do Danúbio!

"'Tu me esquecerás, ó minha alma, e morrerei de pesar, já que o inimigo não ousará matar o velho rei!'

"— E sua amada respondeu: 'Juro que não te trairei nem te esquecerei. Se faltar ao meu juramento, que possas, depois de morto, vir sugar todo o sangue de meu coração!'.

131

"— E o velho rei disse: 'Que assim seja!'. E partiu para a guerra. E logo sua amada o esqueceu!...

"Lá, Sdenka parou, como se temesse terminar a balada. Eu não me continha mais. Aquela voz tão doce, tão expressiva, era a voz da Duquesa de Gramont... Sem refletir em nada, empurrei a porta e entrei. Sdenka acabara de tirar uma espécie de jaqueta que usam as mulheres de seu país. Sua camisa de seda vermelha, bordada de ouro e cerrada, em redor de sua cintura, por uma simples saia quadriculada, compunha todo o seu traje. Suas belas tranças louras estavam desfeitas, e suas roupas caseiras ressaltavam seus atrativos. Sem se irritar com minha brusca entrada, ela pareceu confusa e ruborizou-se de leve.

"— Oh — disse-me ela —, por que o senhor veio, e o que pensariam de mim se nos surpreendessem juntos?

"— Sdenka, minha alma — disse-lhe eu —, fique tranquila: está tudo dormindo à nossa volta, somente um grilo na relva e um besouro no ar poderiam ouvir o que tenho a dizer para a senhorita.

"— Oh, meu amigo, fuja, mas fuja! Se meu irmão nos surpreender, estou perdida!

"— Sdenka, só irei embora quando a senhorita me prometer que sempre me amará, como a linda moça prometeu ao rei da balada. Logo partirei, Sdenka; quem sabe quando nos reveremos? Amo-a, Sdenka, mais do que minha alma, mais do que minha salvação... Minha vida e meu sangue são seus... Não me dará, quem sabe, uma horinha em troca?

"— Muitas coisas podem acontecer numa hora — disse Sdenka, com ar pensativo; porém, deixou sua mão na minha. — O senhor não conhece meu irmão — continuou, tremelicando. — Tenho o palpite de que ele virá.

"— Acalme-se, minha Sdenka – disse-lhe eu. — Seu irmão está fatigado com suas vigílias, ficou embalado pelo vento que brinca nas árvores; bem pesado é o sono dele, bem longa é a noite, e não lhe peço senão uma hora! E, depois, adeus... talvez para sempre!

"— Oh, não, não, para sempre não! — disse, vivamente, Sdenka; depois recuou, como que assustada com sua própria voz.

"— Oh, Sdenka! — exclamei. — Só vejo você, só ouço você, não domino mais a mim mesmo, obedeço a uma força superior... Perdoe-me, Sdenka! – E, como um louco, apertei-a ao meu coração.

"— Oh, o senhor não é meu amigo — disse ela, livrando-se dos meus braços, e foi abrigar-se no fundo do quarto. Não sei o que lhe respondi, pois estava, eu mesmo, confuso com minha audácia: não que, às vezes, ela não funcionasse em tal ocasião, mas, apesar da minha paixão, não podia furtar-me àquele sincero respeito que tinha pela inocência de Sdenka.

"É verdade que me aventurei a usar, no começo, algumas daquelas frases galantes que não desagradavam às beldades de nossa época, mas, logo em seguida, fiquei envergonhado e abri mão delas, vendo que a ingenuidade da moça a impedia de compreender o que as outras mulheres — e seu sorriso me mostra isso, minhas senhoras! — teriam adivinhado com meia palavra.

"Estava lá, na frente dela, sem saber o que lhe diria, quando de súbito vi-a estremecer e lançar um olhar aterrorizado pela janela. Segui a direção de seus olhos e vi nitidamente o rosto imóvel de Gorcha, que nos observava do lado de fora.

"No mesmo instante, senti uma mão pesada pousar em meu ombro. Virei-me. Era Georges.

"— O que está fazendo aí? — perguntou ele.

"Desconcertado com essa brusca apóstrofe, apontei-lhe para seu pai, que nos fitava pela janela e desapareceu assim que Georges o avistou.

"— Ouvi os passos do velho e vim aqui para avisar sua irmã — disse eu.

"Georges olhou para mim como se quisesse ler no fundo da minha alma. Depois me puxou pelo braço e, conduzindo-me ao meu quarto, foi embora sem proferir uma só palavra.

"No dia seguinte, a família estava reunida defronte à porta da casa, rodeando uma mesa carregada de laticínios.

"— Onde está o menino? — disse Georges.

"— Está no pátio — respondeu sua esposa —, brincando sozinho de combater os turcos, que é sua diversão predileta.

"Mal ela pronunciou essas palavras, vimos, para nossa extrema surpresa, o alto vulto de Gorcha surgir no fundo da floresta. Caminhando bem devagar, ele se achegou ao nosso grupo, sentando-se à mesa como o fizera no dia de minha chegada.

"— Seja bem-vindo, meu pai — murmurou sua nora, com uma voz que mal se ouvia.

"— Seja bem-vindo, meu pai — repetiram Sdenka e Pierre, em voz baixa.

"— Meu pai — disse Georges, com uma voz firme, porém mudando de cor —, esperamos pelo senhor para fazer a oração!

"O ancião lhe virou as costas, franzindo o sobrolho.

"— A oração, sim, e agora mesmo! — repetiu Georges. — E faça o sinal da cruz ou apele para São Jorge...

"Sdenka e sua cunhada inclinaram-se sobre o velho, implorando que pronunciasse a oração.

"— Não, não, não — disse o velho —: ele não tem o direito de mandar em mim e, se insistir, eu o amaldiçoo!

"Uma vez em pé, Georges entrou correndo na casa. Retornou logo, com fúria nos olhos.

"— Onde está a estaca? — exclamou. — Onde esconderam a estaca?

"Sdenka e Pierre trocaram uma olhada.

"— Cadáver — disse então Georges, dirigindo-se ao ancião —, o que fizeste com meu filho? Por que mataste meu menino? Devolve-me meu filho, cadáver!

"E, falando assim, ele se tornava cada vez mais pálido, e seus olhos fulgiam cada vez mais.

"Fixando nele um olhar maldoso, o velho não se movia.

"— Oh, a estaca, a estaca! — bradou Georges. — Aquele que a escondeu que seja responsável pelas desgraças que esperam por nós!

"Naquele momento, ouvimos as risadas lépidas de seu filho caçula e depois o vimos montar uma grande estaca, que arrastava galopando sobre ela e soltando, com sua vozinha, o grito de guerra com que os sérvios investem contra o inimigo.

"O olhar de Georges flamejou quando ele o viu. Arrancando a estaca do menino, precipitou-se sobre seu pai. Com um rugido, o velho se pôs a correr em direção à floresta, com uma rapidez tão pouco conforme com sua idade que ela parecia sobrenatural.

"Georges perseguiu-o através dos campos, e logo os perdemos de vista.

"O Sol já se pusera quando Georges voltou para casa, pálido como a morte e de cabelos em pé. Sentou-se perto do fogo, e pareceu-me que estava batendo os dentes. Ninguém se atreveu a questioná-lo. Chegando a hora em que a família costumava separar-se, ele reouve, aparentemente, toda a sua energia e, chamando-me à parte, disse com toda a naturalidade:

"– Meu caro hóspede, acabo de ver o rio. Não há mais gelo flutuante, o caminho está livre, nada se opõe à sua partida. Não precisa — acrescentou, lançando um olhar para Sdenka — despedir-se da minha família. Ela lhe deseja, pela minha boca, toda a felicidade que se possa almejar neste mundo, e espero que o senhor também guarde uma boa recordação de nós todos. Amanhã, ao nascer do Sol, encontrará seu cavalo selado e seu guia pronto a segui-lo. Adeus: lembre-se, vez por outra, de seu anfitrião e perdoe-lhe, caso sua estada aqui não tenha sido tão isenta de tribulações quanto ele teria desejado que fosse.

"As feições rígidas de Georges tinham, naquele momento, uma expressão quase cordial. Ele me conduziu ao meu quarto e, pela última vez, apertou-me a mão. Depois estremeceu, e seus dentes estalaram, como se ele tremelicasse de frio.

"Ficando sozinho, nem pensei em ir para a cama, como as senhoras imaginam aí. Estava preocupado com outras ideias. Amara diversas vezes em minha vida. Tivera acessos de ternura, de despeito e de ciúme, mas nunca, nem mesmo abandonando a Duquesa de Gramont, havia sentido uma tristeza semelhante àquela que me dilacerava o coração naquele momento. Antes que o dia raiasse, vesti minhas roupas de viagem e quis tentar um derradeiro encontro com Sdenka. Contudo, Georges esperava por mim na antessala. Arrebatou-me toda e qualquer possibilidade de revê-la.

"Montei meu cavalo, esporeando-lhe ambos os flancos. Prometia a mim mesmo que, na volta de Jassy,[10] passaria outra vez por aquela aldeia, e tal esperança, por mais remota que fosse, acabou rechaçando, pouco a pouco, as minhas apreensões. Já pensava, com deleite, no momento de meu regresso, e a imaginação me pintava de antemão todos os pormenores dele, quando o cavalo, com um movimento impetuoso, quase me fez cair do seu lombo. O animal parou de repente, enrijecendo-lhe as pernas dianteiras, e suas ventas soltaram aquele ruído alarmante que a proximidade de um perigo arranca aos seus semelhantes. Olhei com atenção e vi, a uma centena de passos em minha frente, um lobo que escavava o solo. Assustado com o barulho que eu provocara, ele fugiu; então cravei as esporas nos flancos de minha cavalgadura e consegui fazê-la avançar. E eis que avistei, no lugar

---

[10] Cidade romena, antiga capital do Principado Moldávio.

que o lobo havia deixado, uma cova muito recente. Pareceu-me, ademais, que lobrigava a ponta de uma estaca a sair, com várias polegadas de comprimento, do solo que o lobo acabara de remexer. Entretanto, não o afirmo, já que passei bem rápido perto daquele lugar."

Dito isso, o marquês se calou, tornando a cheirar seu rapé.

— Pois isso é tudo? — perguntaram as damas.

— Ai de mim, não! — respondeu o Senhor d'Urfé. — O que ainda tenho a contar para as senhoras é bem mais penoso de recordar, e daria muito para me livrar desta recordação.

"Os negócios que me levavam para Jassy retiveram-me lá por mais tempo que tinha esperado. Só me desincumbi deles ao cabo de seis meses. O que lhes direi? É uma verdade triste de confessar, porém não deixa de ser verdade que há poucos sentimentos duradouros neste mundo. O sucesso de minhas negociações, aqueles encorajamentos que recebia do gabinete de Versalhes... numa palavra, a política, essa vil política que nos tem causado, nos últimos tempos, tanto aborrecimento, não demorou a enfraquecer, em meu íntimo, a lembrança de Sdenka. E depois, a esposa do *hospodar*, uma mulher muito bonita que dominava perfeitamente nossa língua, concedera-me, desde a minha chegada, a honra de me destacar no meio dos outros jovens estrangeiros que residiam em Jassy. Visto que eu fora criado nos princípios da galantaria francesa, meu sangue gaulês se teria revoltado com a ideia de retribuir com ingratidão a benevolência que a beldade me testemunhava. Assim, respondi cortesmente às propostas que recebera e, para me colocar em condição de fazer valerem os interesses e direitos da França, comecei por me identificar com todos os interesses e direitos do *hospodar*.

"Convocado a regressar ao meu país, retomei o caminho que me trouxera a Jassy.

"Não pensava mais nem em Sdenka nem em sua família, quando uma noite, cavalgando pelos campos, ouvi um sino tocar oito horas. Aquele som não me pareceu desconhecido, e meu guia me disse que vinha de um convento não muito distante. Perguntei pelo nome do convento e soube que era o da Virgem do Carvalho. Apressei a marcha do meu cavalo e, pouco depois, batemos à porta do convento. O eremita veio abri-la e conduziu-nos ao aposento dos viajantes. Encontrei-o tão cheio de peregrinos que perdi a vontade de pernoitar lá e perguntei se poderia achar uma pousada na aldeia.

"— O senhor achará mais de uma — respondeu-me o eremita, com um profundo suspiro. — Por causa daquele ímpio Gorcha, não faltam ali as casas vazias.

"— O que quer dizer? — indaguei. — O velho Gorcha ainda está vivo?

"— Oh, não, aquele ali está muito bem enterrado, com uma estaca no coração! Mas tinha sugado o sangue do filho de Georges. O menino voltou uma noite, chorando à porta, dizendo que estava com frio e queria entrar. A tola de sua mãe, se bem que ela mesma o tivesse enterrado, não teve a coragem de mandar que retornasse ao cemitério e abriu a porta.

Então ele a atacou e sugou até a morte. Enterrada por sua vez, ela voltou para sugar o sangue de seu outro filho, e depois, o de seu marido, e depois, o de seu cunhado. Todos passaram por isso.

"— E Sdenka? – disse eu.

"— Oh, aquela ali enlouqueceu de dor... Pobre garota, não me fale dela!

"A resposta do eremita não era positiva, e não tive a coragem de repetir a minha pergunta.

"— O vampirismo é contagioso — prosseguiu o eremita, benzendo-se. — Muitas famílias na aldeia são afetadas por ele, muitas famílias morreram até seu último membro, e, se o senhor se digna a acreditar em mim, ficará no convento esta noite, pois em todo caso, mesmo se não for devorado, lá na aldeia, pelos *vurdalaks*, o medo que eles lhe causarão bastará para embranquecer seus cabelos antes que eu termine de tocar as matinas. Sou apenas um pobre religioso — continuou —, mas a generosidade dos viajantes possibilita que eu acuda às suas necessidades. Tenho queijos deliciosos, uvas secas, que o deixarão com água na boca só de olhar para elas, e alguns frascos de vinho de Tokay,[11] nada pior do que aquele servido à Sua Santidade, o Patriarca!

"Pareceu-me, naquele momento, que o eremita se transformava num hoteleiro. Achei que me contara tantas histórias da carochinha com o propósito de

---

[11] Vinho branco de origem húngara.

me fornecer o ensejo de agradar aos céus, imitando a generosidade dos viajantes *a possibilitarem que o santo homem acudisse às suas necessidades.*

"Além disso, a palavra *medo* sempre me ocasionava o mesmo efeito que o clarim ocasiona a um corcel de guerra. Envergonhar-me-ia comigo mesmo, se não partisse de imediato. Meu guia, todo trêmulo, pediu-me a permissão de ficar, e concedi-lhe tal permissão com todo o prazer.

"Gastei aproximadamente meia hora para chegar à aldeia. Encontrei-a deserta. Nem uma luzinha brilhava nas janelas, nem uma canção se ouvia por lá. Passei, em silêncio, diante de todas aquelas casas, cuja maioria me era familiar, e acerquei-me enfim da de Georges. Fosse uma lembrança sentimental, fosse minha temeridade juvenil, mas foi bem ali que decidi passar a noite.

"Apeei do cavalo e bati ao portão de entrada. Ninguém respondeu. Empurrei o portão, que se abriu rangendo sobre os gonzos, e entrei no pátio.

"Amarrei meu cavalo, selado como estava, num galpão, onde encontrara uma provisão de aveia suficiente para uma noite, e avancei resolutamente em direção à casa.

"Nenhuma porta estava fechada, porém todos os cômodos pareciam inabitados. O quarto de Sdenka aparentava ter sido abandonado tão só na véspera. Algumas roupas jaziam ainda em cima da cama. Algumas joias com que eu a presenteara, no meio das quais reconheci uma pequena cruz esmaltada que comprara passando por Peste,[12] brilhavam, banhadas em luar, sobre uma mesa. Não pude deixar de sentir um aperto no coração, ainda que meu amor tivesse passado. Nesse meio-tempo, envolto em meu capote, estendi-me sobre a cama. Logo em seguida, peguei no sono. Não me lembro mais das minúcias daquele meu sonho, mas sei que tornei a ver Sdenka — linda, ingênua e amorosa como dantes. Censurei a mim mesmo quando a vi, por meu egoísmo e minha inconstância. 'Como pude', dizia comigo, 'abandonar essa pobre garota que me amava, como pude esquecê-la?' Depois sua imagem se confundiu com a da Duquesa de Gramont, e não enxerguei mais, nessas duas imagens, senão uma única e mesma pessoa. Atirei-me aos pés de Sdenka e implorei que me perdoasse. Todo o meu ser, toda a minha alma, fundiam-se num inefável sentimento de melancolia e de felicidade.

"Estava, pois, sonhando assim, quando fiquei quase acordado ao perceber um som harmonioso, semelhante ao rumorejo de um trigal agitado por uma leve aragem. Pareceu-me que ouvia as espigas se entrechocarem melodiosamente, que ouvia o canto dos pássaros se entremear com o ruído de uma cascata e o murmúrio das árvores. A seguir, pareceu-me que todos aqueles sons confusos eram apenas o farfalhar de um vestido, e eis que me foquei nessa ideia. Abri os olhos e vi Sdenka ao lado da cama. O luar estava tão fulgurante que pude distinguir, em seus mínimos detalhes, as feições adoráveis que me tinham sido tão

---

[12] Cidade húngara, atualmente a parte oriental de Budapeste.

caras outrora e cujo valor inteiro só acabava de me ser revelado pelo meu sonho. Achei Sdenka mais bela e mais madura. Ela usava o mesmo traje caseiro que da última vez, quando a vira sozinha: uma simples camisa de seda, bordada de ouro, e uma saia estreitamente cintada acima das ancas.

"— Sdenka! — disse-lhe eu, uma vez sentado. — É você mesma, Sdenka?

"— Sim, sou eu — respondeu-me ela, com uma voz suave e triste —, é bem esta tua Sdenka que tinhas esquecido. Ah, por que não voltaste mais cedo? Agora está tudo acabado, é preciso que vás embora: um instante a mais, e tu estás perdido! Adeus, meu amiguinho, adeus para sempre!

"— Sdenka — disse-lhe eu —, você teve muitas desgraças, pelo que me disseram! Venha: conversaremos juntos, e você ficará aliviada com isso!

"— Oh, meu amigo — respondeu ela —, o senhor não tem de acreditar em tudo o que dizem de nós; mas vá embora, parta o mais depressa possível, já que, se ficar aqui, perecerá com certeza.

"— Mas, Sdenka, qual é, pois, esse perigo que me ameaça? Não me dá mesmo nem uma hora, uma hora apenas para falar com você?

"Sdenka estremeceu, e uma estranha reviravolta operou-se em toda a sua pessoa.

"— Sim — disse —, uma hora — uma horinha, não é? —, como quando eu cantava a balada do velho rei e tu entraste neste quarto? É bem isso que queres dizer? Pois bem, que seja: eu te darei uma hora! Mas não, não — exclamou, recobrando-se —: vai embora, fora daqui! Vai rápido, digo-te eu, foge!... Foge, sim, tão rápido quanto puderes!

"Uma energia selvagem animava seus traços.

"Não atinei com o motivo que a levava a falar assim, mas ela estava tão linda que, apesar de suas exortações, resolvi ficar lá. Cedendo, por fim, às minhas instâncias, ela se sentou perto de mim, falou-me dos tempos idos e confessou, enrubescendo, que me amava desde o dia de minha chegada. Entretanto, pouco a pouco, eu percebi uma grande mudança em Sdenka. Seu recato de outrora tinha dado lugar a um estranho abandono. Seu olhar, havia pouco tão tímido, expressava certa ousadia. Surpreendi-me, afinal, de ver que, em sua maneira de ficar ao meu lado, ela estava longe daquele pudor que a destacava antes.

"Seria possível — pensei — que Sdenka não fosse aquela mocinha pura e inocente que parecia ser havia dois anos? Ou apenas fingira que era assim, por medo de seu irmão? Teria sido eu mesmo tão grosseiramente enganado pela sua falsa virtude? Mas então por que ela me incitava a partir? Seria, por acaso, um requinte de seu coquetismo? E eu, acreditando que a conhecia? Mas não importava! Se Sdenka não era uma Diana, como eu havia imaginado, bem que poderia compará-la a outra divindade, não menos amável, e — glória a Deus! — preferiria o papel de Adônis ao de Acteão![13]

---

[13] Recorrendo às reminiscências da mitologia greco-romana, o autor estabelece um paralelo irônico entre Afrodite, a deusa do amor, que se tornou amante do belo mortal chamado Adônis, e Diana, a deusa padroeira da vida selvagem, que trucidou o caçador Acteão por tê-la visto nua.

"Se essa frase clássica, dita comigo mesmo, parece-lhes fora de moda, minhas senhoras, queiram notar que o que tenho a honra de lhes contar ocorria no ano da graça de 1759. Então a mitologia estava em pauta, e eu mesmo não pretendia ficar à frente de meu século. As coisas mudaram bastante de lá para cá, e não faz muito tempo que a Revolução, derrubando as lembranças do paganismo e, de quebra, a religião cristã, colocara a deusa Razão no lugar delas. Tal deusa nunca foi a minha patroa, quando me encontrava em sua companhia, minhas senhoras, e, na época de que lhes falo, eu estava ainda menos propenso do que nunca a ofertar sacrifícios a ela. Foi por completo que me entreguei ao pendor que me atraía para junto de Sdenka, indo jovialmente ao encontro de suas provocações. Algum tempo já transcorrera numa doce intimidade, quando, divertindo-me a ataviar Sdenka com todas as suas joias, eu quis pendurar no pescoço dela a pequena cruz esmaltada que achara em cima da mesa. Reagindo àquele meu gesto, Sdenka estremeceu e recuou.

"— Chega de criancice, meu amiguinho — disse-me —, deixa para lá esses badulaques e vamos falar de ti e de teus planos!

"A perturbação de Sdenka fez-me refletir. Examinando-a com atenção, percebi que não tinha mais no pescoço, como outrora, uma porção de pequenos ícones, relíquias e saquinhos cheios de incenso, que os sérvios costumam portar desde a infância e só abandonam na hora da morte.

"— Sdenka — disse-lhe eu —, onde é que estão os iconezinhos que você tinha no pescoço?

"— Perdi-os — respondeu ela, parecendo impaciente, e logo mudou de assunto.

"Não sei qual vago pressentimento, de que nem sequer me dei conta, apossou-se de mim. Quis ir embora, mas Sdenka me reteve.

"— Como assim? — disse ela. — Pediste uma hora e já estás para sair, ao cabo de poucos minutos!

"— Sdenka — respondi —, você tem razão em insistir que eu parta: parece que estou ouvindo um barulho, e temo que nos flagrem juntos!

"— Fica tranquilo, meu amiguinho: está tudo dormindo à nossa volta, somente um grilo na relva e um besouro no ar poderiam ouvir o que tenho a dizer para ti.

"— Não, não, Sdenka, preciso partir!...

"— Para, para! — disse Sdenka. — Eu te amo mais do que minha alma, mais do que minha salvação, e tu me disseste que tua vida e teu sangue eram meus!...

"— Mas seu irmão, seu irmão, Sdenka: tenho o palpite de que ele virá!

"— Acalma-te, minha alma: meu irmão ficou embalado pelo vento que brinca nas árvores; bem pesado é o sono dele, bem longa é a noite, e não te peço senão uma hora!

"Dizendo isso, Sdenka estava tão bela que o vago terror que me angustiava começou a ceder ao desejo de permanecer ao seu lado. Uma mistura de receio e de volúpia, que me seria impossível descrever, enchia todo o meu ser. À medida que eu fraquejava, Sdenka se tornava cada vez mais terna, tanto assim que decidi ceder, prometendo a mim mesmo não baixar a guarda. No entanto, conforme disse agorinha, jamais fui sábio senão pela metade e, quando Sdenka me propôs, reparando em minha reserva, banir o frio da noite com alguns copos de vinho generoso, que disse ter recebido daquele bom eremita, aceitei sua proposta com um galanteio que a fez sorrir. O vinho produziu seu efeito. Desde o segundo copo, a má impressão causada pela circunstância da cruz e dos ícones ficou completamente apagada; com a desordem de seu traje, seus lindos cabelos meio soltos e suas joias alumiadas pela lua, Sdenka me parecia irresistível. Não me contendo mais, apertei-a em meus braços.

"Então, minhas senhoras, aconteceu uma daquelas misteriosas revelações que nunca saberei explicar, mas cuja existência fui forçado a admitir pela experiência, conquanto, até lá, estivesse pouco disposto a acreditar nelas.

"A força com a qual estreitava Sdenka em meus braços fez uma das pontas da cruz que as senhoras acabaram de ver, e que a Duquesa de Gramont me dera quando de minha partida, arranhar-me o peito. A dor aguda que ela me causou foi, para mim, como um raio de luz que me atravessou. Olhei para Sdenka e vi que suas feições, embora lindas como sempre, estavam contraídas pela morte, que seus olhos não enxergavam e que seu sorriso era uma convulsão impressa pela agonia sobre o rosto de um cadáver. Ao mesmo tempo, percebi no quarto aquele cheiro nauseabundo que espalham de ordinário os porões mal fechados. A tétrica verdade surgiu, diante de mim, em toda a sua feiura, e foi tarde demais que relembrei os avisos do eremita. Entendi como a minha posição era precária e senti que tudo dependia de minha coragem e de meu sangue-frio. Virei as costas a Sdenka para lhe esconder o pavor que meus traços deviam manifestar. Então meu olhar caiu sobre a janela e vi o infame Gorcha, que se apoiava numa estaca ensanguentada e fixava em mim seus olhos de hiena. O pálido semblante de Georges, que naquele momento se parecia horrivelmente com seu pai, ocupava a outra janela. Ambos aparentavam espiar meus movimentos, e não duvidei que se arrojariam sobre mim com a menor tentativa de fuga. Fingi, pois, que não os vira e, fazendo um violento esforço sobre mim mesmo, continuei — sim, minhas senhoras! —, continuei a prodigalizar a Sdenka as mesmas carícias com que gostava de afagá-la antes dessa terrível descoberta. Enquanto isso, pensava, angustiado, no meio de escapar. Notei que Gorcha e Georges trocavam com Sdenka olhares cúmplices e começavam a ficar impacientes. Também ouvi, lá fora, uma voz feminina e uns gritos infantis, porém tão pavorosos que se podia tomá-los por berros de gatos selvagens.

"— Está na hora de fazer as malas — disse comigo —, e, quanto mais depressa, melhor!

"Então me dirigi a Sdenka, dizendo-lhe em voz alta e de maneira que seus hediondos parentes me ouvissem:

"— Estou muito cansado, minha menina, e gostaria de me deitar e dormir por algumas horas, mas antes preciso ir ver se meu cavalo comeu a sua ração. Peço-lhe que não vá embora e espere pelo meu retorno.

"Então apliquei meus lábios àqueles lábios frios e descoloridos, e saí. Encontrei meu cavalo coberto de espuma, debatendo-se naquele galpão. Nem tocara na aveia, mas o relincho que deu, quando me viu chegar, deixou-me arrepiado, por recear que ele acabasse traindo as minhas intenções. Nesse ínterim os vampiros, que haviam provavelmente ouvido minha conversa com Sdenka, nem pensaram em ficar alarmados. Assegurei-me, pois, de que o portão de entrada estava aberto e, saltando à sela, cravei as esporas nos flancos do meu cavalo.

"Tive o tempo de perceber, saindo portão afora, que a turba reunida perto da casa, cujos membros estavam, em sua maioria, grudando o rosto nos vidros das janelas, era bem numerosa. Creio que minha brusca partida deixou-os, de início, atônitos, pois não distingui no silêncio da noite, durante algum tempo, nada além do uniforme galope de meu cavalo. Pensava que já poderia felicitar-me pela minha astúcia, quando, de supetão, ouvi atrás de mim um barulho semelhante ao de um furacão a uivar nas montanhas. Mil vozes confusas gritavam, rugiam e pareciam altercar entre si. Depois se calaram todas, como que de comum acordo, e ouvi um tropel precipitado, como se uma tropa de infantaria se aproximasse correndo.

"Apressei minha cavalgadura, dilacerando-lhe os flancos. Uma febre ardente fazia pulsarem as minhas artérias e, ao passo que me esgotava em inauditos esforços para conservar a presença de espírito, ouvi atrás de mim uma voz que gritava:

"— Para, para, meu amiguinho! Eu te amo mais do que minha alma, eu te amo mais do que minha salvação! Para, para, que teu sangue é meu!

"Ao mesmo tempo, um sopro frio aflorou a minha orelha, e senti Sdenka saltar na garupa do meu cavalo.

"— Meu coração, minha alma! — dizia-me ela. — Só te vejo a ti, só sinto a ti, não domino mais a mim mesma, obedeço a uma força superior... Perdoa-me, meu amiguinho, perdoa-me!

"E, apertando-me em seus braços, ela tentava fazer que eu caísse de costas para me morder a garganta. Travou-se entre nós uma luta terrível. Por muito tempo só me defendi a custo, mas enfim consegui pegar, com uma mão, na cintura de Sdenka e, com a outra, em suas tranças desfeitas, e, firme nas estribeiras, joguei-a por terra.

"De pronto, minhas forças me abandonaram, e fiquei dominado pelo delírio. Mil visões loucas e tétricas perseguiam-me trejeitando. Primeiro, Georges e seu irmão Pierre corriam pelas margens da estrada, procurando cortar-me a passagem. Não conseguiram, e já estava para me regozijar com isso, quando me virei e avistei o velho Gorcha, que se servia de sua estaca para fazer saltos, igual aos montanheses tiroleses,[14] que assim transpõem os precipícios. Gorcha também ficou para trás. Então a nora dele, que arrastava seus filhos atrás de si, lançou um dos meninos para o sogro, que o recebeu com a ponta de sua estaca.

---

[14] Habitantes do Tirol, região alpina da Áustria.

Usando-a como uma balista,[15] Gorcha arremessou a criança, com todas as forças, em meu encalço. Evitei a pancada, mas, com um verdadeiro instinto de buldogue, o pequeno sapo se agarrou ao pescoço do meu cavalo, e penei muito para arrancá-lo. O outro menino me foi enviado da mesma forma, porém tombou na frente do cavalo e acabou pisoteado. Não sei o que vi ainda, mas, quando me recobrei, já havia amanhecido, e eu estava deitado no meio da estrada, ao lado de meu cavalo agonizante.

"Assim termina, minhas senhoras, um namorico que deveria ter-me tirado, para todo o sempre, a vontade de buscar outras aventuras como aquela. Umas contemporâneas de suas avós poderiam dizer-lhes se, dali em diante, fui mais sensato.

"Seja como for, ainda fico trêmulo ao pensar que, se tivesse sucumbido aos meus inimigos, ter-me-ia tornado um vampiro por minha vez. Todavia, o céu não permitiu que as coisas chegassem a esse ponto e, longe de estar sedento de seu sangue, minhas senhoras, só reclamo, por mais velho que esteja, a oportunidade de derramar o meu para servi-las!"

---

[15] Antiga máquina de guerra, utilizada para arremessar pedras e flechas.

Alexei Tolstói

O Encontro Trezentos Anos Depois

Numa bela noite estival estávamos reunidos no jardim de nossa avó, uns perto de uma mesa iluminada por um candeeiro e outros sentados nos degraus do terraço. A brisa nos trazia, de vez em quando, bufadas de ar perfumoso, ou então longínquas vibrações de um canto rústico, e depois tudo ficava novamente silencioso e só se ouvia o fervilhar das falenas em volta do globo deslustrado do candeeiro.

— Pois bem, meus netinhos — disse-nos a avó —, já que me pediram, diversas vezes, uma antiga história de quem retorna do outro mundo... Se estiverem com vontade, venham sentar-se ao meu redor: contarei para vocês um evento de minha juventude, que lhes dará bons arrepios quando ficarem sós, deitados em suas camas.

"Ainda mais que esta noite tão calma me recorda o belo passado, pois me parece, já faz muitos anos (vocês vão zombar de mim!), que a natureza está menos linda do que outrora. Não vejo mais nem aqueles dias bonitos, tão quentes e radiosos, nem aquelas flores tão frescas, nem aquelas frutas tão saborosas... E vejam bem, por falar de frutas: jamais me esquecerei daquela cesta de pêssegos que me mandou, um dia, o Marquês d'Urfé, um jovem louco que me cortejava por ter encontrado, nesta minha cara, não sei qual traço característico que lhe virara a cabeça.

"Para dizer a verdade, eu não era nada feiosa naquele tempo, e quem visse hoje as minhas rugas e os meus cabelos brancos mal poderia imaginar que o Rei Luís XV me havia apelidado de 'rosa das Ardenas',[1] e que eu merecia mesmo tal apelido ao enfiar um bocado de espinhos no coração de Sua Majestade.

"Quanto ao Marquês d'Urfé, posso assegurar-lhes, netinhos, que, se ele quisesse, eu não teria agora o prazer de ser sua avó, ou, pelo menos, o nome atual de vocês seria outro. Contudo, os homens não entendem nada de nossas coquetices. Ou rompem conosco, com aquele furor brutal que nos deixa indignadas, ou então se desanimam, iguais às crianças, e fogem correndo às plagas de algum *hospodar* da Moldávia, como o fez aquele marquês desmiolado que revi muito tempo depois e que, digamos entre parênteses, não se tornara mais sensato.

"Para voltarmos àquela cesta de pêssegos, direi para vocês que a recebi pouco antes de sua partida, no dia de Santa Úrsula,[2] que é minha festa e cai, como

---

[1] Região montanhosa que se estende pelo território da Bélgica, de Luxemburgo e, parcialmente, da França.
[2] Úrsula de Colônia: santa da Igreja Católica, martirizada em 383 e celebrada, conforme o calendário litúrgico, no dia 21 de outubro.

sabem, em meados de outubro, numa época em que é quase impossível arranjar pêssegos. Aquele galanteio era o resultado de uma aposta feita por d'Urfé e o avô de vocês, que já me cortejava e ficou tão desconcertado com o sucesso de seu rival que não se recuperou por três dias seguidos.

"Realmente, esse d'Urfé era o homem mais bem-apessoado que vi em toda a minha vida, exceto o rei, que, sem ser novo, passava, e com razão, por ser o mais lindo fidalgo da França. Mas a todas as vantagens externas do marquês juntava-se outra vantagem, cuja atração, conforme posso confessar neste momento, não era a menos poderosa para nós, jovens mulheres. Era o maior cafajeste do mundo, e já me tenho perguntado por que tais sujeitos nos atraem, queiramos ou não. A única conclusão minha é que, quanto mais um caráter se revela instável, tanto mais nos deleitamos em estabilizá-lo. O amor-próprio fica excitado de ambas as partes, e quem for mais esperto ganha o jogo. A grande arte desse jogo, netinhos, consiste em sabermos parar a tempo e não exasperar o nosso parceiro. É, sobretudo, para você, Hélène, que faço esta observação. Se gostar de alguém, menina, não faça com ele o que fiz com d'Urfé, pois Deus sabe como chorei a partida dele e como me censurei pela minha conduta. Digo isto sem rebaixar meu afeto pelo avô de vocês, que se casou comigo seis meses depois e certamente era o homem mais digno e mais leal que se poderia encontrar.

"Àquela altura, eu era viúva do Senhor de Gramont, meu primeiro marido, que quase não conhecia, com quem me casara apenas para obedecer ao meu pai, a única pessoa que eu temia neste mundo. Como vocês podem imaginar, o tempo de minha viuvez não me pareceu tão longo assim: era jovem, bonita e perfeitamente livre em minhas ações. Portanto, tirei proveito dessa liberdade e, mal terminado o meu luto, atirei-me sem refletir aos bailes e saraus, que, diga-se de passagem, eram muito mais divertidos na época do que são hoje em dia.

"Foi num daqueles saraus que o Marquês d'Urfé chegou a ser apresentado a mim pelo Comendador de Bélièvre, um velho amigo de meu pai. Aliás, fora meu pai, sem nunca se afastar do seu castelo nas Ardenas, que me recomendara ao comendador como se fosse um parente nosso. Isso me valia infindas exortações por parte do digno comendador, porém, zelando por ele e paparicando-o da melhor maneira possível, eu fazia pouco caso de suas reprimendas, e vocês poderão julgar a respeito logo em seguida. Tinha ouvido muito falar do Senhor d'Urfé e, cheia de curiosidade, ansiava por ver se o acharia tão irresistível quanto fora descrito para mim.

"Quando ele me abordou com uma charmosa desenvoltura, mirei-o tão fixamente que ele se confundiu e não pôde concluir a frase que iniciara.

"— Minha senhora — disse-me mais tarde —, há em sua testa, um pouco acima das sobrancelhas, um sinal que eu não saberia definir, mas que torna seu olhar estranhamente poderoso...

"— Cavalheiro — respondi-lhe —, pretendem que me pareço muito com o retrato de minha trisavó:

segundo uma lenda de minha terra, ela teria feito, apenas com seu olhar, cair no fosso um nobre presunçoso, a quem dera na veneta raptá-la e que já havia escalado os muros de seu castelo.

"— Minha senhora — disse o marquês, com uma galante mesura —, visto que as suas feições são iguais às de sua trisavó, não me é difícil acreditar nessa lenda; somente a farei notar que, se estivesse no lugar do tal nobre, não me daria por vencido e, tão logo saísse do fosso, recomeçaria a escalada.

"— É mesmo, cavalheiro?

"— Sem dúvida alguma, minha senhora.

"— Um fracasso não o desencoraja?

"— É possível que me intimidem uma vez, mas que me desencorajem, jamais.

"— É o que veremos, cavalheiro!

"— Veremos, sim, minha senhora!

"Travou-se, desde aquele dia, uma guerra encarniçada entre nós dois: falsa indiferença da minha parte, perseverante galantaria da parte do marquês. Esse comportamento acabou por atrair a atenção de todo mundo, e o Comendador de Bélièvre admoestou-me com seriedade.

"Era um singular personagem, aquele Comendador de Bélièvre, e tenho de lhes dizer duas palavras a respeito dele. Imaginem um homem alto, enxuto e grave, bem cerimonioso e loquaz, que nunca sorria. Em sua juventude, participara de uma guerra e demonstrara uma coragem que beirava a loucura, porém jamais conhecera o amor e era muito tímido com as mulheres. Quando eu lhe agradava de algum modo (o que ocorria cada vez que despachava o correio, dado que prestava contas regulares de minha conduta ao meu pai, como se eu fosse ainda uma criança), mal desenrugava a testa, mas então fazia uma carranca tão esquisita que eu ria bem na cara dele, mesmo correndo o risco de brigarmos. No entanto, continuávamos sendo os melhores amigos do mundo, salvo se discutíssemos violentamente assim que se tratasse do marquês.

"— Estou desolado, senhora duquesa, porém meu dever me obriga a fazer-lhe uma objeção...

"— Fique à vontade, meu caro comendador!

"— Ontem a senhora recebeu de novo o Marquês d'Urfé...

"— É verdade, meu caro comendador, e anteontem também, e vou recebê-lo ainda hoje à tarde, bem como amanhã e depois de amanhã.

"— É precisamente acerca dessas frequentes visitas que desejo instruí-la. Está ciente, minha senhora, de que o senhor seu pai, meu honrado amigo, colocou-a sob a minha guarda e que me responsabilizo pela senhora perante Deus, como se tivesse a felicidade de tê-la por filha...

"— Ora, meu caro comendador, receia porventura que o marquês me rapte?

"— Suponho, minha senhora, que o marquês saiba muito bem quanto respeito lhe deve para ousar empreender um projeto desses. Entretanto, é meu dever avisá-la que a assiduidade dele dá margem a muitas conversas na corte, e que tanto mais me censuro por elas que fui eu quem teve a desgraça de lhe apresentar o marquês. Advirto que, se não o afastar logo, eu me verei, para meu grande desgosto, forçado a desafiá-lo para um combate particular.

"— Está brincando, meu caro comendador: esse combate seria particular mesmo! O senhor esquece que tem o triplo de sua idade!

"— Nunca estou brincando, minha senhora, e farei como tenho a honra de lhe dizer.

"— Mas é uma atrocidade, senhor, é uma tirania inominável! Se a companhia do Senhor d'Urfé me convém, quem é que tem o direito de me impedir de vê-lo? E quem pode impedi-lo de me desposar, se eu consentir com isso?

"— Minha senhora — respondia o comendador, abanando tristemente a cabeça —, acredite que não é essa a ideia do marquês. Já vivi o bastante para ver que, longe de pensar em estabelecer-se, o Senhor d'Urfé só pensa em desfrutar vaidosamente a sua inconstância. E o que lhe aconteceria, pobre flor das Ardenas, caso, depois de entregar àquela linda borboleta todo o mel de seu cálice, a senhora a visse, de súbito, alçar voo, como uma traidora?

"— Agora vêm essas indignas acusações! Será que sabe, meu caro comendador, que, se continuar falando dessa maneira, o senhor me deixará loucamente apaixonada pelo marquês?

"— Eu sei, minha senhora, que seu pai, meu venerável amigo, confiou-a aos meus cuidados, e que hei de merecer sua estima e a confiança dele, mesmo correndo o risco de lhe suscitar o ódio.

"Era sempre assim que terminavam aquelas discussões. É claro que me abstinha de partilhá-las com d'Urfé, a fim de não o tornar ainda mais presunçoso do que ele já era, quando, um belo dia, o comendador veio anunciar-me que tinha recebido uma carta de meu pai, pedindo-lhe este que me acompanhasse até o nosso castelo nas Ardenas. A carta endereçada ao comendador continha outra mensagem destinada a mim. Meu pai me testemunhava nela o desejo de me rever e, para que a perspectiva de passar um outono no meio das florestas não me amedrontasse em demasia, dava a entender que várias famílias de nossa vizinhança haviam preparado uma festa a quatro léguas da nossa propriedade, no castelo d'Haubertbois.

"Tratava-se, sem mais nem menos, de um grande baile a fantasia, e meu pai escrevia para mim que, se eu quisesse participar dele, teria de me apressar.

"O nome d'Haubertbois despertou em mim muitas recordações. Lembrei-me de ter ouvido, em minha infância, alguns estranhos relatos sobre aquele velho castelo abandonado e a floresta que o circundava. Havia, sobretudo, uma lenda popular que sempre me causara arrepios: pretendia-se que por vezes, naquela floresta, os viajantes eram perseguidos por um homem gigantesco, horrivelmente magro e pálido, que corria de quatro atrás das carruagens, esforçando-se para agarrar as suas rodas, gritando e pedindo comida. Essa última circunstância lhe valera a alcunha de 'o faminto'. Chamavam-no também de 'o prior d'Haubertbois'. Não sei por que a ideia daquele ser macilento, correndo de quatro, parecia-me mais apavorante do que tudo quanto se pudesse imaginar de mais terrível. Amiúde, voltando de um passeio ao cair da noite, eu dava um grito involuntário e apertava convulsivamente o braço da minha babá. É que acreditava ter entrevisto, no crepúsculo, o monstruoso prior a rastejar por entre as árvores.

"Meu pai me admoestara, mais de uma vez, por essas invenções, mas era sem querer que eu retornava a elas. Isso diz respeito à floresta. Quanto ao castelo, sua história estava, de certa forma, ligada à de nossa família. Ele pertencera, na época das guerras com os ingleses, ao tal de Senhor Bertrand d'Haubertbois, aquele mesmo nobre que, não podendo obter a mão de minha trisavó, quisera raptá-la à força e que ela fizera, com um só olhar, cair no fosso naquele exato momento em que se pendurava numa escada. E o Mestre Bertrand tivera apenas o que merecia, pois era, pelo que se dizia, um cavaleiro ímpio e desleal cujas *malvadezas* eram proverbiais. A proeza de minha trisavó torna-se, portanto, ainda mais maravilhosa, e vocês concebem o quanto eu devia estar lisonjeada com a semelhança que me atribuíam em relação ao retrato da Senhora Mathilde. Aliás, meus netinhos, vocês conhecem aquele retrato: é o que se encontra no salão, imediatamente acima do Senescal[3] da Borgonha, seu tio-bisavô, e ao lado do Mestre Hugues de Montmorency, nosso aliado em 1310.

---

[3] Oficial do rei investido de amplos poderes judiciais e administrativos nas antigas províncias da França.

"Quem visse aquele semblante de donzela tão doce ficaria tentado a pôr em dúvida a veracidade da lenda ou então a recusar ao pintor o talento de apanhar a expressão facial. Seja como for, se antanho eu me parecia mesmo com aquele retrato, hoje vocês penariam bastante em achar lá um só traço que fosse meu. Contudo, não é disso que se trata agora. Eu dizia, pois, para vocês que o Mestre Bertrand pagara sua imoderada pretensão com um mergulho no fosso de nosso castelo. Não sei se tal *descompostura* o teria curado de seu amor, mas se pretende que foi buscar pelo consolo com um bando de malfeitores, tão devassos e pagãos quanto ele próprio. Ademais, ele *se repimpava e patuscava* em companhia da Senhora Jeanne de Rochaiguë, a qual, para agradar-lhe, assassinou seu marido.

"Conto-lhes, meus netinhos, o que minha babá me contava, somente para lhes dizer que sempre tivera horror àquele vil castelo d'Haubertbois e achei a ideia de dar lá um baile a fantasia muito barroca.[4]

"A carta de meu pai ocasionou-me uma viva contrariedade. Ainda que os pavores de minha infância não tivessem nada a ver com isso, senti um forte despeito por ter de abandonar Paris, pois suspeitava que o comendador havia contribuído muito para a ordem que me trouxera. A ideia de que me tratava como uma criança deixou-me revoltada: compreendi

---

[4] Bizarra, excêntrica, com alusão ao respectivo estilo artístico, conhecido por ser complexo e rebuscado.

que, pretextando uma viagem ridícula às Ardenas, o Senhor de Bélièvre queria apenas impedir-me de acolher os assíduos galanteios de d'Urfé. Prometi a mim mesma frustrar esses planos, e eis como procedi.

"Na primeira ocasião em que o marquês veio para me ver, recebi-o com ar escarninho e fi-lo entender que o considerava perdedor da partida, porquanto eu mesma estava para sair de Paris e ele não tinha mais avançado em minhas boas graças.

"— Minha senhora — respondeu-me d'Urfé —, acontece por acaso que possuo um castelo a uma légua do seu caminho. Posso esperar que não recuse a um pobre vencido o consolo de lhe oferecer a minha hospitalidade?

"— Cavalheiro — disse-lhe eu, com frieza —, em todo caso seria um rodeio, e, de resto, que proveito o senhor tiraria de me rever?

"— Por favor, minha senhora, não me deixe desesperado, pois lhe juro que farei alguma loucura!

"— Talvez me rapte?

"— Sou capaz disso, minha senhora... — Então me pus a gargalhar.

"— A senhora me desafia? — perguntou o marquês.

"— Eu o desafio, cavalheiro, e desde já o previno de que, para tentar uma gracinha comigo, precisaria de uma audácia mais do que ordinária, pois estou viajando sob a proteção do Comendador de Bélièvre e muito bem escoltada!

"O marquês se calou, sorridente.

"Não tenho de lhes dizer, meus netinhos, que estava ciente de o Senhor d'Urfé ter uma propriedade em direção às Ardenas e contava com essa circunstância. Entretanto, para que não opinem demasiado mal sobre sua avó, primeiro lhes direi que meu desafio não passava de uma brincadeira e que somente me apetecia contrariar o comendador, dando ao marquês a oportunidade de me ver pelo caminho.

"Se, depois disso, o Senhor d'Urfé levasse minhas palavras a sério, eu teria plena liberdade de desiludi-lo, e, seja dita a verdade, a ideia de me submeter a uma tentativa de rapto não tinha nada que fosse por demais desagradável para uma mulher jovem, ávida de emoções e coquete além de tudo quanto se pudesse imaginar.

"Quando chegou o dia da partida, não pude impedir-me de admirar até que ponto o comendador havia exagerado nas precauções que eram tomadas, em minha época, por viajantes. Não bastasse um carroção, que transportava a cozinha, havia outro com minha cama e meus utensílios de toalete. Dois lacaios sentados na parte traseira de meu coche estavam armados de sabre, e meu camareiro, que se pusera ao lado do cocheiro, segurava uma escopeta destinada a meter medo nos ladrões. Mandáramos à nossa frente um estofador, para preparar convenientemente os aposentos onde eu dormiria, e estávamos precedidos por dois homens a cavalo que de dia gritavam a quem encontrássemos que nos deixasse passar e, de noite, iluminavam-nos com archotes.

"A cerimoniosa polidez do comendador não menos lhe faltava numa viagem do que lhe fazia míngua num salão. Quis, desde logo, ficar em minha frente e criou mil dificuldades para se sentar perto de mim, no fundo daquele coche.

"— Pois então, comendador, será que o senhor tem medo de mim, já que fica assim anichado no banco dianteiro?

"— Não pode duvidar, minha senhora, que me seria agradável ficar ao lado da filha de meu melhor amigo, porém eu acreditaria infringir as minhas obrigações se causasse o mínimo constrangimento àquela que neste momento me cumpre proteger!

"Levava seu papel de protetor a sério, tanto assim que nem cinco minutos se passavam sem ele me perguntar se meu assento estava confortável ou se as correntes de ar não me incomodavam.

"— Comendador, faça-me enfim o favor de me deixar tranquila, pois está insuportável!

"Então ele dava um profundo suspiro e apostrofava severamente o cocheiro, sugerindo-lhe que prestasse mais atenção em evitar sacolejos.

"Como nossas jornadas eram pequenas, o comendador exigira que eu fizesse uma refeição a cada parada. Quando se tratava de descermos, nunca me oferecia seu braço sem ter tirado o chapéu e, quando me conduzia até a mesa, desfazia-se em pedir desculpas por não me achar servida com a mesma etiqueta que em minha mansão na Rua de Varenne.

"Certo dia, tendo eu a imprudência de dizer que gostava de música, o comendador mandou trazerem um violão e cantou uma ária de guerra dos cavaleiros de Malta, com formidáveis explosões vocais e rolando pavorosamente os olhos. Não cessou de fazer vibrarem as cordas de seu instrumento até que elas se rompessem. Então se desfez em pedir desculpas e ficou calado.

"Sendo o patrão da metade de nossos homens, obrigou-os a vestir librés de minha casa, a fim de que eu não parecesse viajar na carruagem dele. Todas aquelas delicadezas quase não me tocavam, pois eu tomava o Senhor de Bélièvre antes por um mentor pedante e entediante do que por um amigo.

"Ao notar que ele tinha guarnecido os bolsos de bolinhas de seda, alfinetes e outras coisinhas destinadas à minha toalete, deleitei-me em solicitar diversos objetos de que fingia necessitar, no intuito de pegá-lo desprevenido.

"Por muito tempo, isso me foi impossível.

"— Ah, como estou enjoada! — exclamei, certa feita.

"Logo o comendador mergulhou a mão num dos seus bolsos e retirou de lá uma caixinha cheia de pastilhas, que me ofereceu em silêncio.

"Outra feita, simulei uma dor de cabeça.

"O comendador pôs a mão em seu bolso e tirou de lá um frasco d'Água da Rainha, pedindo-me a permissão de verter algumas gotas sobre os meus cabelos.

"Fiquei desencorajada.

"Por fim, inventei de dizer que havia perdido a minha provisão de carmim e perguntei vivamente ao Senhor de Bélièvre se pensara em trazer uns potezinhos.

"A previdência do comendador não fora tão longe assim. Todo vermelho, ele se desmanchou em pedir desculpas. Então tive a maldade de fingir que chorava e disse que me tinham confiado a um homem que não se importava nem um pouco comigo.

"Senti-me vingada pela metade, pois o comendador, que se julgava desonrado, ficou muito triste e calou-se pelo resto daquela jornada. Entretanto, o prazer de atormentar meu mentor acabou por não ser mais suficiente. Não sei o que ainda teria inventado, se um incidente de novo gênero não tivesse interrompido a monotonia de nossa viagem.

"Numa noite em que margeávamos a ourela de um bosque, um cavaleiro envolto em capa apareceu subitamente em nosso caminho, inclinou-se para a portinhola e desapareceu em seguida. Esse movimento foi tão rápido que mal percebi que o cavaleiro deixara cair um papelzinho sobre o meu regaço. Quanto ao comendador, ele não vira absolutamente nada. O bilhete continha apenas estas palavras: 'A senhora se verá forçada a pernoitar a uma légua daqui. Quando todos adormecerem, uma carruagem ficará parada embaixo das suas janelas. Se der sinal de alarme aos seus homens, deixarei que me matem em sua frente, mas nunca renunciarei a uma empresa que a senhora me desafiou a tentar e cujo sucesso é o único meio de me amarrar à vida'.

"Reconhecendo a letra do marquês, soltei um ai que fez o comendador virar a cabeça.

"— O que tem, minha senhora? — perguntou-me, todo surpreso.

"— Nada — respondi, escondendo o bilhete —: tive uma câimbra no pé!

"Essa mentira, que usei uns trinta anos antes de aparecer o *Barbeiro de Sevilha*,[5] prova que fui eu a primeira a inventá-la, e não Beaumarchais, como vocês poderiam achar.

"O comendador meteu de pronto a mão num dos seus bolsos e retirou de lá um ferro imantado que me propôs aplicar no ponto dolorido.

"Entrementes, quanto mais eu pensava na audácia do marquês, tanto mais me sentia disposta a admirar aquele caráter aventureiro. Agradeci à moda de minha época que prescrevia a uma mulher nobre viajar de rosto coberto por uma máscara de cetim, pois, na ausência desse acessório, o comendador teria reparado em minha comoção. Não duvidei, nem por um instante, que o marquês executaria o seu propósito e confesso que, conhecendo o fanatismo do Senhor de Bélièvre em cumprir seus deveres, cheguei a temer, naquele momento, bem mais pela vida do Senhor d'Urfé do que pela minha própria reputação.

"Pouco depois, os dois lacaios que nos precediam a cavalo vieram anunciar-nos que não poderíamos dormir no pequeno burgo designado pelo Senhor de Bélièvre para nosso acampamento noturno, visto que uma ponte acabava de se quebrar por ali, mas disseram que o chefe de ofício havia preparado para nós uma ceia numa casa de caça situada na estrada mestra e pertencente ao senhor Marquês d'Urfé.

---

[5] Comédia do célebre dramaturgo francês Pierre Augustin Caron de Beaumarchais (1732-1799), que data de 1775.

"Vi que, ouvindo esse nome, o comendador franzia o sobrolho; senti medo de que aventasse os planos do marquês.

"Não era, porém, nada disso, já que chegamos àquela casa de caça sem o comendador manifestar a mínima apreensão. Após a ceia, fez uma profunda mesura em minha frente, como soía fazer todas as noites, pediu-me a permissão de se retirar e me desejou boa noite.

"Uma vez só, dispensei as minhas criadas, mas não me despi, pois esperava pelo aparecimento do Senhor d'Urfé, que estava, aliás, decidida a tratar conforme ele merecesse, sem, todavia, expô-lo ao ressentimento do comendador.

"Mal se passara uma horinha, ouvi um leve barulho do lado de fora. Abri a janela e reconheci o marquês, que subia uma escada de cordas.

"— Cavalheiro — disse-lhe eu —, retire-se imediatamente ou chamarei pela minha gente!

"— Piedade, minha senhora; escute-me!

"— Não quero ouvir nada e, se o senhor fizer um só movimento para entrar, juro que tocarei a campainha!

"— Então ordene que me matem, porquanto, da minha parte, jurei que apenas a morte me impediria de raptá-la.

"Não sei o que eu faria ou responderia, quando, de súbito, a janela do quarto contíguo ao meu abriu-se bruscamente, e eis que avistei surgir nela o comendador com uma tocha na mão.

"O Senhor de Bélièvre substituíra seu traje por um roupão carmesim, e sua peruca, por uma carapuça pontuda que tornava sua figura grotescamente imponente e dava-lhe uma falsa aparência de mágico.

"— Marquês! — exclamou ele, com uma voz tonitruante. — Queira, por gentileza, retirar-se!

"— Comendador — respondeu o marquês, ainda pendurado em sua escada —, estou encantado de vê-lo em minha casa!

"— Senhor marquês — prosseguiu o comendador —, estou desolado por lhe dizer que, se não descer imediatamente, terei a honra de estourar seus miolos!

"Ao dizê-lo, colocou sua tocha no parapeito da janela e apontou para o marquês os canos de duas enormes pistolas.

"— Veja se pensa bem, comendador! — exclamei, inclinando-me para fora da janela. — Será que quer cometer um assassinato?

"— Senhora duquesa — respondeu o Senhor de Bélièvre, com uma mesura cortês no alto de sua janela —, digne-se desculpar-me por aparecer em sua frente com estas roupas indecentes, mas a urgência do caso encoraja-me a pedir uma indulgência que não ousaria solicitar em qualquer outro momento. Digne-se desculpar-me, outrossim, por não lhe obedecer, desta vez, com aquela cega dedicação da qual me fiz uma lei, porém o senhor seu pai, meu honrado amigo, colocou a senhora sob a minha guarda, e tal confiança por parte dele é tão lisonjeira para mim que não acharei caro demais merecê-la nem mesmo ao preço de um assassinato!

"Com essas palavras, o comendador se inclinou de novo e engatilhou as suas pistolas.

"— Está bem — disse o marquês —, será um duelo de novo gênero!

"E, sem abandonar a escada, também tirou um par de pistolas do seu bolso.

"— Comendador — disse —, então apague essa sua tocha, pois ela me dá, em relação ao senhor, uma vantagem que eu não gostaria de aproveitar.

"— Senhor marquês — respondeu o comendador —, agradeço-lhe a sua cortesia e só posso felicitar-me por ver as suas pistolas, pois seria repugnante, para minha delicadeza, atirar num homem desarmado.

"Dito isso, apagou a vela e mirou o marquês.

"— Mas então vocês dois são malucos! — exclamei. — Então querem despertar a casa inteira para me desonrar? Marquês — continuei —, eu lhe perdoo sua loucura contanto que o senhor desça agora mesmo! Ordeno-lhe que desça, cavalheiro, está ouvindo?

"Olhava para ele de maneira a mostrar que uma hesitação mais longa não faria outro efeito senão me irritar.

"— Minha senhora — disse então o marquês, aludindo à conversa que tivéramos na hora de nosso primeiro encontro —, um olhar seu me precipita ao baixo de minha escada, mas que a bela castelã Mathilde fique persuadida de que o Senhor Bertrand buscará por todos os meios revê-la, nem que seja apenas para morrer aos seus pés!

"E, envolvendo-se em sua capa, ele sumiu nas trevas.

"No dia seguinte, o comendador não me disse sequer uma palavra acerca do ocorrido, e não voltamos mais a abordar esse tema pelo resto de nossa viagem.

"Quando estávamos apenas a meia jornada do castelo de meu pai, uma tempestade assustadora surpreendeu-nos ao cair da tarde. O trovão explodia com inauditos estrondos, e os relâmpagos se sucediam tão rapidamente que, mesmo de olhos fechados o tempo todo, fiquei quase cega.

"Vocês sabem, netinhos, que nunca pude suportar a tempestade. Um pavor nervoso apoderou-se de mim: tremia como uma folha ao vento e apertava-me ao comendador, que se considerava obrigado a pedir-me desculpas.

"Avançávamos bem devagar, por causa das árvores derrubadas pelo caminho. A escuridão já estava cerrada quando o cocheiro parou bruscamente os cavalos e, dirigindo-se ao comendador:

"— Meu senhor — disse —, desculpe-me por ter errado o caminho! Estamos na floresta d'Haubertbois: eu a reconheço por aquele velho carvalho de ramos cortados!

"Mal ele pronunciara essas palavras, uma trovoada sacudiu a floresta, um raio caiu perto do coche, e os cavalos assustados correram a toda brida.

"— Santa Virgem, tende piedade de nós! — exclamou o cocheiro, enroscando as rédeas nas mãos. Contudo, os cavalos não lhe obedeciam mais.

"Íamos a galope, colidindo à direita e à esquerda, e a cada instante temíamos ser estraçalhados contra as árvores.

"Eu estava mais morta do que viva e não entendia nenhuma das frases do Senhor de Bélièvre, porquanto me parecia que alguns sons estranhos se mesclavam com o silvar do vento e o ribombar do trovão. Diversas vezes achei que ouvia, bem perto de mim, gemidos dilacerantes e depois uma voz a gritar: *estou com fome, estou com fome!*

"De chofre, o cocheiro, em vez de continuar retendo os cavalos, largou as rédeas e passou a fustigá-los sob gritos terríveis.

"— Germain, seu miserável! Ficou doido? — gritou-lhe o comendador.

"Germain se virou, e vimos, à luz de um relâmpago, seu rosto pálido como a própria morte.

"— *O prior!* — disse ele, com uma voz sufocada. — *O prior* vem atrás de nós!

"— Pare, imbecil! Quer, por acaso, que a senhora quebre o pescoço? Pare, ou então lhe estouro os miolos!

"O Senhor de Bélièvre não tivera tempo para acabar a frase: sentimos um choque tremendo. Arremessada para fora do coche, perdi a consciência.

"Não sei quanto tempo durou esse meu desmaio, mas o que me fez recuperar os sentidos foi uma música que soava não muito longe dali.

"Abri os olhos e me vi deitada na floresta, sobre um montículo de musgo.

"A tempestade cessara. O trovão rosnava ainda ao longe, porém as árvores agitavam suavemente as suas folhas e umas nuvens bizarras passavam acima dos seus cumes. O ar estava impregnado de odores balsâmicos que haviam de me imergir num doce torpor, quando algumas gotas de chuva, que escorriam das folhas, caíram-me sobre o rosto e refrescaram-me.

"Então me sentei e vi, a uma centena de passos, várias janelas ogivais vivamente iluminadas. Logo distingui, no meio das árvores, as torrelas pontudas de um castelo, sabendo, desde já, que não era o de meu pai. Perguntei a mim mesma onde estaria. Pouco a pouco, lembrei como meus cavalos tinham disparado e como eu acabara arremessada para fora do coche. Entretanto, minha cabeça estava tão fraca que essas lembranças se confundiram logo com outras ideias, de sorte que, totalmente só, nem pensava em ficar espantada por não ver mais ao meu lado nenhum dos meus homens nem mesmo o Senhor de Bélièvre.

"A música que me acordara continuava soando. Então tive a ideia de que bem poderia estar diante do castelo d'Haubertbois e que estava ocorrendo lá o baile a fantasia ao qual meu pai fizera menção em sua carta. Ao mesmo tempo, rememorei as últimas palavras do Senhor d'Urfé, durante a sua escapada na casa de caça, e disse comigo que, persistindo em procurar por mim em todos os lugares, ele não poderia deixar de ir àquele baile.

"Levantei-me e, sem sentir nenhuma dor, caminhei lestamente em direção ao castelo.

"Era um grande edifício de arquitetura severa, arruinado em vasta parte. Pude distinguir, à luz da lua, que suas muralhas estavam cobertas de musgo e alcatifadas de hera. Algumas guirlandas pendentes do alto das torres balançavam-se pitorescamente, e suas silhuetas se destacavam contra o céu azul-prateado.

"Detive-me a contemplar esse quadro.

"Não sei por que minhas ideias me levaram para longe daquele castelo. Cenas de minha infância, esquecidas havia muito tempo, passaram diante de mim como as figuras de uma lanterna mágica. Certos detalhes da minha mais tenra juventude reproduziram-se em meu espírito com uma intensidade incrível. Em meio àquelas imagens, revi minha mãe, que me sorria com tristeza. Senti vontade de chorar e beijei várias vezes uma pequena cruz que ela me dera e que sempre estava comigo.

"Então me pareceu que ouvia ao longe a voz do comendador, que chamava por mim.

"Apurei os ouvidos, mas um cata-vento do castelo girou em seus gonzos, e seu ruído, semelhante ao ranger de dentes, impediu-me de ouvir a voz que estava chamando.

"Acreditando que fosse joguete de uma ilusão, entrei no pátio. Nem o coche nem os valetes estavam lá, porém eu ouvia risadas e vozes confusas. Subi uma escada muito íngreme, mas bem iluminada; quando cheguei à plataforma que a terminava, um vento frio assoprou-me no rosto e uma coruja assustada pôs-se a voltear, batendo com as asas nos fachos amarrados ao muro.

"Eu abaixara a cabeça para evitar o contato da ave noturna. Quando a reergui, vi um cavaleiro de estatura alta, armado da cabeça aos pés, que estava em minha frente.

"Ao oferecer-me a mão, sem tirar a manopla, ele me disse, com uma voz velada pela sua viseira, que estava abaixada:

"— *Bela dama, outorgai ao vosso serviçal a graça de receber-vos em seu castelete e considerai-o como o vosso, mesmamente que todas as cousas que lhe pertencem!*

"Tornei a lembrar-me da alusão feita pelo Senhor d'Urfé quando eu lhe ordenara descer aquela sua escada e, persuadida de que o cavaleiro desconhecido não era outra pessoa senão o galante marquês, respondi-lhe empregando a sua própria linguagem:

"— *Não vos maravilheis, belo senhor, em ver-me acá, pois, tendo-me enveredado pela floresta, cheguei até vós a fim de que me albergásseis, como é dever de todo bom e valoroso cavaleiro!*

"Entrei numa grande sala onde estava reunida uma multidão de pessoas a rirem e cantarem ao redor de uma mesa servida. Todas usavam trajes senhoris dos tempos de Carlos VII,[6] e, como já vira algumas pinturas daquela época na Igreja de São Germano de Auxerre, pude admirar a exatidão histórica dos mínimos detalhes de sua roupagem. O que me impressionou, sobretudo, foi o enfeite a cobrir a cabeça de uma dama alta e linda, que aparentava ser a anfitriã do banquete. Aquele enfeite era uma rede de fios de ouro e pérolas, mui habilmente enlaçados e de um gosto exímio. Contudo, apesar da beleza daquela dama, logo me quedei espantada com a expressão desagradável de seu semblante.

---

[6] Carlos (Charles) VII, o Vitorioso (1403-1461): rei da França de 1422 a 1461.

"Quando entrei, ela se pôs a examinar-me com uma curiosidade absolutamente chocante e disse de maneira que eu pudesse ouvi-la:

"— *Se não me engano, aquela é a bela Mathilde, com quem o Mestre Bertrand fez amor antes de me conhecer!*

"Em seguida, dirigindo-se ao cavaleiro:

"— *Meu coração* — disse com aspereza —, *fazei aquela dama sair, se não quiserdes deixar-me enciumada!*

"Tal brincadeira me pareceu de muito mau gosto, ainda mais que eu não conhecia, nem de longe, a sua autora. Quis fazê-la sentir a inconveniência do que dissera e já ia dirigir a palavra ao Senhor d'Urfé (dessa vez, em francês moderno), quando fiquei impedida por um forte barulho que se elevou no meio dos convivas.

"Eles falavam entre si, trocavam olhares cúmplices e amiúde me designavam, um para o outro, com o canto do olho.

"De súbito, a dama que havia falado pegou um facho e achegou-se a mim tão rapidamente que mais pareceu deslizar em vez de andar.

"Ergueu o facho e chamou a atenção dos outros para a sombra que eu projetava sobre as lajes.

"Então os gritos de indignação explodiram por toda parte, e pude ouvir tais palavras repetidas pela multidão:

"— *A sombra, a sombra! Não é uma das nossas!*

"De início, não compreendi essas palavras, porém, olhando à minha volta para adivinhar seu sentido, notei com pavor que nenhuma daquelas pessoas que me rodeavam tinha sombra: flutuavam todas diante dos fachos sem interceptar a luz deles.

179

"Um terror indescritível apoderou-se de mim. Senti que estava para desmaiar e apertei a mão ao coração. Meus dedos encontraram a pequena cruz que pouco antes eu levara aos lábios, e eis que ouvi de novo a voz do comendador chamar por mim. Quis fugir, mas o cavaleiro me cerrou a mão com sua manopla de ferro e me obrigou a ficar.

"— *Não tenhais medo* — disse-me —, *pois, juro pela morte de minha alma, nada sofrereis que vos cause opróbrio. E, para que não se permita a ninguém sequer pensar nisso, um preste vai dar-nos a bênção nupcial!*

"De pronto, as fileiras se abriram, e um alto franciscano, magro e pálido, arrastou-se de quatro em nossa direção.

"Parecia sofrer muito, mas, em resposta aos seus gemidos, a dama da rede perolada desandou a rir com afetação e disse, voltando-se para o cavaleiro:

"— *Escutai, pois, mestre; escutai, pois, o prior se fazer de coitadinho, como trezentos anos atrás!*

"O cavaleiro havia erguido a viseira. Seu rosto, longe de ser semelhante ao do Marquês d'Urfé, estava todo lívido e tinha uma expressão feroz que não pude suportar. Seus olhos, prestes a sair das órbitas, fixavam-se em mim, enquanto o prior, que ainda rastejava pelo chão, salmodiava preces com uma voz fanhosa, interrompendo-as, vez por outra, com gritos de dor e blasfêmias tão horríveis que eu sentia os cabelos se ouriçarem em minha cabeça. Um suor gélido inundava-me a testa, mas eu não conseguia fazer um só movimento, pois o aperto do Mestre

Bertrand me privara de todas as faculdades, exceto as de ver e de ouvir.

"Quando, por fim, o franciscano se pôs a proclamar em voz alta, dirigindo-se ao público, as minhas *núpcias* com o Mestre Bertrand d'Haubertbois, o medo e a indignação proveram-me de forças sobrenaturais. Com um violento esforço, retirei a mão e, mostrando a minha cruz aos fantasmas:

"— Quem quer que sejais — exclamei —, ordeno-vos, em nome de Deus vivo, que desapareçais.

"Ditas essas palavras, o semblante do Mestre Bertrand ficou todo azul. Ele cambaleou, e ouvi a queda de uma armadura que ressoou com um som tão oco quanto o de uma caldeira a cair sobre as lajes.

"No mesmo instante, os outros espectros desapareceram; o vento silvou e apagou as luzes.

"Encontrava-me no meio de vastas ruínas. Ao raio de lua, que perpassava uma janela ogival, imaginei avistar uma multidão agitada de franciscanos, porém essa visão desapareceu igualmente, tão logo fiz um sinal da cruz. Ainda cheguei a ouvir uma baixa salmodia, distinguindo as palavras *'estou com fome, estou com fome!'*; depois não ouvia mais nada senão um zumbido nos ouvidos.

"A fadiga me dominou e me tornou modorrenta.

"Quando acordei, senti que um homem me carregava avançando, a largos passos, por cima de moitas e troncos de árvores. Abri os olhos e reconheci, à luz da alvorada, o comendador, cujas roupas estavam diceradas e manchadas de sangue.

"— Minha senhora — disse-me ele, quando viu que eu estava em condição de ouvi-lo —, se o mais cruel momento de minha vida foi aquele em que a perdi, posso afirmar que, não fosse o peçonhento remorso por não ter podido impedir a sua queda, nada se igualaria à minha felicidade atual.

"— Comendador — respondi —, deixe as suas condolências e ponha-me em pé, já que estou exausta e, pela maneira como o senhor me segura, não me parece que daria uma boa babá.

"— Minha senhora — disse o Senhor de Bélièvre —, não acuse disso meu zelo, mas antes meu braço esquerdo, que está quebrado!

"— Meu Deus! — exclamei. — Como foi que quebrou o braço?

"— Precipitando-me em seu encalço, minha senhora, para cumprir meu dever, quando vi a filha de meu honrado amigo arremessada para fora do coche.

"Sensibilizada pela devoção do Senhor de Bélièvre, pedi-lhe que me deixasse andar. Também lhe propus fazermos uma faixa do meu lenço, mas ele me respondeu que não valia a pena eu me preocupar com seu estado e que se sentia felicíssimo por ter um braço de sobra e poder colocá-lo ao meu serviço.

"Antes mesmo que tivéssemos saído da floresta, cruzamos com uma liteira que meu pai, já informado pelos nossos homens sobre o acidente sofrido, enviara ao meu encontro. Ele mesmo procurava por mim em outra parte. Encontramo-nos pouco depois. Meu pai ficou todo alarmado quando me viu, e foi a mim que veio dispensar seus primeiros cuidados. A seguir, quis estreitar em seus braços o Senhor de Bélièvre, que havia muitos anos não via. Contudo, o comendador deu um passo para trás e disse ao meu pai, com ares bem sérios:

"— Meu senhor e caríssimo amigo! Confiando-me a senhora sua filha, ou seja, o que tem de mais precioso neste mundo, forneceu-me uma prova de amizade com a qual me quedei vivamente tocado. No entanto, tornei-me indigno dessa amizade, pois, apesar de todos os meus esforços, não consegui impedir o trovão de assustar os nossos cavalos, o nosso coche de ser quebrado e a senhora sua filha de tombar no meio da floresta e de permanecer lá até esta manhã. Assim está vendo, meu senhor e caro amigo, que traí a sua confiança e, como é justo que eu lhe faça uma reparação, proponho duelarmos, seja com espadas, seja com pistolas. Lamento que o estado de meu braço esquerdo me torne impossível o combate com adagas, que o senhor talvez venha a preferir, mas é demasiado justo para me acusar de má-fé; quanto a qualquer outro gênero de duelo, fico às suas ordens, no lugar e na hora que lhe aprouver escolher.

"Meu pai ficou estupefato com essa conclusão, e foi com muita dificuldade que persuadimos o comendador de haver feito tudo o que era possível fazer e de não existirem motivos para se cortar a garganta.

"Então ele abraçou efusivamente meu pai e disse-lhe que estava muito contente de as coisas se arranjarem assim, porquanto se sentiria arrasado ao matar seu melhor amigo.

"Pedi ao Senhor de Bélièvre que me dissesse como me encontrara, e ele me contou que, ao arrojar-se atrás de mim, batera a cabeça contra uma árvore, o que o fizera logo perder os sentidos. Uma vez consciente, percebera que seu braço esquerdo estava quebrado, mas isso não o impedira de partir à minha procura nem de chamar repetidas vezes por mim. Afinal, depois de muitos esforços inúteis, ele me encontrara prostrada no meio daquelas ruínas, levando-me embora sobre o seu braço direito.

"Contei, por minha vez, o que se dera comigo no castelo d'Haubertbois, porém meu pai chamou aquilo tudo de visões e sonhos. Deixei que zombasse de mim, mas, intimamente, estava bem convencida de não ter sonhado, ainda mais que sentia ainda uma dor assaz viva na mão apertada pela manopla do Mestre Bertrand.

"Entretanto, aquelas diversas emoções me haviam impressionado tanto que acabei tendo uma febre que durou por mais de duas semanas. Nesse meio-tempo, meu pai e o comendador (cujo braço fora pensado pelo cirurgião local) jogavam xadrez em meu quarto, ou então, quando me achavam adormecida, reviravam juntos um grande armário repleto de papelada e de velhos pergaminhos.

"Um dia, quando estava de olhos fechados, ouvi meu pai dizer ao comendador:

"— Leia isto, meu amigo, e diga-me o que está pensando.

"A curiosidade me fez soabrir os olhos; vi que meu pai segurava um pergaminho todo amarelo, sobre o qual pendiam vários lacres de cera, como aqueles que soía apor outrora aos éditos do parlamento ou às ordens reais.

"O comendador pegou o pergaminho e leu a meia-voz, voltando-se amiúde para meu lado, uma declaração do Rei Carlos VII, endereçada a todos os barões das Ardenas e destinada a levar ao mais amplo conhecimento deles o confisco dos feudos do Mestre Bertrand d'Haubertbois e da Senhora Jeanne de Rochaiguë, acusados de serem ímpios e de terem cometido diversos crimes.

"A declaração começava com os termos usuais:

"*Nós, Carlos sétimo, rei da França pela graça de Deus, a todos aqueles que estas presentes Cartas houverem visto, saudamos! Fazemos todos os nossos vassalos, barões, senhores, nobres e cavaleiros saberem que, pelo que da parte dos nossos oficiais, senhores e nobres nos foi demonstrado, o nosso barão, o Senhor Bertrand d'Haubertbois, com más intenções e como que nos desobedecendo e grandemente empreendendo contra nós e a nossa Soberania*, etc. Ali seguia uma longa enumeração de motivos do pleito contra o Mestre Bertrand, que entre outras coisas, pelo que se dizia, às matérias eclesiásticas não tinha nenhuma reverência nem obediência, não guardava nunca a Quaresma, nem *jejuns semelhantes, e por muitos anos ficou sem se confessar nem receber o nosso Senhor e Redentor Jesus Cristo*.

"*Por conclusão*, constava do pergaminho, *não é possível pior fazer do que o Senhor d'Haubertbois tem feito. Pois na véspera da Assunção da Senhora nossa santa Virgem, e durante uma orgia mui desagradável ao Nosso Senhor, usou o Mestre Bertrand destas palavras: Juro pela morte de minha alma! Não há nenhuma vida futura, e tão pouco nela tenho fé que, caso contrário, faço em tal ocasião o juramento de voltar a regozijar-me e banquetear em meu castelete trezentos anos depois, a contar de hoje, mesmo que me cumpra, para tanto, entregar minha alma a Satã!'*

"A declaração acrescentava que esse odioso discurso parecera tão divertido aos convivas que todos eles haviam igualmente jurado reencontrar-se trezentos anos depois, no mesmo dia e na mesma hora, no castelo do Mestre Bertrand, *pelo qual fato* eram declarados desleais e ímpios.

"Visto que, pouco depois de pronunciar essas abomináveis palavras, o Mestre Bertrand fora encontrado *estrangulado* ou *sufocado* em sua armadura, escapava naturalmente do castigo pelos seus crimes, porém seus feudos foram confiscados, assim como os da Senhora Jeanne de Rochaiguë, sua boa amiga, a qual, entre outras gentilezas, era acusada pela declaração de haver trucidado o prior de um convento de franciscanos, depois de se aproveitar dele para assassinar seu marido. A maneira como matara aquele mau prior era horribilíssima, pois ela mandara que lhe cortassem os jarretes e, assim mutilado, abandonara-o na floresta d'Haubertbois, *o que era mui lamentável de se ver, porquanto o dito prior se arrastou e rastejou miseravelmente até morrer de fome na dita floresta.*

"O resto da declaração era de pouca importância, contendo apenas a ordem dada a um dos nossos ancestrais de tomar posse, em nome do rei, dos castelos do Mestre Bertrand e da Senhora Jeanne.

"Quando o comendador terminou a leitura, meu pai lhe perguntou em que dia nós havíamos chegado.

"— Foi na noite da Assunção que tive a infelicidade de perder e a felicidade de reencontrar a senhora sua filha — respondeu o Senhor de Bélièvre.

"— A declaração — prosseguiu meu pai — está datada de 1459, e nós estamos em 1759. Portanto, aquela noite da Assunção foi justamente há trezentos anos... Não precisa falar disso com minha filha, comendador, pois é melhor ela pensar que teria sonhado.

"Um terror retrospectivo deixou-me toda pálida àquelas palavras. Meu pai e o comendador repararam nisso, entreolhando-se com inquietude. Todavia, fingi que só agora estava acordando e pretextei um desfalecimento.

"Alguns dias depois, estava inteiramente restabelecida.

"Logo regressei a Paris, sempre acompanhada pelo Senhor de Bélièvre. Tornei a ver d'Urfé e achei-o mais amoroso do que nunca; porém, cedendo a uma detestável inclinação para o coquetismo, redobrei a frieza com que o tratava, sem cessar de atormentá-lo nem, sobretudo, de caçoar dele pela sua tentativa de rapto.

"Tanto me esforcei que, uma bela manhã, ele veio anunciar-me que, cansado de ser meu joguete, partia para a Moldávia.

"Eu conhecia suficientemente o marquês para saber que, chegando a esse ponto, ele não mudaria mais de ideia. Deixei, pois, que partisse e, como imaginava, não sei por quê, uma desgraça prestes a acometê-lo, entreguei ao marquês, para preservá-lo dessa desgraça, minha pequena cruz, que o salvou, segundo ele me contou mais tarde, de um imenso perigo.

"Seis meses após a partida do marquês, casei-me com o avô de vocês, e confesso, meus netinhos, que houve um pouco de despeito naquela decisão minha. Entretanto, teve razão quem disse que os casamentos por amor não eram os melhores, pois o avô de vocês, que gozava apenas de minha estima, chegou a tornar-me certamente mais feliz do que eu teria sido com d'Urfé. Afinal de contas, este último não passava de um libertino, o que não me impedia de achá-lo muito amável."

Ivan Turguênev

Os Fantasmas

Uma fantasia

> Finda-se, num átimo, o fascínio,
> E nossa alma se enche de possível...[1]
> A. Fet

I

Demorando muito a adormecer, revolvia-me volta e meia na cama. "Que o diabo carregue aquelas bobagens de mesas giratórias!",[2] pensei. "Só desarranjam os nervos..." Por fim, a sonolência começou a tomar conta de mim...

Subitamente, pareceu-me que uma corda tiniu, frágil e lastimosa, no quarto.

---

[1] Cita-se o poema *Uma Fantasia*, do grande lírico russo Afanássi Fet (1820-1892).
[2] Alusão ao ritual de evocação dos espíritos, muito popular nos salões da aristocracia russa e francesa que o autor do conto frequentava.

Soergui a cabeça. A Lua, que estava baixa ali no céu, fitou-me direto nos olhos. Branca como giz, a luz dela espraiava-se pelo chão... O som estranho se repetiu nitidamente.

Apoiei-me sobre o cotovelo. Um leve temor beliscou-me o coração. Decorreu um minuto, depois outro... Um galo cantou algures, bem longe; outro galo lhe respondeu, mais longe ainda.

Pus a cabeça no travesseiro. "A tanto é que se pode chegar", pensei de novo, "a ter este zumbido nos ouvidos".

Logo em seguida peguei no sono, ou então me pareceu que adormecera. E tive um sonho bizarro. Sonhei que estava deitado em meu quarto, sobre a minha cama, porém não dormia nem sequer conseguia fechar os olhos. Eis que ressoa, outra vez, o mesmo som... Viro a cabeça... O luar, que se estende no chão, começa a erguer-se de manso, apruma-se, arredonda-se levemente em cima... E, translúcida como uma neblina, uma mulher se posta, imóvel e toda branca, em minha frente.

— Quem é você? — pergunto, com esforço. E sua voz me responde, igual ao sussurro das folhas:

— Sou eu... eu... eu... Vim buscá-lo.

— Buscar a mim? Mas quem é você?

— Venha, de noite, àquela beira da floresta onde fica o velho carvalho. Estarei lá.

Quero examinar as feições da misteriosa mulher e, de repente, estremeço sem querer: acabei de sentir um sopro frio. Eis que não estou mais deitado e, sim, sentado na cama, e o luar alveja lá onde surgira, pelo que me pareceu, o fantasma, como uma comprida faixa no chão.

II

O dia se passou sem graça. Lembro que tentei ler, trabalhar... mas nada deu certo. Anoiteceu. Meu coração palpitava, como se esperasse por algo. Deitei-me, voltando o rosto para a parede.

— Por que é que não veio? — ouviu-se no quarto um sussurro nítido.

Virei-me depressa.

Ela, de novo... de novo, aquele fantasma misterioso. Os olhos imóveis no rosto imóvel, e seu olhar está cheio de tristeza.

— Venha! — ouviu-se o mesmo sussurro.

— Irei... — respondo, com um susto involuntário. Devagarinho, o fantasma se inclinou para a frente, confundiu-se todo, oscilando como uma leve fumaça, e a lua tornou a alvejar, plácida, sobre o chão liso.

III

Passei o dia sem me acalmar. Tomei, enquanto jantava, quase toda uma garrafa de vinho e fui ao terraço de entrada, mas logo voltei e desabei sobre a cama. Meu sangue se agitava penosamente.

Ouviu-se de novo aquele som... Estremeci, mas não me virei. De repente, senti que alguém me estreitara por trás e sussurrava agora ao meu ouvido: "Venha, venha, venha...". Tremendo de susto, gemi:

— Irei! — E me endireitei.

Inclinando-se um pouco, aquela mulher estava ao lado de minha cabeceira. Com um sorriso tênue, desapareceu. Todavia, eu conseguira ver o rosto dela. Parecia-me que já a tinha visto... mas onde, quando? Levantei-me tarde e passei o dia inteiro a vaguear pelos campos, aproximando-me, vez por outra, do velho carvalho, próximo à floresta, e examinando, atento, as redondezas.

Ao entardecer, sentei-me perto da janela aberta de meu gabinete. A velha governanta veio colocar uma chávena em minha frente, mas nem provei desse chá... Estava perplexo e perguntava amiúde a mim mesmo: "Será que estou enlouquecendo?". O Sol acabara de se pôr, e não apenas o céu se ruborizara, mas subitamente o próprio ar se impregnara todo de uma vermelhidão quase antinatural: as folhas e ervas, como que envernizadas havia pouco, não se moviam, e era algo estranho, algo misterioso que marcava a sua imobilidade petrificada, a nitidez cortante de seus contornos, aquela fusão de um brilho intenso e de um silêncio profundo. De chofre um pássaro cinza, bastante grande, pousou na borda de minha janela, sem o menor barulho... Mirei-o, e ele também me mirou de esguelha, com seu redondo olho escuro. "Será que te mandaram como aviso?", pensei.

De pronto, o pássaro agitou suas asas macias e, silencioso como dantes, alçou voo. Por muito tempo ainda, fiquei sentado perto da janela, mas sem me render à perplexidade: parecia-me que estava num círculo vicioso, entregue a certa força irresistível, embora discreta, igual ao ímpeto de uma corrente que, longe ainda da catarata, arrasta a barca consigo. Enfim me reanimei. O rubor aéreo já havia sumido, as cores estavam mais carregadas; aquele silêncio enfeitiçado cessara. Um vento suave foi adejando, a Lua se destacava, cada vez mais luminosa, sobre o céu azulado, e logo as folhas das árvores passaram a cintilar, com reflexos de prata e de esmalte negro, em seus raios frios. Minha velha entrou no gabinete, com uma vela acesa na mão, porém o vento lhe assoprou a flâmula, através da janela, e sua luzinha se apagou. Não aguentei mais: levantei-me num pulo, enterrei o chapéu e fui àquela beira da floresta onde ficava o velho carvalho.

IV

Fora um raio que atingira, havia muitos anos, aquele carvalho: rachado, seu topo secara, porém a vida contida nele duraria ainda por vários séculos. Quando me acercava dele, a Lua sumiu detrás de uma nuvenzinha; a treva se adensou embaixo dos seus largos galhos. De início, não percebi nada de singular, mas, tão logo olhei ao redor, despencou-me o coração: a figura branca estava lá, imóvel ao lado de uma alta moita, entre o carvalho e a floresta. Os cabelos se eriçaram um pouco em minha cabeça; ainda assim, retomei fôlego e continuei avançando.

Sim, era ela, minha visita noturna. Quando me aproximei dela, a Lua tornou a fulgir. A mulher parecia toda moldada com uma neblina diáfana, branca como leite, de modo que eu divisava, através do seu rosto, um galho que se balançava ao vento suave; apenas seus cabelos e olhos negrejavam de leve, e um estreito anel de ouro pálido adornava, brilhante, um dos seus dedos entrecruzados. Parando em sua frente, quis dizer algo, porém minha voz se tolheu no peito, conquanto já não me sentisse propriamente amedrontado. Seus olhos se fixaram em mim: seu olhar não expressava tristeza nem alegria, mas uma atenção exânime. Pensei que ela fosse pronunciar algumas palavras, mas ela permanecia imóvel, calada, e não desviava de mim seu olhar atento, inanimado. Amedrontei-me de novo.

— Aqui estou! — exclamei, afinal, com esforço. Minha voz ressoou cavernosa, esdrúxula.

— Eu amo você — ouviu-se um sussurro.

— Você me ama? — repeti, atônito.

— Entregue-se a mim — farfalhou, em resposta, o mesmo sussurro.

— Entregar-me? Mas você é um fantasma, nem corpo tem... — Uma estranha excitação se apoderou de mim. — O que você é: fumaça, ar, vapor? Entregar-me a você! Primeiro me responda quem é! Já viveu neste mundo? De onde é que veio?

— Entregue-se a mim. Não lhe farei nenhum mal. Diga apenas duas palavras: "Leve-me embora".

Olhei para ela. "O que ela está dizendo?", pensei. "O que significa tudo isso? E como é que ela me levaria embora? Será que vou tentar?"

— Pois bem... — disse em voz alta e, de repente, gritei como se alguém me empurrasse por trás —: Leve-me embora!

Mal articulei essas palavras, o ser misterioso cambaleou para a frente, com uma risada íntima que lhe contraiu, por um instante, o rosto... ergueu, estendeu os braços... Eu quis recuar, mas já estava em seu poder. Ela me abraçou, meu corpo ficou suspenso a meio *archin*[3] do solo, e fomos ambos voando, de manso, sem tanta pressa, por sobre aquela relva imóvel e orvalhada.

V

Primeiro, senti vertigens: cerrei, sem querer, os olhos... Ao cabo de um minuto, voltei a abri-los. Estávamos voando. Contudo, não se via mais a floresta: uma campina semeada de manchas escuras estendia-se lá embaixo. Certifiquei-me, apavorado, de que alcançáramos uma altura enorme.

"Estou perdido, estou nas garras de Satã" — essa ideia surgiu como um relâmpago em minha cabeça. Nunca havia pensado, antes daquele momento, que pudesse ser atacado pela força das trevas e acabar perecendo. Ainda voávamos e, pelo que me parecia, subíamos cada vez mais alto.

— Para onde você me leva? — gemi, afinal.

---

[3] Antiga medida de comprimento russa, equivalente a 71 cm.

— Para onde você quiser — respondeu minha companheira. Apertava-se toda a mim; o rosto dela quase roçava no meu. Aliás, eu mal reparava em sua proximidade.

— Ponha-me na terra, que passo mal nesta altura!

— Está bem, apenas feche os olhos e prenda a respiração.

Obedeci e logo senti que estava caindo, qual uma pedra solta... O ar silvava em meus cabelos. Quando me recompus, voávamos outra vez, de manso, rente ao solo, tão baixo que roçávamos nos cimos das ervas crescidas.

— Coloque-me em pé — comecei a falar. — Que prazer é que há em voarmos? Não sou uma ave.

— Pensava que isso seria de seu agrado. Nós cá não temos outras ocupações.

— "Nós"? Mas quem são vocês?

Não obtive resposta.

— Não se arrisca a dizer para mim?

Um som lastimoso, semelhante àquele que me acordara na primeira noite, vibrou em meus ouvidos. Nesse ínterim, continuávamos navegando, quase insensivelmente, pelo úmido ar noturno.

— Solte-me logo! — pedi. Minha companheira recuou, silenciosa, e fiquei em pé. Parada diante de mim, ela tornou a cruzar as mãos. Então me tranquilizei e olhei para seu rosto, que exprimia ainda uma tristeza submissa.

— Onde estamos? — perguntei. Não reconhecia a vizinhança.

— Longe da sua casa, mas você pode alcançá-la num só instante.

— De que maneira? Confiando novamente em você?

— Não lhe fiz nem lhe farei nenhum mal. Vamos voar, nós dois, até o amanhecer, e nada mais. Posso levá-lo para onde você desejar, para todos os cantos do mundo. Entregue-se a mim! Diga de novo: "Leve-me embora"!

— Pois bem... leve-me embora!

Ela se apertou outra vez a mim, meus pés se desprenderam outra vez do solo, e nós partimos voando.

VI

— Aonde é que vamos? — perguntou-me ela.
— Adiante, sempre adiante.
— Só que há uma floresta por lá.
— Então sobrevoe aquela floresta, mas devagar.

Fomos subindo, como uma galinhola do mato ao colidir com uma bétula, e voamos de novo em linha reta. Eram os topos das árvores que passavam, em vez das ervas, debaixo dos nossos pés. Espantava-me quando via a floresta de cima, aquele seu dorso hirsuto que a lua iluminava. Aparentava ser um imenso bicho adormecido, e seu amplo murmúrio ininterrupto acompanhava-nos qual um vago rosnado. Surgia lá, vez por outra, uma pequena clareira; a faixa dentada da sombra orlava, bonita, um dos seus lados... Às vezes, uma lebre guinchava queixosamente embaixo; em cima, uma coruja soltava um ululo, também queixoso; o ar cheirava a rebentos, a cogumelos, a relva coberta de orvalho; o luar se espraiava, frio e severo, por toda parte; o sete-estrelo[4] resplandecia acima das nossas cabeças. Eis que a floresta ficou para trás; desdobrou-se, no meio dos campos, uma faixa neblínea: era um rio que ali fluía. Fomos voando ao longo de uma das suas margens, por sobre as moitas rijas, imóveis de tão ensopadas. As ondas daquele rio ora reverberavam, azuis e brilhosas, ora rolavam escuras e como que enfurecidas. Acima delas, espalhava-se estranhamente, aqui e acolá, um fino vapor, e os nenúfares alvejavam, virgens e suntuosos, com todas as suas pétalas desabrochadas e pareciam saber que não era possível chegar perto deles e apanhar os seus cálices. Tive a ideia de colher um deles e logo me vi pairando sobre as águas do rio... A umidade jorrou-me, hostil, ao rosto, assim que rompi o elástico caule da grande flor. Começamos a sobrevoar o rio, iguais às narcejas que despertávamos volta e meia, que perseguíamos até a margem oposta. Diversas vezes topamos com uma família de patos selvagens, que cochilavam, em círculo, num lugarzinho limpo entre os juncos, mas esses patos nem se moviam; apenas de vez em quando um deles tirava, preocupado, o pescoço de baixo da asa, ficava olhando por algum tempo e mergulhava o bico de volta em sua fofa penugem, e outro grasnava baixinho, ao passo que todo o seu corpo estremecia

---

[4] Nome popular de um grupo de estrelas luminosas, situado na constelação de Touro e bem visível em ambos os hemisférios terrestres.

de leve. Depois assustamos uma garça, que assomou, agitando as pernas e abrindo as asas com um esforço canhestro, do salgueiral; naquele momento, ela me pareceu, de fato, bem semelhante a um alemão. Os peixes não chapinhavam nenhures: estavam também dormindo. Quanto a mim, adaptava-me pouco a pouco à sensação do meu voo e até mesmo chegava a achá-la agradável: quem já voou porventura em sonho há de entender o que digo. Então me pus a examinar, com muita atenção, aquele estranho ser por cuja vontade tais coisas inverossímeis se davam comigo.

VII

O semblante daquela mulher era pequeno e não parecia russo. Esbranquiçado ou, talvez, acinzentado, semitransparente, matizado de sombras mal perceptíveis, lembrava as figuras de um vaso de alabastro, iluminado por dentro. De novo, achei que a conhecesse.

— Posso falar com você? — perguntei.
— Fale.
— Vejo um anel em seu dedo; quer dizer, você já viveu neste mundo. Esteve casada?

Calei-me... Não tive resposta.

— Como se chama, ou, pelo menos, como se chamava?
— Chame-me Ellis.
— Ellis? É um nome inglês. Você é inglesa? Já me conhecia antes?
— Não.

— Por que é que se interessou justamente por mim?

— Porque amo você.

— E está contente com isso?

— Sim: a gente voa e rodopia neste ar puro, você e eu.

— Ellis! — disse eu, de improviso. — Talvez você seja uma alma criminosa e condenada?

Minha companheira inclinou a cabeça.

— Não o entendo — respondeu, sussurrando.

— Rogo-lhe, em nome de Deus... — comecei.

— O que está dizendo? — balbuciou ela, perplexa. — Não o entendo. — E pareceu-me que seu braço, a cingir meu tronco qual um cinto friacho, moveu-se suavemente... — Não tenha medo — disse Ellis —, não tenha medo, querido! — Voltando-se para mim, seu rosto ficou bem perto do meu... Senti algo estranho tocar em meus lábios, como se um ferrão delgado e maleável viesse aflorá-los... Assim é que picam as sanguessugas molengas.

VIII

Olhei para baixo. Já havíamos atingido, outra vez, uma altura considerável. Sobrevoávamos uma cidade provinciana que eu desconhecia, situada na encosta de uma vasta colina. As igrejas se elevavam em meio à massa escura de telhados de madeira e pomares; uma comprida ponte negrejava sobre a curva de um rio; tudo se calava, imerso num sono pesado. As próprias cúpulas e cruzes pareciam irradiar um brilho silencioso; as altas cegonhas dos poços erguiam-se, mudas, ao lado das copas arredondadas dos salgueiros; a seta estreita da rodovia esbranquiçada fincava-se, tácita, num dos limites daquela cidade e traspassava, também sem ruído algum, o limite oposto, a mergulhar na sombria imensidão dos campos monótonos.

— Que cidade é aquela ali? — perguntei.
— ...sov.
— ...sov da província de ...a?
— Sim.
— Mas como estou longe da minha casa!
— Nada é longe para nós.
— Realmente? — Um repentino acesso de valentia desenfreou-se em mim. — Então me leve para a América do Sul!
— Não posso ir para a América. Lá, é dia agora.
— Pois somos aves noturnas, não somos? Então me leve para algum lugar, para onde puder, contanto que seja longe daqui.
— Feche os olhos e prenda a respiração — respondeu Ellis, e fomos voando com a velocidade de um temporal. O vento irrompia, com um formidável barulho, em meus ouvidos.

Paramos, mas o barulho não cessou. Transformou-se, pelo contrário, num pavoroso bramido, num ribombar trovejante...

— Agora pode abrir os olhos — disse Ellis.

IX

Obedeci... Meu Deus, onde eu estava?

Os nimbos pesados soltam fumaça sobre a minha cabeça; espremem-se, correm como um rebanho de monstros irados... e, lá embaixo, há outro monstro ainda: um mar em fúria, notadamente em fúria... A espuma branca fulgura e ferve convulsamente, aos borbotões, em sua tona, e, revolvendo, emaranhando as vagas, ele bate, com um estrondo brutal, num enorme penhasco azevichado. Os uivos da tempestade; o gélido bafo do precipício revolto; o marulhar rumoroso, em que se entreouve, de vez em quando, algo semelhante a berros, a explosões distantes de canhonada, a badaladas dos sinos; os guinchos dilacerantes e os rangidos dos seixos costeiros; o súbito grito de uma gaivota inavistável; o frágil arcabouço de um navio que se destaca sobre o firmamento toldado — a morte, por toda parte, a morte e o medo... Estonteado, atordoado, voltei a fechar os olhos...

— O que é isso? Onde estamos?

— Na costa meridional da Ilha de Wight,[5] ante o penhasco Blackgang, onde os naufrágios são tão frequentes — disse Ellis, com uma voz sobremodo nítida e, segundo me pareceu, não isenta de certa alegria maldosa.

---

[5] Grande ilha localizada no Canal da Mancha e próxima ao litoral sul da Inglaterra.

— Leve-me embora, embora daqui... para casa, sim, para casa!

Crispei-me todo, tapei o rosto com ambas as mãos... Percebia que nosso voo estava ainda mais rápido do que antes: o vento já não silvava nem ululava e, sim, rugia em meus cabelos, em minhas roupas... Faltava-me fôlego...

— Então se ponha em pé — ressoou a voz de Ellis.

Eu me esforçava para me dominar, para recuperar a consciência... Sentia o solo embaixo dos pés, porém não ouvia nada, como se estivesse tudo entorpecido ao meu redor... Apenas o sangue pulsava, descompassado, em minhas têmporas, e minha cabeça girava ainda, tinindo de leve por dentro. Ao aprumar-me, abri os olhos.

X

Estávamos sobre a barragem de minha lagoa. Transparecia diante de mim, por entre as folhas laminadas dos salgueiros, seu largo espelho em que se grudavam, aqui ou ali, umas fibras de bruma lanosa. Do lado direito, lustrava de manso um campo de centeio; do lado esquerdo, erguiam-se as árvores do jardim, altas, imóveis e como que úmidas... O bafejo do amanhecer já tocara nelas. Duas ou três nuvenzinhas oblíquas estendiam-se, iguais a faixas de fumaça, pelo céu límpido, cinza; pareciam amareladas, pois o primeiro reflexo da aurora vinha aflorá-las, tênue, Deus sabe de onde: o olho não conseguia ainda divisar, nesse firmamento embranquecido, o lugar em que ela se acenderia em breve. As estrelas desapareciam; nada se movia ainda, embora tudo já despertasse em meio àquele fascínio da silenciosa penumbra matutina.

— Amanheceu! Já amanheceu! — exclamou Ellis, bem perto do meu ouvido... — Adeus! Até amanhã!

Virei-me... Ao desprender-se suavemente do solo, Ellis flutuava em minha frente; eis que esticou ambos os braços acima da sua cabeça. Num átimo, essa cabeça e esses braços, e esses ombros também, adquiriram uma cor quente, carnal; as centelhas vivas fulgiram nos olhos escuros dela; um gozo secreto se insinuou no sorriso que entreabriu seus lábios avermelhados... De súbito, uma linda mulher se apresentou a mim... Mas, como se fosse desmaiar, caiu logo para trás e desvaneceu-se como um vapor...

Permaneci lá, imóvel.

Quando me recompus e olhei ao redor, pareceu-me que o pálido róseo carnal que tinha alumiado o vulto de meu fantasma não sumira ainda e, derramado no ar, envolvia-me de todos os lados... Era a aurora que repontava. De chofre, senti um extremo cansaço e fui para casa. Passando rente ao aviário, ouvi o primeiro balbucio matinal dos gansinhos (nenhuma ave acorda mais cedo que eles); ao longo do telhado, na ponta de cada viga, estavam pousadas diversas gralhas, e todas elas limpavam, caladas e agitadas, as suas penas, sobressaindo naquele céu lácteo. De vez em quando, alçavam voo todas juntas e, pouco depois, voltavam a pousar, sem grasnarem, uma ao lado da outra... Ouviu-se umas duas vezes, no bosque vizinho, o grito rouquenho, enérgico, de um tetraz[6] preto que acabava de descer voando para a relva orvalhada e cheia de bagos silvestres... Com um leve tremor pelo corpo, arrastei-me até a cama e não demorei a ferrar num sono profundo.

XI

Na noite seguinte, quando me acercava do velho carvalho, Ellis voou ao meu encontro, como se me conhecesse de longa data. Eu não tinha medo, como na véspera, e quase me alegrei com sua presença; nem tentava compreender o que se dava comigo, queria apenas sobrevoar alguns lugares distantes e atraentes.

O braço de Ellis cingiu-me de novo, e fomos, de novo, voando.

— Vamos à Itália — sussurrei ao ouvido dela.

— Aonde você quiser, meu querido — respondeu ela, num tom solene e suave; depois, suave e solenemente, voltou seu rosto para mim. Não o achei tão diáfano quanto na véspera: mais feminil e mais imponente, ele me recordou aquela criatura encantadora que surgira em minha frente, ao repontar da aurora, quando nos despedíamos.

---

[6] Gênero de aves galináceas, muito comum na parte europeia da Rússia.

— Esta noite é uma noite especial — continuou Ellis. — Ela vem raramente, quando sete vezes treze...[7]

Não ouvi algumas palavras que se seguiram.

— Agora se pode ver o que está oculto noutros momentos.

— Ellis! — implorei. — Mas quem é você? Diga-me, afinal!

Calada, ela ergueu seu braço comprido e branco. No céu escuro, naquele lugar para onde apontava seu dedo, fulgia, no meio das estrelinhas, a risca avermelhada de um cometa.

— Como é que vou entendê-la? — recomecei. — Será que você, igual àquele cometa que circula por entre os planetas e o Sol, anda por entre as pessoas?... Mas como?

Contudo, a mão de Ellis me cobriu subitamente os olhos... Era como se uma neblina branca, subindo de um vale úmido, deslizasse pelo meu rosto.

— À Itália! À Itália! — ouviu-se o sussurro dela. — Esta noite é uma noite especial!

XII

A neblina se dissipou ante meus olhos, e vi, lá embaixo, uma campina infinda. Bastou-me sentir

---

[7] Trata-se de uma superstição, própria de vários povos, que atribui um significado místico aos números 7 e 13.

aquele ar tépido e suave, que me roçava nas faces, para compreender que não estava na Rússia; aliás, nem a tal campina lembrava as nossas planícies russas. Era um imenso espaço embaciado, aparentemente desprovido de relva e ermo; iguais a estilhaços de um espelho, as águas estagnadas brilhavam, aqui ou acolá, em toda a extensão dele; ao longe, via-se, indistinto, um mar imóvel, emudecido. As grandes estrelas resplandeciam nos interstícios das nuvens graúdas e belas; um trino soava por toda parte — composto de mil vozes, ininterrupto, mas, ainda assim, discreto — e era maravilhoso aquele barulho intenso e sonolento, aquela voz noturna de um deserto...

— Os pântanos Pontinos[8] — disse Ellis. — Ouve o coaxo das rãs? Sente o cheiro de enxofre?

— Os pântanos Pontinos... — repeti, e a sensação de augusta tristeza apossou-se de mim. — Mas por que é que me trouxe para cá, para este recanto tristonho, abandonado? É melhor que voemos a Roma.

— Roma não fica longe — respondeu Ellis... — Prepare-se!

Então descemos e fomos ao longo de uma antiga estrada latina.[9] Um búfalo soergueu devagar, acima do lodo visguento, sua peluda cabeça monstruosa, com curtos tufos de cerdas entre os cornos recurvos,

---

[8] Vasta região paludosa, localizada na parte central da Itália, a sudoeste de Roma.
[9] O autor se refere à famosa Via Ápia, inaugurada no ano de 312 a.C. e explorada até hoje.

dobrados para trás. Enviesou o branco dos olhos apalermados, maldosos, e suas ventas molhadas fungaram ruidosamente, como se ele nos farejasse.

— Roma é perto, Roma... — sussurrava Ellis. — Olhe para a frente, olhe...

Ergui os olhos.

O que é que negreja à margem do céu noturno? Será a alta arcada de uma ponte enorme? Qual é o rio que ela atravessa? Por que está rompida, em vários lugares? Não é uma ponte, não: é um aqueduto antigo. A terra sagrada da Campânia[10] circunda-o, e as colinas Albanas[11] aparecem ao longe, de sorte que tanto os seus píncaros quanto o dorso grisalho do velho aqueduto cintilam de leve aos raios da Lua que acabou de nascer...

Subimos como uma flecha, de supetão, e ficamos suspensos no ar, defronte a uma ruína afastada. Ninguém saberia dizer o que fora nos tempos idos: uma sepultura, um palacete, uma torre... A hera negra enlaçava-a toda, com sua força mortificante, abrindo-se na parte inferior daquela ruína, como uma boca escancarada, uma abóbada meio desmoronada. E bafejava meu rosto um cheiro pesado, o de uma cava, provindo daquela pilha compacta de pedras miúdas, cujo revestimento de granito caíra ao passo que se despedaçara o muro.

---

[10] Região histórica italiana, cuja capital é Nápoles.
[11] Serra vulcânica que dista cerca de vinte quilômetros de Roma.

— Aqui — disse Ellis, levantando o braço. — Aqui mesmo! Pronuncie em voz alta, três vezes seguidas, o nome de um grande romano.

— E o que acontecerá?

— Vai ver.

Fiquei pensativo.

— *Divus Cajus Julius Caesar!*...[12] — exclamei de repente. — *Divus Cajus Julius Caesar!* — repeti, escandindo as palavras. — *Caesar!*

XIII

Os últimos sons de minha voz ecoavam ainda, quando ouvi...

É difícil dizer o que foi. A princípio, ouvi uma vaga, quase inapreensível pelo ouvido, mas repetida inúmeras vezes, salva de fanfarras e palmas. Parecia que algures, terrivelmente longe, num abismo sem fundo, começara a movimentar-se, de súbito, uma multidão incontável, a qual foi subindo, subindo, cada vez mais agitada, rumorejando quase inaudivelmente, como que através de um sono, daquele sufocante sono que teria durado por muitos séculos. Depois os ares enegreceram, fluidos, acima daquela ruína... Então lobriguei as sombras, miríades de sombras, milhões de contornos, ora arredondados como os elmos, ora

---

[12] Divino Caio Júlio César (em latim): o nome do estadista e general romano (100-44 a.C.) que conquistou a Gália e, contando com o apoio das forças armadas, instaurou uma ditadura militar em Roma.

hirtos como as lanças; os raios da Lua esmigalhavam-se, transformavam-se em instantâneos clarões azulados, indo de encontro àquelas lanças, àqueles elmos, e toda a tropa, toda a multidão avançava, crescendo e ondeando sem trégua... Um inefável esforço, um esforço suficiente para soerguer o mundo inteiro, intuía-se nela, porém nenhuma figura se destacava ali claramente. De chofre, pareceu-me que um tremor se espalhava em volta, como se os vagalhões colossais se fendessem e recuassem... "*Caesar, Caesar venit!*"[13] — ressoaram as vozes, iguais às folhas de uma floresta atingida por um vendaval repentino... Retumbou um estrondo surdo, e uma cabeça pálida e severa, coroada de louros, a cabeça do imperador, cujas pálpebras estavam cerradas, assomou devagar por trás daquela ruína...

Não há palavras, nesta linguagem humana, capazes de expressar o terror que apertou meu coração. Pareceu-me que, mal aquela cabeça abrisse os olhos, mal descerrasse os lábios, eu morreria de imediato.

— Ellis! — passei a gemer. — Eu não quero... Não posso... Não preciso daquela Roma brutal, pavorosa... Fora, fora daqui!

— Medroso! — sussurrou ela. Partimos voando. Ainda pude ouvir, lá detrás, a saudação férrea das legiões, dessa vez ensurdecedora... Depois tudo escureceu.

---

[13] César, César está chegando (em latim).

XIV

— Olhe ao seu redor — disse-me Ellis — e fique calmo.

Obedeci, e a primeira impressão minha foi, que me lembre, tão deliciosa que só dei um suspiro. Era uma espécie de luz azul, vaporosa, ou então de neblina sutil, argêntea, que me cercava de todos os lados. De início, não enxergava nada: cerúleo, aquele brilho me ofuscava a vista; porém, aos poucos, foram surgindo os contornos das belas montanhas e das florestas; um lago se estendeu embaixo de mim, com as estrelas reverberantes na profundeza, com o suave murmúrio das águas. O aroma das laranjeiras envolveu-me como uma onda, e juntamente, também semelhantes a uma onda, vieram os sons potentes e puros de uma voz juvenil, feminina. Esse aroma e esses sons puxavam-me para baixo, e comecei a descer... descer rumo a um suntuoso palácio de mármore que alvejava, hospitaleiro, no fundo de um ciprestal. O canto fluía pelas suas janelas abertas de par em par; as ondas do lago, que o pólen floral polvilhava, banhavam seus muros, e logo em frente, toda coberta daquele escuro verdor das laranjeiras e dos loureiros, toda envolta naquele vapor cintilante, toda semeada de estátuas, de esguias colunas, de pórticos dos templos, erguia-se, no seio das águas, uma alta ilha redonda...

— *Isola Bella!* — disse Ellis. — Lago Maggiore...[14]

---

[14] Pequena ilha pitoresca ("Ilha Bela" em italiano), situada no Lago Maggiore e próxima à divisa da Itália com a Suíça.

Só respondi "ahn!" e continuei descendo. A voz feminina soava, cada vez mais sonora e expressiva, naquele palácio, atraindo-me de certo modo irresistível... Eu ansiava por ver o rosto da cantatriz que embelezava, com esses sons, uma noite dessas. Paramos em face da janela.

No meio do quarto, ornamentado no estilo de Pompeia[15] e mais semelhante a um templo antigo do que a um salão hodierno, rodeada de esculturas gregas, vasos etruscos, plantas exóticas e tecidos valiosos, iluminada por duas lâmpadas encerradas em esferas de cristal, cujos raios suaves vinham de cima, uma jovem mulher estava sentada diante de um piano. Inclinando um pouco a cabeça para trás, entrefechando os olhos, ela cantava uma ária italiana; cantava sorrindo e, ao mesmo tempo, suas feições eram imponentes, se não austeras... sinal de um gozo perfeito! Ela sorria... e o Fauno[16] de Praxiteles, indolente, jovem como ela, mimoso e voluptuoso, também parecia sorrir, assomando num canto, por trás dos ramos de um oleandro, espiando-a através da ligeira fumaça a sair de uma caçoula de bronze posta num antigo tripé. A beldade estava sozinha. Encantado com aqueles sons, com a beleza, o brilho e o aroma da noite, arrebatado, até o fundo do meu coração,

---

[15] Antiga cidade, soterrada pela erupção do Vesúvio em 79 d.C., cujos imensos tesouros artísticos eram paulatinamente descobertos pelos arqueólogos europeus a partir de 1748.
[16] Alusão à obra do célebre escultor grego Praxiteles (século IV a.C.), conhecida graças às suas cópias romanas.

com o espetáculo daquela jovem, plácida, luminosa felicidade, esqueci-me completamente de minha companheira, esqueci-me da maneira estranha como viera a testemunhar aquela vida tão longínqua e tão alheia: já queria pisar no peitoril da janela, dirigir-me à desconhecida...

Todo o meu corpo estremeceu com um empurrão, como se eu tocasse numa garrafa de Leiden.[17] Virei a cabeça... O semblante de Ellis estava, não obstante toda a sua translucidez, sombrio e ameaçador; seus olhos, subitamente arregalados, faiscavam de cólera...

— Vamos! — sussurrou ela, enraivecida, e houve de novo tormenta, escuridão e vertigem... Só que, daquela vez, não foi o brado das legiões e, sim, a voz da cantatriz, interrompida numa nota aguda, que ficou ressoando em meus ouvidos...

Paramos. A nota aguda, a mesma nota, vibrava ainda e não cessava de vibrar, se bem que eu sentisse outros ares e respirasse outros aromas... Sentia um frescor vivificante, como aquele que vem de um grande rio; respirava os cheiros de feno, de fumaça, de cânhamo. Depois de uma nota arrastada surgiu outra nota, substituída pela terceira, mas com um acento tão indubitável, com uma modulação tão familiar, tão querida, que eu disse logo comigo: "É um homem russo que canta uma canção russa", e eis que, no mesmo instante, ficou tudo claro ao meu redor.

---

[17] Dispositivo capaz de armazenar cargas elétricas, inventado, em meados do século XVIII, na cidade holandesa de Leiden.

XV

Sobrevoávamos uma costa plana. À nossa esquerda, desdobravam-se os prados ceifados, infindos, cobertos de medas enormes; à nossa direita, também infindo, ficava o liso espelho de um rio caudaloso. Junto da sua costa, grandes barcos escuros balançavam-se devagar, ancorados, movendo de leve as pontas dos mastros, como se fossem seus dedos indicadores. Os sons de uma voz potente chegavam aos meus ouvidos; no barco do qual eles vinham ardia uma luzinha, cujo comprido reflexo vermelho tremia e oscilava à flor das águas. Em vários lugares, tanto sobre o rio quanto nos campos, bruxuleavam outras luzinhas, sem que se pudesse entender, ao vê-las, se estavam perto ou longe: ora se eclipsavam, ora se exibiam, de supetão, crescidas e fulgurantes. Os grilos inumeráveis estridulavam o tempo todo, nada piores do que as rãs dos pântanos Pontinos, e sob aquele céu desanuviado, mas baixo, obscurecido, gritavam, de vez em quando, as aves ignotas.

— Estamos na Rússia? — perguntei a Ellis.

— É o Volga — respondeu ela. Voávamos ao longo da costa.

— Por que me tirou dali, daquele país tão belo? — questionei. — Sentiu, por acaso, inveja? Será que ficou enciumada?

Os lábios de Ellis tremeram de leve, seus olhos tornaram a exprimir ameaça... Contudo, logo a seguir, seu rosto ficou todo entorpecido.

— Quero voltar para casa — disse-lhe eu.

— Espere, espere — respondeu Ellis. — Esta noite é uma noite especial. Não se repetirá tão cedo. E você pode ser testemunha... Espere.

E, de repente, fomos atravessando o Volga, voando contra a corrente, ao rés das águas, e nosso voo estava impetuoso, como o das andorinhas que voam baixo ao despertar de uma tempestade. Ouvíamos, lá embaixo, o rumorejo pesado das ondas largas, o vento do rio açoitava-nos, bruscamente, com sua asa gelada e forte... Pouco depois, a alta margem direita surgiu, diante de nós, envolta numa penumbra. Então avistamos alguns morros íngremes, com rachaduras profundas. Aproximamo-nos deles.

— Grite "*Saryn na kítchku!*"[18] — sussurrou Ellis para mim. Lembrei-me daquele pavor que me causara a aparição dos espectros romanos; estava cansado, sentia uma estranha angústia, como se meu coração se derretesse pouco a pouco, e não queria pronunciar as palavras fatais, pois sabia de antemão que, mal as pronunciasse, apareceria, como no Vale dos Lobos de *Freischütz*,[19] algo monstruoso, porém meus lábios se abriram, contrariando a minha vontade, e gritei, também sem querer, com uma voz fraca e tensa: "*Saryn na kítchku!*".

---

[18] Brado de guerra (literalmente, "escória, vem ao convés!") dos cossacos e camponeses que lutavam, sob o comando de Stepan Timoféievitch Rázin (1630-1671), contra o governo czarista da Rússia.

[19] Trata-se da ópera *Der Freischütz* (*O Franco-Atirador*, em alemão), de Carl Maria von Weber (1786-1826), cujo segundo ato é ambientado no chamado Vale dos Lobos.

XVI

De início, permaneceu tudo silencioso, como diante daquela ruína romana, mas, subitamente, o riso brutal dos *burlaks*[20] estourou em meus ouvidos, e algo tombou na água, gemendo e debatendo-se antes de soçobrar... Olhei ao redor: não se via ninguém nenhures, porém o eco repercutira pela margem do rio, e começara, de vez e por toda parte, uma celeuma tonitruante. Havia de tudo naquele caos sonoro: berros e guinchos, pragas raivosas e gargalhadas, gargalhadas especialmente, golpes de remos e machadadas, estalos como os de portões e baús arrombados, ranger de cordames e rodas, tropel de cavalos, badalar de sinos e retintim de grilhões, surdo rugido de chamas, cantar de bêbados e ruidosa tagarelice, prantos inconsoláveis, rezas queixosas, desesperadas, exclamações de quem manda, estertor de quem está morrendo, silvos afoitos, clamores e pateadas dançantes... "Mata! Enforca! Afoga! Corta! Essa é boa, boa! Assim, sem piedade!" — tais gritos se ouviam perfeitamente; ouvia-se mesmo a respiração arfante dos homens sem fôlego. Entrementes, nada se mostrava ao meu redor, ao alcance de minha vista, nada mudava: o rio passava fluindo, misterioso, quase soturno; a própria costa aparentava ser mais deserta, asselvajada, e nada além disso.

---

[20] Operários que puxavam embarcações, mediante um cabo chamado "sirga", caminhando pela margem do rio.

Voltei-me para Ellis, mas ela apertou o dedo aos lábios...

— Stepan Timoféitch! Stepan Timoféitch está chegando! — vociferavam por perto. — Lá vem nosso paizinho, nosso *ataman*,[21] nosso arrimo! — Sem enxergar nada, como dantes, imaginei de repente que um vulto enorme avançasse em minha direção... — Frolka, onde estás, hein, cachorro? — bramiu uma voz pavorosa. — Venham, acendam de todo lado e matem aqueles moleirões todos, assim, com machados!

Senti o ardor de um fogo próximo, o acre cheiro de fumaça, e, no mesmo instante, algo quente jorrou, como sangue, sobre meu rosto e minhas mãos... Um gargalhar selvagem estrondeou em volta...

Perdi os sentidos e, quando me recompus, estávamos deslizando, eu e Ellis, pela ourela familiar da minha floresta, rumo ao velho carvalho...

— Vê aquela vereda? — perguntou-me Ellis. — Lá onde cintila a Lua e duas betulazinhas se curvam?... Queria ir lá?

Mas eu me sentia tão exausto, tão esgotado, que só consegui murmurar em resposta:

— Para casa... para casa!...

— Está em casa — disse Ellis.

Estava, de fato, à porta da minha casa: sozinho. Ellis desaparecera. Um cão de guarda aproximou-se de mim, fitou-me, desconfiado, e logo correu, uivando, e foi embora.

---

[21] Líder de cossacos ou bandidos (em russo).

Foi a custo que me arrastei até a cama; vestido como estava, caí no sono.

XVII

Passei toda a manhã seguinte com dor de cabeça, mal capengando; não me importava, porém, com o desarranjo do corpo: a contrição me roía, o desgosto me sufocava.

Estava extremamente irritado comigo mesmo. "Medroso!", não parava de repetir. "Sim, Ellis tem razão. Com que me intimidei, por que não aproveitei o ensejo?... Podia ter visto César em pessoa, mas me tolhi de medo, fiquei pipilando ali, recuei como uma criança que foge das chibatadas. Pois bem: Rázin é outra coisa. Em minha qualidade de fidalgo e fazendeiro... Aliás, nesse caso também, com que é que me intimidei, afinal? Medroso, medroso!..."

— Será que sonhei com aquilo tudo? — acabei perguntando a mim mesmo. Chamei pela governanta.

— Por acaso não lembra, Marfa, a que horas eu me deitei ontem?

— Quem é que sabe, meu senhorzinho... Acho que se deitou tarde. Saiu de casa à noitinha; depois ficou batendo esses seus saltos, no quarto, já de madrugada. Foi quase ao amanhecer, sim. E, antes de ontem, a mesma coisa. Talvez ande tendo algum dissabor aí.

"Eh-eh!", pensei. "Quer dizer, os voos estão fora de dúvida."

— E minha cara, como está hoje? — acrescentei em voz alta.

— Sua cara? Deixe-me ver. Emagreceu um pouco. E está todo branco, meu senhorzinho: nem uma gotinha de sangue no rosto.

Fiquei um tanto melindrado... Deixei Marfa ir.

"Mas dessa maneira a gente pode morrer ou enlouquecer", cismava, sentado diante da minha janela. "Preciso dar cabo daquilo tudo. É perigoso. Até meu coração bate esquisito. E, quando estou voando, parece, volta e meia, que alguém o suga, ou então que algo respinga dele: assim a seiva respingaria, na primavera, da bétula em que se enfiasse um machado. Que pena, apesar de tudo! Ellis também... Está brincando comigo, igual à gata que brinca com um ratinho... Aliás, é pouco provável que me queira mal. Vou entregar-me a ela pela última vez, para me saciar, e depois... Mas se ela suga meu sangue? É terrível. Além do mais, uma locomoção tão rápida não pode deixar de ser nociva: dizem que é proibido, inclusive na Inglaterra, que os trens de ferro andem a mais de cento e vinte verstas[22] por hora..."

Assim me quedei refletindo comigo mesmo; não obstante, pelas dez horas da noite, já me encontrava ao pé do velho carvalho.

---

[22] Antiga medida de comprimento russa, equivalente a 1.067 metros.

XVIII

A noite estava fria, opaca, cinzenta; o cheiro de chuva pairava no ar. Para minha surpresa, não encontrei ninguém sob aquele carvalho: dei umas voltas por perto, caminhei até a beira da floresta, regressei a examinar, minuciosamente, as trevas... Estava tudo vazio. Aguardei um pouco, depois pronunciei repetidas vezes, mais e mais alto, o nome de Ellis... porém ela não apareceu. Fiquei triste, quase pesaroso; meus temores recentes haviam sumido: eu não conseguia aceitar a ideia de que minha companheira não voltaria jamais.

— Venha, Ellis! Ellis, venha cá! Será que não virá mais? — gritei, pela última vez.

Um corvo, que minha voz acordara, mexeu-se, de chofre, no topo de uma árvore próxima: passou, enredando-se em sua ramagem, a agitar as asas... Contudo, Ellis não veio.

Cabisbaixo, fui para casa. Os salgueiros já negrejavam em minha frente, lá na barragem de minha lagoa, e uma luz tremulava, por entre as macieiras de meu jardim, acesa na janela de meu quarto — sim, tremulava e desaparecia, como se fosse o olho de uma pessoa que me espiasse —, quando se ouviu, de improviso, atrás de mim o sibilo cortante do ar rapidamente fendido, e algo me abarcou todo e me puxou para cima: é desse modo que um esmerilhão[23] agadanha, "choca", uma codorna... Fora Ellis que me

---

[23] Ave de rapina, semelhante a um falcão, que habita no hemisfério norte e vem migrando até a Amazônia e o Nordeste brasileiro.

abraçara. Senti a face dela colada em minha face, seus braços a cingirem meu corpo, e seu sussurro se cravou, igual a um friozinho agudo, em meu ouvido: "Sou eu". Fiquei assustado e, ao mesmo tempo, feliz... Voávamos quase ao rés do solo.

— Você não queria vir hoje? — indaguei-lhe.

— Estava com saudades de mim? Será que me ama? Oh, você é meu!

As últimas palavras de Ellis deixaram-me confuso... Não sabia o que dizer.

— Fui retida — prosseguiu ela —, fui vigiada.

— Quem é que pôde retê-la?

— Aonde quer ir? — perguntou Ellis, sem responder, como de praxe, à minha pergunta.

— Leve-me para a Itália, para junto daquele lago, lembra?

Ellis se inclinou um pouco para trás e fez um sinal negativo com a cabeça. Foi então que notei, pela primeira vez, que ela deixara de ser transparente. Seu rosto parecia tingido: um matiz rubro se espalhava pela sua nebulosa brancura. Encarei-a, olho no olho... e fiquei aterrorizado: algo se movia naqueles olhos, com um vagaroso, incessante e sinistro movimento de uma serpente enroscada, entorpecida, que começa a aquecer-se embaixo do sol.

— Ellis! — exclamei. — Quem é? Diga-me enfim quem é você!

Ellis apenas deu de ombros.

Fiquei desgostoso... Senti vontade de me vingar dela, e veio-me, de repente, a ideia de mandá-la ir comigo a Paris. "É bem ali que ficará enciumada", pensei.

— Ellis! — disse em voz alta. — Você não tem medo de grandes cidades, de Paris, por exemplo.
— Não.
— Não? Nem mesmo dos lugares tão bem iluminados quanto os bulevares?
— Aquela não é a luz do dia.
— Está ótimo: então me leve, agora mesmo, para o bulevar dos Italianos.

Ellis jogou, por cima da minha cabeça, a ponta de sua comprida manga pendente. De pronto, uma neblina branca, com cheiro sonífero de papoula, envolveu-me todo. E tudo sumiu de vez: qualquer luz, qualquer som; quase perdi a consciência. Restava-me apenas uma sensação de estar vivo, a qual não me desagradava.

Eis que aquela neblina se dissipou: Ellis retirou a manga da minha cabeça e avistei, lá embaixo, uma aglomeração pululante de prédios, cheia de brilho, de agitação, de barulho... Avistei Paris.

XIX

Já visitara Paris antes; portanto, logo reconheci o lugar para onde se dirigia Ellis. Era o Jardim das Tulherias, com suas velhas castanheiras e suas grades de ferro, com seu fosso protetor e sua guarda de zuavos[24] animalescos. Passando rente ao palácio e à Igreja de

---

[24] Soldados de infantaria argelina, otimamente equipados e treinados.

São Roque, em cuja escadaria o primeiro Napoleão derramara, pela primeira vez, o sangue dos franceses, paramos acima do Bulevar dos Italianos, onde o terceiro Napoleão fizera o mesmo e com o mesmo sucesso.[25] Imensas multidões, moços e velhos ajanotados, operários com seus blusões, mulheres com seus vestidos de gala, espremiam-se pelas calçadas; os restaurantes e cafés flamejavam, banhados de ouro; os ônibus, as carruagens de todo tipo e toda espécie passavam depressa ao longo do bulevar; estava tudo fervendo, estava tudo fulgindo, tudo o que meu olhar alcançava... Mas, coisa estranha: não me apetecia descer do alto aéreo, límpido e obscuro, onde pairava, aproximando-me daquele formigueiro humano. Parecia que um vapor tórrido, carregado, ruborizado, subia de lá, perfumoso e fétido ao mesmo tempo, tantas eram as vidas que lá se empilhavam. Fiquei hesitando... Mas uma voz brusca como o ranger das barras de ferro, a de uma *lorette*[26] de rua, chegou repentinamente aos meus ouvidos: igual a uma língua debochada, tal voz assomou para fora; picou-me, igual ao dardo de uma víbora. Imaginei, num instante, aquele rosto petrificado e achatado, de salientes zigomas, o cúpido rosto parisiense, aqueles olhos de agiota, aquelas faces branqueadas e carminadas, aqueles cabelos armados,

---

[25] O autor alude às chacinas ordenadas, respectivamente, pelos imperadores Napoleão I (1769-1821) em 1795 e Napoleão III (1808-1873) em 1851.
[26] Uma das numerosas mulheres de má fama que residiam, em meados do século XIX, no bairro parisiense de Notre-Dame-de-Lorette.

aquele buquê de flores postiças, espalhafatosas, sob um chapéu pontudo, aquelas unhas polidas, mais semelhantes a garras, aquela crinolina feiosa... Imaginei, outrossim, um dos nossos *stepniaks*[27] a correr, assanhado, atrás da boneca venal... Imaginei como, tão confuso que fica grosseiro, ele se esforça para velarizar o erre, trata de imitar as maneiras dos garçons do Véfour,[28] pipila, bajula, rebola, e uma aversão apossou-se de mim... "Não", pensei, "não é bem aqui que Ellis vai sentir ciúmes...".

Enquanto isso, percebi que descíamos pouco a pouco... Paris se elevava ao nosso encontro, com toda a sua balbúrdia, com todos os seus miasmas...

— Pare! — dirigi-me a Ellis. — Será que não se sufoca neste lugar, não se sente aflita?

— Foi você quem me pediu que o trouxesse aqui.

— Desculpe: retiro aquele pedido meu. Leve-me embora, Ellis, eu lhe imploro. É isso mesmo: o príncipe Kulmamêtov passa mancando pelo bulevar, e o amigo dele, Serge Varaksin, acena-lhe com sua mãozinha e grita: "Ivan Stepânytch, *allons souper*[29] logo: *j'ai même engagé Rigolboche!*".[30] Leve-me para longe

---

[27] Habitante das estepes (em russo).
[28] Luxuoso restaurante que funcionava, desde 1784, nos jardins parisienses do Palais-Royal.
[29] Vamos cear (em francês).
[30] Contratei até Rigolboche (em francês): nome artístico da dançarina e cantora Amélie Marguerite Badel (1842-1920), cujo cancã, extremamente popular nos cabarés do Segundo Império francês, era, de acordo com um dos contemporâneos, "a coisa mais audaciosa e inventiva do mundo".

desses *Mabilles*[31] e dessas *Maisons Dorées*,[32] desses *gandins*[33] e dessas *biches*,[34] desse *Jockey Club*[35] e desse *Figaro*,[36] das testas raspadas desses soldados e dos seus quartéis presunçosos, desses *sergents de ville*[37] com seus cavanhaques e desses copos de turvo absinto, de toda essa gente que joga dominó nos cafés e aposta na Bolsa, desses lacinhos vermelhos,[38] usados na botoeira da sobrecasaca e na lapela do sobretudo, desse Senhor de Foy,[39] que inventou "a especialidade matrimonial", e das consultas gratuitas do doutor Charles-Albert,[40] das aulas liberais e dos panfletos governamentais, das comédias parisienses e das óperas parisienses, das piadas parisienses e da ignorância parisiense... Longe, longe, longe!

— Olhe para baixo — respondeu-me Ellis. — Já não está mais sobre Paris.

---

[31] Le Bal Mabille era uma badalada danceteria parisiense, que se situaria, se ainda existisse hoje, na Avenida Montaigne.
[32] Garboso restaurante que se encontrava no cruzamento do Bulevar dos Italianos com a atual Rua Laffitte.
[33] Antiga gíria francesa que designava os jovens tão elegantes e pretensiosos que chegavam a ser ridículos.
[34] Antiga gíria francesa que designava as prostitutas dos bulevares parisienses.
[35] Um dos clubes mais elitizados de Paris, fundado em 1834.
[36] Um dos mais tradicionais jornais franceses, editado desde 1826.
[37] Policial (em francês) na época do Segundo Império.
[38] Alusão à ordem honorífica da Legião de Honra, a mais alta condecoração francesa, outorgada desde 1802.
[39] François Foy (1793-1867): sanitarista e farmacêutico francês.
[40] Trata-se de um especialista em doenças venéreas que atuava em Paris e tinha uma vasta clientela.

Abaixei os olhos... De fato: uma campina escura, cruzada aqui e acolá pelas riscas esbranquiçadas das rodovias, corria rapidamente abaixo, e apenas atrás de nós, invadindo o céu como as chamas de um colossal incêndio, expandia-se o amplo reflexo das inúmeras luzes da capital mundial.

XX

Minha vista ficou novamente turva... De novo, perdi os sentidos. Por fim, a bruma se dissipou.

O que será, lá embaixo? Que parque será aquele, com alamedas de tílias podadas, com esparsos abetos em forma de guarda-sóis, com pórticos e templos de estilo Pompadour,[41] com estátuas de sátiros e de ninfas provindas da Escola de Bernini,[42] com tritões rococós no meio das lagoas recurvas, cercadas de balaustradas baixinhas de mármore enegrecido? Por acaso será Versalhes?[43] Não é Versalhes, não. Um palacete, também rococó, assoma por trás de um arvoredo de carvalhos frondosos. A Lua está embaçada, envolta em vapores; parece que uma fumaça se desdobra,

---

[41] O autor fala do rococó, estilo artístico promovido na França pela Marquesa de Pompadour (1721-1764), poderosa amante do Rei Luís XV.

[42] Gian Lorenzo Bernini (1598-1680): escultor, arquiteto e pintor italiano, cujo talento lhe valeu o apelido de "segundo Michelangelo".

[43] Magnífica residência dos reis franceses, localizada nos arredores de Paris.

finíssima, rente ao solo. O olho não consegue discernir o que é aquilo: uma neblina ou o luar mesmo? Eis um cisne que dorme sobre uma daquelas lagoas: seu dorso comprido alveja, igual à neve das estepes tolhidas pelo frio; eis os vaga-lumes que ardem, diamantinos, numa penumbra azulada, ao pé das estátuas.

— Estamos perto de Manheim[44] — disse Ellis. — É o jardim de Schwetzingen.

"Estamos, pois, na Alemanha!", pensei e fiquei apurando o ouvido. Estava tudo silencioso; apenas um filete d'água cadente rumorejava algures, invisível e solitário, como se repetisse incessantemente as mesmas palavras: "Sim, sim, sim, sempre assim, sim". De súbito, pareceu-me que bem pelo meio de uma das alamedas, por entre os muros daquele verdor podado, enveredava um cavalheiro de saltos vermelhos, casaco dourado e punhos rendados, com uma leve espada de aço sobre o quadril, estendendo, dengoso, a mão a uma dama de cabeleira empoada, trajando uma variegada *robe ronde*...[45] Semblantes estranhos, pálidos... Apetecia-me vê-los melhor... Mas tudo já desaparecera, somente a água continuava rumorejando.

— São os sonhos que perambulam — sussurrou Ellis —; ontem dava para ver muita coisa... muita. Hoje até mesmo os sonhos se escondem do olhar humano. Vamos embora! Vamos!

---

[44] Cidade localizada no sul da Alemanha.
[45] Vestido redondo (em francês): tipo de vestido cuja saia se parecia, por ser muito ampla, com um sino.

Então subimos e fomos voando. Nosso voo estava tão calmo e vagaroso como se nós mesmos não estivéssemos avançando, mas, pelo contrário, viesse tudo ao nosso encontro. Surgiram ali as montanhas, escuras e ondulosas, arborizadas: ergueram-se pela frente, vindo a flutuar em nossa direção... Eis que já passam embaixo de nós, com todas as suas curvas, baixadas, com seus prados estreitos, fogachos de seus vilarejos adormecidos, próximos aos regatos que correm no fundo dos vales; eis que outras montanhas se erguem, diante de nós, e vêm ao nosso encontro... Estamos nas profundezas da Schwarzwald.[46]

Montanhas, sempre montanhas... e a floresta, uma bela floresta antiga e vigorosa. O céu noturno está límpido: posso reconhecer cada tipo de árvore; são os pinheiros alvares, com aqueles seus troncos brancos e retos, que se destacam sobremaneira, tão suntuosos. Em vários lugares, à beira da mata, veem-se umas cabras selvagens; esguias e cautelosas, de pernas franzinas, estão à espreita, virando com elegância a cabeça, mantendo em pé os tubos de suas grandes orelhas. Tristonha e cega, uma torre em ruínas mostra, do alto de um rochedo desnudo, seus dentilhões meio desmoronados, e tremeluz sossegadamente, acima daquelas velhas pedras já esquecidas, uma estrelinha de ouro. Sobre um lago pequeno e quase negro, espraia-se, como um queixume misterioso,

---

[46] Floresta Negra (em alemão): região montanhosa no sudoeste da Alemanha.

o coaxar estridente dos sapos miúdos. Parece que estou ouvindo sons diferentes, longos e lânguidos, semelhantes ao canto da harpa eólia... Ei-lo, país das lendas! A mesma fumaça lunar que me espantou em Schwetzingen está derramada, ligeira, por toda parte e, quanto mais se alongam as serras, tanto mais se adensa aquela fumaça. Conto cinco, seis, dez tons distintos, múltiplas camadas de sombra, pelas escarpas serranas, enquanto a Lua meditativa reina em tudo, com sua diversidade silenciosa. Os ares fluem macios e leves. Eu mesmo me sinto leve e, de certa forma, sublimemente sereno e triste...

— Ellis, você deve amar essas plagas!
— Não amo nada.
— Como assim? Não me ama mais?
— Ah, sim... você! — responde ela, indiferente.
Acredito que o braço dela cinge, mais forte do que antes, meu torso.
— Vamos embora! Vamos! — diz Ellis, com uma espécie de arroubo frio.
— Vamos! — repito.

XXI

Um grasnido alto, sonoro, modulante, ouviu-se de supetão acima de nós, repetindo-se, a seguir, um pouco adiante.
— São os grous atrasados que voam para o norte, para sua terrinha — disse Ellis. — Quer segui-los?
— Sim, sim! Leve-me até eles...

Subimos rapidamente, ficando, num átimo, perto daquele bando de grous.

Grandes e belas, as aves (eram treze, ao todo) formavam um triângulo, agitando, rara, mas bruscamente, as asas arqueadas. Esticando com força o pescoço e as patas, inflando o peito, voavam infrenes e tão velozes que o ar sibilava à sua volta. Era estranho ver em tamanha altura, tão longe de tudo o que fosse vivo, uma vida cheia de tanto ardor, tanta energia, uma vontade tão inabalável. Singrando o espaço, contínua e vitoriosamente, os grous chamavam, de vez em quando, pela ave dianteira, pelo seu guia, e havia algo orgulhoso, altivo, algo invencivelmente seguro em seus gritos fortes, naquela conversa em meio às nuvens. "Chegaremos lá, sim, por mais difícil que seja", pareciam dizer, alentando um ao outro. Veio-me então a ideia de que as pessoas iguais a tais aves não eram muitas, não só na Rússia — na Rússia menos ainda! — como no mundo inteiro.

— Agora vamos à Rússia — disse Ellis. Não foi a primeira ocasião em que pude notar que ela estava, quase sempre, a par de meus pensamentos. — Você quer voltar?

— Voltemos... ou não! Já estive em Paris; leve-me, pois, até Petersburgo.

— Agora?

— Agora mesmo... Só me cubra a cabeça com sua bruma, senão vou passar mal.

Ellis soergueu o braço... Porém, antes que a bruma me envolvesse, senti aquele ferrão macio, embotado, roçar em meus lábios...

XXII

"Alerta-a-a!" — um grito se arrastou, repercutindo em meus ouvidos. "Alerta-a-a!" — foi outro grito que ressoou, como que desesperado, ao longe. "Alerta-a-a!" — ambos os gritos sumiram algures, no fim do mundo. Tive um sobressalto. Uma alta flecha dourada saltou-me aos olhos: reconheci a fortaleza de São Pedro e São Paulo.[47]

Uma pálida noite nórdica! Seria mesmo uma noite? Não era antes um pálido dia doente? Eu nunca gostara de noites petersburguenses, mas dessa vez acabei levando um verdadeiro susto: o vulto de Ellis desaparecia completamente, derretendo-se como uma névoa matinal debaixo do sol julino, de modo que eu via nitidamente todo o meu corpo suspenso, pesado e solitário, ao lado da coluna Alexandrina.[48] Era, pois, Petersburgo! Sim, era ela, de fato. Aquelas ruas vazias, largas, cinzentas; aqueles prédios cinza-esbranquiçados, amarelo-acinzentados, cinza-arroxeados, cuja rebocadura está descascando aos poucos, com suas janelas côncavas, tabuletas berrantes, marquises de ferro acima das entradas e ruinzinhas quitandas; aqueles frontões e letreiros, aquelas guaritas e árvores serradas ao meio; a cúpula dourada de Santo Isaac;[49]

---

[47] Antiga fortificação, que abrigava, na época, uma prisão política, situada na parte central de São Petersburgo.

[48] Monumento em forma de um imenso pilar, erigido em 1834, para homenagear a vitória do imperador russo Alexandr I sobre Napoleão, defronte ao Palácio de Inverno.

[49] Trata-se da majestosa catedral de Santo Isaac, inaugurada em 1858, uma das igrejas mais conhecidas da Rússia.

o edifício da Bolsa, versicolor e inútil; os muros da fortaleza, feitos de granito, e a calçada a cair aos pedaços, feita de madeira; aquelas barcas carregadas de feno e lenha; aquele cheiro de poeira, repolho, esteira e cavalariça, aqueles zeladores com seus *tulups*,[50] que ficam, petrificados, ao pé dos portões, aqueles cocheiros que se encolhem, dormindo como quem está morto, em seus *drójkis* afundados — sim, ali está ela, nossa Palmira do Norte. Dá para ver tudo ao nosso redor; está tudo iluminado, horrorosamente claro e nítido, e tudo dorme, tomado de melancolia, desenhando-se, estranhamente amontoado, no ar baço e transparente. O rubor da aurora vespertina, um rubor tísico, não se apagou ainda, nem se apagará até o amanhecer, naquele céu branco e sem estrelas; espalha-se, faixa por faixa, pela imensidão sedosa do Neva, e o rio murmura baixinho, ondeia de leve, acelerando o fluxo de suas gélidas águas azuis...

— Vamos embora daqui — suplicou Ellis.

E, sem esperar pela minha resposta, ela me levou por cima do Neva, através da praça Dvortsóvaia,[51] até a rua Litéinaia. Ouviu-se, lá embaixo, o som de passos e vozes: um grupelho de jovens, todos de rostos macilentos, passava pela rua, falando sobre as aulas de dança. "Subtenente Stolpakov, do sétimo!" — bradou, acordando de chofre, um soldado que estava de sentinela, próximo a uma piramidezinha de

---

[50] Sobretudo de peles (em russo).
[51] Praça do Palácio (em russo).

balas de canhão enferrujadas, e um pouco mais longe, junto da janela aberta de um prédio alto, vi uma moça de vestido de seda, todo amarrotado e sem mangas, com uma redezinha de pérolas sobre os cabelos e um cigarrozinho na boca. Lia, com veneração, um livro: era um tomo de obras seletas de um dos nossos Juvenais[52] hodiernos.

— Vamos! — pedi a Ellis.

Um só minutinho, e vão passando embaixo de nós aqueles podres bosques de abetos e pântanos recobertos de musgo que cercam Petersburgo. Rumávamos diretamente ao sul: o céu e a terra, tudo se tornava cada vez mais escuro. A noite doente, o dia doente, a cidade doente: deixáramos tudo para trás.

XXIII

Voávamos mais devagar que de praxe, e eu tinha a possibilidade de observar como se desenrolava em minha frente, pouco a pouco, igual a um panorama sem fim, o imenso espaço de minha terra natal. Florestas, arbustos, campos, barrancos, rios — vez por outra, aldeias, igrejas — e, novamente, campos, florestas, arbustos, barrancos... Sentia tristeza e certa indiferença cheia de tédio. E não me sentia triste e entediado por sobrevoar justamente a Rússia. Não!

---

[52] O nome do satírico romano Décimo Júnio Juvenal (séculos I-II d.C.) é usado no sentido irônico, a fim de designar um dos medíocres escritores modernos.

A própria terra, aquela plana superfície que se estendia abaixo; todo o globo terrestre com sua população instantânea e impotente, esmagada pela miséria, por doenças e calamidades, aferrada àquele torrão de pó desprezível; aquela casca frágil e áspera, aquele fungo crescido sobre um grão de areia em chama, que é nosso planeta, aquele mofo a cobri-lo que chamamos de matéria orgânica, de reino vegetal; aquelas pessoas-moscas, mil vezes mais ínfimas do que as próprias moscas; suas moradas feitas de lama, os minúsculos traços de sua azáfama reles, sempre a mesma, de sua ridícula luta com o inalterável e o inevitável — como fiquei, de improviso, enfastiado com isso tudo! Meu coração se revolveu lentamente, e eu não quis mais olhar para aqueles quadros insignificantes daquela exposição trivial... Fiquei entediado, sim, e mais do que entediado. Não sentia nem sequer compaixão pelos meus semelhantes: tudo quanto sentia dissolvera-se numa só sensação, que mal me atrevo a nomear, na aversão voltada, antes e acima de tudo, contra mim mesmo.

— Pare — sussurrou Ellis —, pare, ou não poderei mais carregá-lo. Assim, você fica pesado demais.

— Vá para casa — respondi-lhe, no mesmo tom que dizia as mesmas palavras ao meu cocheiro, deixando, lá pelas quatro da madrugada, meus companheiros moscovitas com quem vinha deliberando, desde o almoço, sobre o futuro da Rússia e a significância da comunidade rural. — Vá para casa — repeti, fechando os olhos.

XXIV

Não demorei, todavia, a reabri-los. Ellis se apertava a mim de maneira algo estranha: quase me empurrava. Olhei para ela, e meu sangue se congelou. Quem já avistou, no rosto de outrem, uma súbita expressão de profundo terror, de cuja razão ele próprio nem desconfia, há de me entender. Um pavor, um angustiante pavor entortava, desfigurava as pálidas, quase extintas, feições de Ellis. Eu jamais vira nada parecido, nem mesmo num vivo semblante humano. Um fantasma exânime, nebuloso, uma sombra... e aquele medo entorpecente...

— O que tem, Ellis? — perguntei, afinal.
— Ela... ela... — respondeu Ellis, com esforço. — Ela!
— Ela? Quem é ela?
— Não diga o nome dela, não diga — balbuciou Ellis, ansiosa. — Temos de fugir, senão acabará tudo, e para sempre... Olhe: ela está lá!

Virei a cabeça para o lado que sua mão trêmula me apontava e vi algo... algo realmente terrível.

Aquilo era mais terrível ainda porque não tinha nenhuma imagem definida. Algo pesado, lúgubre, negro-amarelado, multicolor como o ventre de um lagarto, que não era, porém, uma nuvem nem uma fumaça, movia-se, devagar como uma serpente, ao rés do solo. Uma oscilação regular e ampla, de cima para baixo e de baixo para cima, uma oscilação semelhante ao sinistro bater das asas de um gavião à procura de sua presa; por vezes, um rastejar impregnado de inexplicável asco, igual àquele de uma aranha a colar-se na mosca apanhada... Quem é, o que é, essa tétrica massa? Eu via, eu percebia que, sob o sopro dela, tudo se anulava, tudo emudecia... Era um friozinho pútrido, pernicioso, que emanava dela, e aquele friozinho me provocava enjoos, e meus olhos se turvavam, e meus cabelos ficavam em pé. Aquela força estava em movimento: aquela força irresistível que domina tudo, que, desprovida de vista, de forma e de sentido, vê tudo, sabe de tudo e, como um gavião, escolhe as suas vítimas, e, como uma serpente, esgana-as, lambe-as com seu asqueroso dardo...

— Ellis! Ellis! — bradei, frenético. — É a morte! A própria morte!

Um som lastimoso, que eu já ouvira antes, jorrou dos lábios de Ellis — parecia-se mais, dessa vez, com um grito desesperado de uma pessoa —, e fomos voando embora. Contudo, nosso voo estava estranha, medonhamente irregular: Ellis dava cambalhotas no ar, caía, arremessava-se de um lado para o outro, igual a uma perdiz mortalmente ferida ou tentando, talvez, levar o cão para longe de seus filhotes. Enquanto isso, ao desprender-se daquela massa inefavelmente terrível, alguns rebentos iam rolando em nosso encalço, compridos e ondulantes, como se fossem braços que se estendiam, como se fossem garras... Uma enorme imagem, a de um cavaleiro envolto em sua capa, montado em seu cavalo amarelo,[53] ergueu-se num

---

[53] Turguênev alude à notável passagem bíblica: "E olhei, e eis um cavalo amarelo, e o que estava montado nele chamava-se Morte" (Apocalipse, 6:8).

átimo e arrojou-se até o céu... Ellis ficou ainda mais agitada, tomada de desespero. "Ela viu! Acabou tudo! Estou perdida!...", ouviam-se os sussurros entrecortados dela. "Ó, como sou infeliz! Poderia aproveitar, para me encher de vida... só que agora... Mais nada, mais nada!"

Aquilo era insuportável... Desfaleci.

XXV

Quando recuperei os sentidos, estava deitado de costas sobre a relva e sentia uma dor obtusa por todo o corpo, como se estivesse muito machucado. A manhã despontava no céu: eu conseguia discernir claramente os objetos. Perto dali, ao longo de um bosque de bétulas, passava uma estrada ladeada de salgueiros; o ambiente me pareceu familiar. Fiquei relembrando o que se dera comigo: estremeci todo, assim que me veio à mente aquela última visão horrorosa...

"Mas de que foi que Ellis teve medo?", pensei. "Será que também está sujeita ao poder *dela*? Não é mesmo imortal? Será que está fadada, por sua vez, à inexistência, à destruição? Como isso é possível?"

Um baixo gemido soou ao meu lado. Virei a cabeça. A dois passos de mim, jazia imóvel, estatelada, uma jovem mulher de vestido branco; seus bastos cabelos se espalhavam ao redor, seu ombro estava desnudo. Um dos braços se estendia acima da cabeça, o outro lhe recaía no peito. Os olhos dela estavam fechados, e uma leve espuma rubra surgia em seus lábios cerrados.

Seria Ellis? Mas Ellis não passava de um fantasma, e eu via uma mulher viva em minha frente. Aproximei-me, rastejando, dela, inclinei-me...

— Ellis, é você? — exclamei. De súbito, suas largas pálpebras se ergueram, tremendo devagarinho; seus olhos se cravaram em mim, escuros e penetrantes, e, no mesmo instante, seus lábios também se cravaram em mim, quentes, úmidos, com cheiro de sangue... Seus braços macios se enroscaram, com força, em volta do meu pescoço, seus fartos seios ardentes se apertaram, numa convulsão, ao meu peito.

— Adeus! Adeus para sempre! — pronunciou nitidamente aquela voz que se extinguia. Desapareceu tudo.

Então me levantei, cambaleando como um bêbado, e, ao passar várias vezes as mãos pelo rosto, olhei atentamente para todos os lados. Estava perto da estrada mestra de ...ov, a duas verstas da minha fazenda. O Sol já havia nascido, quando voltei para casa.

Passei todas as noites seguintes a esperar — e, confesso, não sem temor — pela reaparição de meu fantasma, porém ele não me visitou mais. Até mesmo caminhei certo dia, ao cair do crepúsculo, até o velho carvalho, mas nem lá houve nada de singular. Aliás, não lamentava em demasia a interrupção de um relacionamento tão estranho assim. Fiquei refletindo, por muito tempo, naquele caso incompreensível, quase absurdo, e acabei por me convencer de que não apenas a ciência era incapaz de explicá-lo, mas nem sequer os contos de fadas, as lendas, continham nada de semelhante. O que era Ellis na realidade? Um espectro, uma alma penada, um espírito maligno, uma sílfide,⁵⁴ um vampiro enfim? Parecia-me novamente, de vez em quando, que Ellis era uma mulher que eu conhecera outrora; então me esforçava imensamente para lembrar onde a tinha visto... Imaginava que logo, num piscar de olhos, refrescaria a minha memória... Nada disso: esvaía-se tudo de novo, como se fosse um sonho! Refleti por muito tempo, sim, porém, como de hábito, não cheguei a nenhuma conclusão. Não ousava buscar pelo conselho, ou pela opinião, de outras pessoas: temia passar por louco. Afinal, desisti de todas as minhas reflexões, pois, seja dita a verdade, tinha outros problemas a resolver. Por um lado, ocorreu a emancipação⁵⁵ com o rateio das terras, *et cætera* e tal; por outro lado, minha própria saúde ficou debilitada: passei a sentir dores no peito, a sofrer de insônia, a tossir. Meu corpo resseca todo. Meu rosto está amarelo, como o de um morto. O médico me assegura que estou com falta de sangue, chamando esta doença minha pelo termo grego "anemia", e manda-me para Gastein.⁵⁶ E o mediador jura que, se eu estiver fora, "não dá para se entender" com os camponeses...

Temos, pois, de nos entender, não temos?

Mas o que significam aqueles sons puros, agudos, intensos, aqueles sons de gaita, que ouço tão logo se

---

⁵⁴ Na Idade Média, gênio feminino do ar nas mitologias céltica e germânica (Dicionário Caldas Aulete).
⁵⁵ Trata-se da abolição do regime servil na Rússia, ratificada pelo Imperador Alexandr II em 1861.
⁵⁶ Balneário nos Alpes austríacos.

diz, em minha presença, que alguém faleceu? Tornam-se cada vez mais fortes, mais penetrantes... E por que é que estremeço, tão dolorosamente, só de pensar na inexistência?

Fiódor Dostoiévski

Bobok

Desta feita, publico o *Diário de certa pessoa*. Não sou eu, é uma pessoa completamente estranha. Acredito que nenhum outro prefácio se faz necessário.

DIÁRIO DE CERTA PESSOA

Eis que Semion Ardaliónovitch me diz, anteontem:
— Será que você fica sóbrio algum dia, hein, Ivan Ivânytch? Diga aí, por favor!

Uma exigência singular. Não me ofendo, sou um homem tímido; entretanto, já me transformaram num doido. Foi por acaso que um pintor fez meu retrato:[1] "Seja como for", disse, "tu és um literato". Eu concordei, e ele pôs o retrato à mostra. Leio então: "Vão todos ver aquela criatura doentia, prestes a enlouquecer".

---

[1] Alusão ao retrato de Dostoiévski, pintado por Vassíli Perov (1834-1882), que, uma vez exposto na Academia de Belas-Artes em São Petersburgo, ensejou vários comentários maldosos sobre a suposta degradação física e mental do escritor.

Pois bem, que seja, mas será que a imprensa pode falar tão cruamente assim? Tudo deve ser nobre, lá na imprensa: os ideais e tal, mas...

Usa, pelo menos, indiretas, é para isso que tens esse teu estilo. Não: ele não quer mais usar indiretas. O humor e o bom estilo somem, hoje em dia, e os palavrões são tomados por gracejos. Não me ofendo: não sou Deus sabe qual literato para endoidar. Escrevi uma novela, mas não a publicaram. Escrevi um folhetim, mas não o aceitaram. Aliás, foram muitos os folhetins que levei a várias redações por ali, só que nenhum deles ficou aceito. "Tem faltado", dizem, "sal ao senhor".

— Mas que sal é aquele? — pergunto, com ironia. — O ático?[2]

O redator nem me entende. Principalmente, traduzo do francês para os livreiros. Escrevo também anúncios para os comerciantes: "Uma raridade! Digamos, o chá vermelhinho das nossas próprias plantações...". Ganhei uma bolada com o panegírico[3] a Sua Excelência Piotr Matvéievitch, ora finado. Compus, por encomenda de um livreiro qualquer, "A arte de agradar às damas". Fiz uns seis livretos desse mesmo tipo em minha vida. Quero reunir os *bons mots*[4] de Voltaire, porém temo que nossa gente os ache insossos. Que Voltaire pode existir agora? Agora temos um porrete em vez de Voltaire! Já quebramos os últimos dentes

---

[2] Uma palavra, frase ou citação irônica e arguta, usada para "temperar" uma conversa e torná-la mais envolvente.

[3] Discurso laudatório em homenagem a alguma pessoa importante.

[4] Ditos humorísticos, facécias (em francês).

um do outro. Esta é, pois, toda a minha atividade literária. Não faço outra coisa senão enviar sugestões gratuitas aos redatores, com minha assinatura por extenso. Exorto, aconselho, critico e indico o caminho certo. Mandei, na semana passada, a quadragésima carta para uma daquelas redações; gastei, em dois anos de minha correspondência, quatro rublos só com selos postais. Tenho uma índole ruim, é isso aí.

Creio que o pintor não me retratou por causa da literatura, mas devido às duas verrugas simétricas que tenho aqui na testa: digamos, um fenômeno. Eles não têm mais ideias lá, portanto buscam agora por fenômenos. Mas como as minhas verrugas ficaram boas naquele retrato, como se fossem de verdade! Eles chamam aquilo ali de realismo.

Quanto à minha sandice, muita gente foi tachada de louca no ano passado. E com que estilo: "Com esse, digamos, talento original... E eis que se deu, afinal de contas... Aliás, já era de se prever, havia tempos..."! E foi bastante arguto, de sorte que, do ponto de vista das artes populares, até se poderia elogiá-lo. Só que os loucos se tornaram, de chofre, mais inteligentes ainda. Numa palavra, é fácil enlouquecer qualquer um na terrinha da gente, porém torná-lo mais sábio... são outros quinhentos.

O mais inteligente de todos é, a meu ver, aquele homem que, ao menos uma vez por mês, chama a si mesmo de tolo — uma capacidade inaudita, em nossos tempos! Antigamente, os tolos sabiam, ao menos uma vez por ano, que eram tolos, mas agora... nem pensar. E tanto se confundiram as coisas, que quem for tolo não se distingue mais de quem for inteligente. Foi de propósito que eles fizeram isso.

Lembro-me de uma anedota espanhola. Os franceses construíram, dois séculos e meio atrás, o primeiro asilo de loucos em seu país e depois "trancaram todos os seus tolos naquele asilo especial para se convencerem de que eles mesmos eram inteligentes". De fato: nem que tranquemos os outros num manicômio, não provaremos a nossa sabedoria. "K. ficou doido; destarte, somos agora inteligentes." Isso não basta, não.

De resto, que diabo... por que é que só falo nesta minha inteligência? Resmungo, resmungo o tempo todo. Até minha criada se fartou de mim. Ontem veio um companheiro meu: "Teu estilo", disse, "está mudando, fica truncado. Estás truncando aí: uma frase introdutória, depois a introdutória dessa introdutória, depois colocas algo entre parênteses, e depois voltas a truncar, a atalhar...".

Meu companheiro tem razão. Algo estranho se dá comigo. Minha índole muda, minha cabeça dói. Chego a ver e a ouvir coisas bem esquisitas. Não são vozes, mas é como se alguém murmurasse ao meu lado: "*Bobok, bobok, bobok!*".

O que seria aquele *bobok*? Tenho de me distrair um pouco.

Fui distrair-me, parei num enterro. Um contraparente meu. Contudo, um servidor de sexta classe. Sua viúva; suas cinco filhas, todas solteiras. Gastando só com sapatos, de quanto dinheiro é que se precisa? O finado provia, sim, mas agora lhes resta apenas uma pensãozinha. Vão apertar os cintos. Sempre me receberam sem muita hospitalidade. Nem agora ia visitá-las, não fosse um caso tão excepcional. Acompanhei o caixão até o cemitério, junto com outras pessoas que se mantinham longe de mim por orgulho. Meu uniforme está realmente meio surrado... Faz uns vinte e cinco anos, eu acho, que não vou ao cemitério: um lugarzinho daqueles!

Primeiro, o ambiente. Trouxeram uns quinze defuntos. Os enterros baratos e caros; inclusive, dois coches funerários, os de um general e de uma fidalga ali. Muitos semblantes tristes, muita tristeza falsa também e, finalmente, muita alegria escancarada. Não adianta reclamar com o sacerdote, que há dinheiro no meio. Mas o ambiente, o ambiente! Não gostaria de ser clérigo por ali.

Examinei os rostos dos mortos com prudência, sem confiar nesta minha impressionabilidade. Há expressões meigas, há também desagradáveis. De modo geral, os sorrisos não são nada bons, sendo alguns muito feios. Não gosto daqueles rostos: vejo-os em sonhos.

Durante a missa, saí da igreja para tomar ar; o dia estava acinzentado, mas seco. Fazia frio, aliás: estamos, no fim das contas, em outubro. Andei por entre os túmulos. Diversas categorias. O preço da terceira categoria é de trinta rublos: decente e não muito caro. As duas primeiras ficam na igreja e debaixo do átrio: elas são caríssimas, sim. Na terceira categoria foram enterradas, daquela feita, umas seis pessoas, inclusive o tal general e a tal fidalga.

Olhei para dentro das covas: que horror! Água, e que água! Totalmente verde e... nem vale a pena contar! A cada minuto, o coveiro tirava aquela água com um balde. Fui, enquanto durava a missa, passear fora do cemitério. Há um hospício, perto dali, e um restaurante, um pouco adiante. Um bom restaurantezinho, aliás: dá para merendar e todo o mais. Ficou lotado, e muita gente que acompanhava os finados também apareceu. Notei muita alegria e muita animação sincera. Merendei e bebi.

A seguir, ajudei pessoalmente a transportar o caixão da igreja para a sepultura. Por que será que o defunto se torna tão pesado, quando está no caixão? Dizem que é alguma inércia, que o corpo não é mais gerido por... ou não sei que bobagem desse mesmo gênero, que contradiz a mecânica e o senso comum. Não gosto que quem tem somente uma instrução geral venha mexer com assuntos específicos: algo que acontece a cada passo, em nossa terrinha. As pessoas civis adoram julgar sobre assuntos militares, e até mesmo daqueles que são da alçada dos marechais de campo, e as pessoas formadas em engenharia preferem bisbilhotar a respeito da filosofia e da economia política.

Não fui assistir à *litiá*.[5] Sou orgulhoso e, se me recebem tão só por extrema necessidade, será que vou participar desses seus almoços, mesmo que sejam fúnebres? Apenas não compreendo por que fiquei no

---

[5] Ofício dos mortos (em russo), realizado, conforme o ritual ortodoxo, tanto na igreja quanto fora dela, por exemplo, no cemitério.

cemitério; sentei-me numa lápide e mergulhei numa meditação apropriada.

Comecei pensando numa exposição moscovita e terminei abordando o tema do pasmo em geral. Eis o que concluí a respeito do "pasmo":

"Pasmar-se com tudo é, sem dúvida, tolo, mas não se pasmar com nada é bem mais bonito e considerado, por alguma razão, de bom tom. É pouco provável, contudo, que seja assim na realidade. A meu ver, é muito mais tolo não se pasmar com nada do que se pasmar com tudo. Além disso, não se pasmar com nada é quase a mesma coisa que não respeitar nada. E quem é tolo nem pode respeitar qualquer coisa que seja".

— Mas, antes de tudo, eu quero respeitar algo. Eu *anseio* por respeitar — disse-me, dia destes, um dos meus conhecidos.

Ele anseia por respeitar! "Meu Deus do céu, pensei eu, o que se daria contigo se te atrevesses agora a publicar uma coisa dessas!"

E foi então que me distraí. Não gosto de ler epitáfios: são sempre os mesmos. Em cima da lápide, ao meu lado, havia um sanduíche comido pela metade, coisinha inconveniente e tola. Joguei-o fora, já que não era pão como tal, mas apenas um sanduíche. Aliás, não é pecaminoso, ao que parece, jogar o pão no solo; agora, jogá-lo no assoalho é um pecado, sim. Vou consultar o calendário de Suvórin.

Decerto fiquei sentado por muito, mas muito tempo; quer dizer, até me deitei naquela comprida pedra em forma de um caixão marmóreo. Não sei como isso aconteceu, porém, de improviso, passei a ouvir certas coisas. De início, não liguei a mínima, fiz pouco caso. Todavia, a conversa seguiu adiante. Ouvi alguns sons abafados, como se as bocas estivessem tapadas com almofadas, e, não obstante, nítidos e bem próximos. Recobrei-me, fiquei outra vez sentado e comecei a prestar atenção.

— Excelência,[6] isso é simplesmente impossível. Vossa Excelência disse só ter copas; eu faço a minha cartada e, de repente, Vossa Excelência tem um sete de ouros. Devíamos combinar antes, quanto aos seus ouros.

— Decoraríamos, pois, todo o baralho? E qual seria a graça?

— Não pode, Excelência, não pode jogar sem garantia, de jeito nenhum. Alguém tem de ficar, sem falta, com o burro,[7] e decorar as cartas não adianta.

— Que burro é que pode haver por aqui?

Mas como aquelas palavras eram insolentes! Algo estranho, inesperado. Uma voz, pausada e imponente; a outra, um tanto macia e adocicada; nem acreditaria sem ter ouvido, eu mesmo, aquelas palavras. E não fora assistir, pelo que me parece, à *litiá*. Contudo, quem é que jogava baralho ali, quem era aquele general? Nem por sombra duvidava que as vozes soavam nos túmulos. Inclinei-me e li o que estava escrito sobre a lápide:

---

[6] Forma de tratamento reservada, no Império Russo, aos palacianos, altos funcionários civis e generais.
[7] Certo jogo de cartas cujo objetivo é livrar-se o jogador de todas as cartas, perdendo o que fica no fim com carta, do qual se diz que "ficou com o burro" (Dicionário Caldas Aulete).

"Aqui jaz o corpo do major-general Pervoiédov... condecorado com tais e tais ordens". Hum. "Faleceu em agosto do ano... com cinquenta e sete... Descansem, caras cinzas, até a manhã ditosa!"[8]

Hum, diabo, era realmente um general! Outro túmulo, de onde vinha a vozinha melosa, não tinha ainda lápide, mas tão só uma placa: devia ser um defunto novato. A julgar pela voz, um servidor de sétima classe.

— Oh-oh-oh-oh! — ouviu-se uma nova voz que provinha de um túmulo muito recente, a umas cinco braças[9] do daquele general. Era uma voz masculina e vulgar, porém soava de maneira piedosa, manhosa e carinhosa. — Oh-oh-oh-oh!

— Ah, ele está soluçando de novo! — elevou-se, de súbito, a voz altiva e desdenhosa de uma dama irritada, pertencente, quiçá, à mais alta sociedade. — Que castigo ficar perto desse merceeiro!

— Não estou soluçando coisa nenhuma, nem comi nada: a minha natureza é esta. Mas não consegue, minha senhora, dar um jeito nesses seus faniquitos!

— Então por que o senhor está deitado aí?

— Porque me deitaram aqui: não fui eu que me deitei, foram minha esposa e meus filhinhos que me deitaram. O mistério da morte! Não me deitaria

---

[8] Esse verso de Nikolai Karamzin (1766-1826), o maior expoente do Sentimentalismo literário russo, era muito popular como epitáfio e gravado, ao longo do século XIX, nos mais diversos túmulos, inclusive no da mãe de Dostoiévski.

[9] Antiga medida de comprimento, equivalente a 2,2 m.

perto da senhora em caso algum, nem por todo o ouro do mundo; estou deitado aqui de acordo com meu patrimônio, a julgar pelo preço. A gente sempre pode pagar esta nossa covinha, se for da terceira categoria.

— Juntou um dinheirão? Andou roubando da freguesia?

— E como roubaria da senhora, já que não houve mais, desde janeiro, nenhum pagamento seu na loja da gente? Ficou uma continha sua, ali na loja.

— Isso é simplesmente bobo; acho que é muito bobo cobrar dívidas neste lugar! Saia da cova e vá cobrar da minha sobrinha. Ela é a herdeira.

— Mas como cobraria agora as dívidas, aonde iria? Chegamos ambos ao nosso limite e somos iguais, para o foro divino, em nossos pecados.

— Em nossos pecados! — arremedou-o, com desprezo, a finada. — E não ouse mais nem falar comigo!

— Oh-oh-oh-oh!

— Pois o tal merceeiro obedece àquela senhora, Excelência.

— Por que não lhe obedeceria a ela?

— Sabemos, Excelência: a ordem daqui é outra.

— Mas que outra ordem seria essa?

— É que, digamos assim, nós já morremos, Excelência.

— Ah, sim! Só que temos alguma ordem...

Como se entenderam, como se consolaram — nada mais a dizer! Se mesmo embaixo da terra as coisas andam dessa maneira, o que cobraríamos dos que estão no andar de cima? Que história mais lúgubre! Continuei, no entanto, a escutar, ainda que cheio de indignação.

— Não, eu viveria mais! Não, eu... sabem... eu viveria mais! — soou, de repente, outra voz, justo no intervalo entre o general e a dama irritadiça.

— Está ouvindo, Excelência? O nosso fala da mesma coisa. Fica calado, por três dias seguidos, e depois, de repente: "Eu viveria mais, não, eu viveria mais!". E com tanto apetite, sabe? Hi-hi!

— E tanta leviandade.

— Ele fica emocionado, Excelência, sabe? E adormece, já adormece para sempre (está aqui desde abril) e, de repente: "Eu viveria mais!".

— A gente se entedia, porém — notou Sua Excelência.

— De fato, Excelência. E se bulirmos de novo com Avdótia Ignátievna, hi-hi?

— Não, obrigado, não é comigo. Detesto aquela gritalhona esperta!

— E eu cá, pelo contrário, detesto vocês dois — replicou a gritalhona, enjoada. — São ambos chatíssimos e não sabem dizer nada que seja ideal. Conheço uma historinha a seu respeito, Excelência — não se gabe, por gentileza! —, sobre aquele lacaio que o tirou, certa manhã, de baixo de um leito conjugal, com uma vassoura.

— Que bruxa! — resmungou, por entre os dentes, o general.

— Mãezinha querida, Avdótia Ignátievna! — vociferou novamente o merceeiro. — Minha fidalgazinha, diga-me, sem se lembrar das águas passadas, por que estou sofrendo tanto assim! Ou, quem sabe, é outra coisa que se faz?...

— Ah, de novo a mesma ladainha! Já estava pressentindo: quanto fedor, mas quanto fedor, cada vez que ele se vira!

— Não me viro, mãezinha, nem exalo nenhum fedor especial, porquanto conservo ainda meu corpo inteiro, mas a senhora, minha fidalgazinha, quando se mexe... o fedor está realmente insuportável, até mesmo para este nosso lugar. Por mera polidez é que me calo.

— Ah, brutamontes! Está, ele mesmo, fedendo e ainda se queixa de mim.

— Oh-oh-oh-oh! Tomara que meus quarenta dias[10] se completem logo. Então ouvirei, sobre mim, seus brados chorosos: o pranto de minha esposa e o lamento baixinho dos filhos!...

— Achou mesmo com que sonhar! Enchem as panças de *kutiá*[11] e vão embora. Ah, por que ninguém mais acorda?

— Avdótia Ignátievna — tornou a falar o servidor melífluo. — Espere só um pouquinho, que os novatos vão falar.

— Será que há jovens no meio deles?

---

[10] Os cristãos ortodoxos costumam homenagear os finados no quadragésimo dia depois de sua morte.

[11] Mingau doce de trigo, cevada ou arroz (em russo: кутья), feito, conforme uma antiga tradição eslava, em homenagem aos antepassados; em vários países do Leste Europeu, inclusive na Rússia, também integra o cardápio das refeições rituais do Natal, Ano-Novo e Batismo.

— Há jovens também, Avdótia Ignátievna. Há, inclusive, uns rapazinhos.

— Ah, como viriam a calhar!

— Pois ainda não começaram? — inquiriu Sua Excelência.

— Nem aqueles que morreram há três dias estão acordados, Excelência: Vossa Excelência mesmo se digna a saber que se calam, às vezes, por uma semana. Ainda bem que os trouxeram juntos: os de ontem, os de anteontem e os de hoje. É que são quase todos, num raio de umas dez braças, do ano passado.

— Interessante, sim.

— Pois hoje, Excelência, enterraram o servidor de segunda classe Tarassêvitch. Eu soube pela conversa. Conheço o sobrinho dele: veio descer o caixão.

— Hum... onde está ele?

— A uns cinco passos de Vossa Excelência, do lado esquerdo. Quase junto dos pés de Vossa Excelência... Seria bom se Vossa Excelência o conhecesse.

— Hum... não: teria de me apresentar para ele?

— Mas ele mesmo vai começar, Excelência, até ficará lisonjeado! Só me encarregue, Excelência, e eu...

— Ah, ah... Ah, o que é que tenho? — gemeu, de improviso, uma vozinha desconhecida e assustada.

— Um novato, Excelência; um novato, graças a Deus, e como vem rápido! Em outras ocasiões, ficam calados por uma semana.

— Ah, parece que é um jovem! — guinchou Avdótia Ignátievna.

— Eu... eu... eu morri de complicação, assim tão

de repente! — voltou a balbuciar aquele jovem. — Schultz me disse, ainda ontem: o senhor tem uma complicação, e eis que, pela manhã, já morri. Ah! Ah!

— O que fazer, meu rapaz — notou o general, num tom magnânimo, obviamente contente de ter um novo vizinho —, tem de se consolar! Seja bem-vindo ao nosso, por assim dizer, vale de Josafá.[12] Somos gente boa: há de nos conhecer, há de nos estimar. Major-general Vassíli Vassíliev Pervoiédov, às suas ordens.

— Ah, não! Não, não, não consigo, de jeito nenhum! Quem tratava de mim era Schultz: tive, sabem, uma complicação; primeiro, o peito se inflamou e comecei a tossir, depois me resfriei ainda... peito e gripe... e, de repente, sem ninguém esperar... O principal é que ninguém esperava mesmo.

— O senhor diz que primeiro foi o peito — intrometeu-se, sutilmente, o servidor, como se quisesse animar o novato.

— Sim, peito, escarros, e depois, de repente, não há mais escarros, e o peito... não posso mais respirar... E sabem...

— Sei, sei. Pois, se fosse o peito, deveria recorrer logo a Ech, mas não àquele seu Schultz.

— Mas eu, sabem, queria consultar Bótkin... e, de repente...

— Só que Bótkin é brabo demais — notou o general.

---

[12] Lugar onde, segundo a Bíblia (Joel, 3:12), ocorrerá o Juízo Final.

— Ah, não: não tem nada de brabo; ouvi dizerem por aí que era tão atencioso e previa tudo de antemão.

— Sua Excelência falou dos honorários — corrigiu o servidor.

— Ah, nada disso, apenas três rublos, e ele examina tão bem e dá receitas... e eu queria, sem falta, porque me haviam dito... Pois então, meus senhores, a quem eu recorreria, a Ech ou a Bótkin?[13]

— O quê? A quem? — O cadáver do general ficou ondulando com um gargalhar aprazível. O servidor também gargalhou, com um falsete.

— Querido menino, querido menino alegre, como te amo! — guinchou, exaltada, Avdótia Ignátievna. — Oh, se colocassem um desses pertinho de mim!

Não, aquilo ali já era inadmissível! Era aquele, pois, nosso defunto moderno? Cumpria-me, porém, escutar mais e não me apressar a fazer conclusões. Tal fedelho novato — lembrava-me dele no caixão — tinha a expressão de um frango apavorado, a mais asquerosa do mundo! E o que ocorreu a seguir?

A seguir, começou uma celeuma tão grande que nem consegui guardar tudo em minha memória, pois muitos defuntos tinham acordado de vez. Acordou um servidor de quinta classe e passou imediatamente a discutir, com o general, o projeto de uma nova subcomissão do Ministério X e a eventual promoção de funcionários públicos, vinculada àquela subcomissão,

---

[13] Famosos médicos russos, cuja publicidade era incluída no supracitado calendário de Suvórin.

divertindo muito seu interlocutor com essa conversa. Reconheço que eu mesmo soube muitas coisas novas, de sorte que até me espantei com os ensejos de saber vez por outra, nesta capital nossa, as notícias administrativas. Depois acordou, pela metade, um engenheiro, cochichando, por muito tempo ainda, várias bobagens puras e rematadas, tanto assim que os nossos nem buliram com ele, mas o deixaram ali deitado, até o momento certo. Por fim, apresentou os indícios da animação póstuma aquela senhora aristocrática que fora enterrada pela manhã, a do coche funerário. Lebeziátnikov[14] (pois o nome do servidor de sétima classe, bajulador sepultado junto do general Pervoiédov, que me causava asco, era Lebeziátnikov) azafamava-se em demasia, surpreso de ver todos os finados acordarem, dessa feita, tão cedo. Confesso que eu também me surpreendi; de resto, alguns dos acordados haviam sido enterrados ainda na antevéspera, como, por exemplo, uma mocinha bem nova, de uns dezesseis anos de idade, que não fazia outra coisa senão soltar risadinhas... sim, risadinhas carnais e horripilantes.

— Excelência, o servidor de segunda classe Tarassêvitch está acordando! — notificou, de chofre, Lebeziátnikov, por demais apressado.

— Hein? O quê? — murmurou, ceceando com uma voz enojada, o servidor de segunda classe, que

---

[14] O mesmo sobrenome tinha um dos personagens do romance *Crime e Castigo*: mera coincidência ou interconexão das duas obras dostoievskianas?

acabava de acordar. Havia algo caprichoso e imperioso nos sons de sua voz. Curioso, apurei os ouvidos, já que soubera, nesses últimos dias, certas coisas a respeito daquele Tarassêvitch: uns comentários aliciantes e alarmantes no mais alto grau.

— Sou eu, Excelência... apenas eu, por enquanto.

— O que está requerendo, o que está querendo?

— Unicamente me informar sobre a saúde de Vossa Excelência, pois aqui, por falta de hábito, cada qual se sente, da primeira vez, como que apertado... O general Pervoiédov gostaria de ter a honra de conhecer Vossa Excelência, esperando...

— Nunca ouvi falar.

— Misericórdia, Excelência, mas é o general Pervoiédov, Vassíli Vassílievitch...

— O senhor é o general Pervoiédov?

— Não, Excelência, sou apenas o servidor de sétima classe Lebeziátnikov, ao seu inteiro dispor. E o general Pervoiédov...

— Bobagem! E peço-lhe que me deixe em paz.

— Deixe... — Foi o general Pervoiédov em pessoa quem refreou afinal, cheio de dignidade, a vil azáfama de seu subalterno póstumo.

— Não acordou ainda, Excelência, é preciso que leve isso em conta. É tudo por falta de hábito: quando acordar mesmo, aí verá com outros olhos...

— Deixe — repetiu o general.

— Vassíli Vassílievitch, hein, Excelência! — Outra voz ressoou subitamente, alta e desenvolta, ao lado de Avdótia Ignátievna, uma voz senhoril, afoita, com entonações fatigadas, segundo a última moda, que escandia as palavras com insolência. — Já faz duas horas que estou observando vocês todos; estou aqui há três dias. Lembra-se de mim, Vassíli Vassílievitch? Sou Klinêvitch; a gente se viu na casa dos Volokônski, onde o senhor também, não sei por que cargas-d'água, podia entrar.

— Como... O conde Piotr Petróvitch? Será que o senhor... tão novo assim... Lamento tanto!

— Eu também lamento, mas tanto faz para mim, e quero tirar tudo quanto puder de tudo quanto houver. E não sou conde, mas, sim, barão, tão só um barão. Somos uns barõezinhos de meia tigela, descendentes dos lacaios; aliás, nem sei por que somos e cuspo para isso. Sou apenas um cafajeste daquela tal de alta sociedade, tido por um "*gentil polisson*".[15] Meu pai era um generalzinho qualquer, e minha mãe era recebida, nos velhos tempos, *en haut lieu*.[16] Lancei, no ano passado, cinquenta mil rublos falsos, com aquele *jid*[17] Siefel, e depois o denunciei, e Yulka Charpentier de Lusignan carregou todo esse dinheiro para Bordeaux. Imagine só: estava praticamente noivo de Chtchevalêvskaia... Mocinha do Instituto,[18] só faltam três meses até os dezesseis anos, com noventa mil de dote. A senhora lembra, Avdótia Ignátievna, como me perverteu, uns

---

[15] Gentil safadinho (em francês).
[16] Na alta-roda (em francês).
[17] Apelido pejorativo dos judeus na Rússia.
[18] Trata-se do "Instituto Smólny de moças nobres", o primeiro e o mais prestigioso estabelecimento de ensino para mulheres de origem aristocrática, que funcionou em São Petersburgo de 1764 a 1917.

quinze anos atrás, quando eu era ainda um pajem de catorze anos?

— Ah, é você, canalha? Pelo menos, Deus o mandou para mim, pois aqui...

— Foi à toa que suspeitou esse seu vizinho negociante de exalar um mau cheiro... Eu me calava apenas e ria. O mau cheiro é meu: fui enterrado assim mesmo, num caixão lacrado.

— Ah, que nojo! Mas, ainda assim, estou contente; nem vai acreditar, Klinêvitch, nem vai acreditar que ausência de vida e de humor temos aqui.

— Pois é, pois é, e pretendo instaurar por aqui algo original. Excelência — não falo com Vossa Excelência, Pervoiédov —, Excelência, o outro, o senhor Tarassêvitch, o servidor de segunda classe! Responda aí! Sou Klinêvitch, aquele que o levava, durante a Quaresma, à casa de *Mademoiselle* Furie, está ouvindo?

— Estou ouvindo, Klinêvitch, e fico muito feliz, e acredite...

— Não acredito, nem por um vintém, e cuspo para isso. Quero beijá-lo simplesmente, meu caro ancião, mas, graças a Deus, não posso. Os senhores sabem o que esse *grand-père*[19] inventou? Faz dois ou três dias que bateu as botas e deixou, vejam se podem imaginar, um rombo de quatrocentos mil para o fisco. Essa quantia era para as viúvas e para os órfãos, mas ele foi, sei lá por que diabos, sozinho a botar a mão nela, e não teve, no fim da vida, nenhuma auditoria

---

[19] Avô (em francês).

por uns oito anos a fio. Imagino que caras compridas eles todos têm lá agora e que pragas estão rogando contra ele. Que ideia voluptuosa, não é verdade? Fiquei estarrecido, todo este último ano, de ver tal velhinho de setenta anos, com gota e reumatismo, ter ainda tantas forças para a fornicação... e ei-la aí, a chave do enigma! Aquelas viúvas, aqueles órfãos: só de pensar neles é que devia ficar em chamas!... Eu sabia disso por muito tempo, só eu é que sabia disso (foi Charpentier quem me contou) e, quando fiquei sabendo, fui, na Semana Santa, pressioná-lo amigavelmente: "Dá logo aí vinte e cinco mil, senão terás uma auditoria amanhã mesmo". Pois imaginem: ele só tinha então treze mil, ou seja, parece que faleceu agorinha na hora certa. *Grand-père*, hein, *grand-père*, está ouvindo?

— *Cher*[20] Klinêvitch, concordo plenamente com o senhor, mas não foi necessário... entrar nesses detalhes todos. Há tanto sofrimento nesta vida, tanto suplício e tão pouca remuneração que... desejei, finalmente, a paz e espero, pelo que vejo, tirar daqui também tudo quanto for possível...

— Aposto que já farejou a presa. Catiche Bêrestova?

— Quem?... Que Catiche é essa? — A voz do ancião ficou trêmula de lascívia.

— Que Catiche, hein? A que está aqui, à esquerda, a cinco passos de mim e a dez do senhor. Já vai para

---

[20] Caro (em francês).

cinco dias que ela está aqui e, se o senhor soubesse, *grand-père*, que safadinha é essa: de boa família, bem-educada e... um monstro, um monstro no último grau! Eu não a mostrava a ninguém, lá em cima, só eu mesmo gozava dela... Diz aí, Catiche!

— Hi-hi-hi! — respondeu o som rouquenho de uma vozinha juvenil, porém algo semelhante a uma agulhada soava nessa vozinha. — Hi-hi-hi!

— É lou-ri-nha? — balbuciou o *grand-père*, cortando a palavra em três sílabas.

— Hi-hi-hi!

— Eu... fazia já muito tempo que eu... — arfante, o ancião ficou balbuciando — gostava de sonhar com uma lourinha... de uns quinze aninhos... e, justamente, num ambiente desses...

— Ah, vilão! — exclamou Avdótia Ignátievna.

— Basta! — atalhou Klinêvitch. — Pelo que vejo, o material está excelente. A gente se arranja aqui da melhor maneira possível, bem rapidinho. O principal é passarmos gostosamente o tempo que nos resta. Mas que tempo seria esse? Escute-me, Fulano de Tal... servidor Lebeziátnikov... É assim que o chamam, pelo que tenho ouvido!

— Lebeziátnikov, servidor de sétima classe, Semion Yevséitch: estou às suas ordens e muito-muito-muito feliz!

— Cuspo para sua felicidade, mas acho que o senhor sabe de tudo por aí. Diga, primeiro (é desde ontem que estou boquiaberto): de que jeito é que nós todos falamos aqui? Estamos mortos, mas, ainda assim, continuamos falando; até me parece que nos mexemos também, só que não falamos nem nos mexemos. Que truque é esse?

— Se desejasse, barão, Platon Nikoláievitch poderia explicar isso bem melhor do que eu.

— Quem é Platon Nikoláievitch? Deixe de gaguejar e fale direito!

— Platon Nikoláievitch é nosso filósofo local, naturalista e mestre. Compôs vários livros de filosofia, porém já faz uns três meses que fica cada dia mais modorrento, tanto assim que não é possível reanimá-lo agora. Só uma vez por semana é que sussurra algumas palavras que não vêm ao caso.

— Vamos lá, continue!...

— Ele explica tudo isso com o fato mais simples, dizendo, notadamente, que lá em cima, quando estávamos ainda vivos, errávamos em tomar a morte terrena pela morte verdadeira. Aqui o corpo parece reviver, mais uma vez; as sobras da vida ficam concentradas, mas apenas em nossa consciência. Então — não sei expressar isso para o senhor — a vida continua como que por inércia. Tudo se concentra, na opinião dele, em algum lugar da consciência e dura ainda por dois ou três meses... de vez em quando, até por meio ano... Temos aqui, por exemplo, um cara que já se decompôs quase inteiramente, porém, a cada seis semanas, ainda volta, de repente, a murmurar uma palavrinha, decerto sem sentido algum, sobre um tal de *bobok*: "*Bobok, bobok...*", mas até nele, pelo jeito, a vida tremeluz ainda como uma fagulha imperceptível...

— Bastante tolo. Pois como é que eu, sem ter mais olfato, percebo esse fedor todo?

— Isso aí... he-he... É bem aí que nosso filósofo se atrapalha. Foi exatamente acerca do olfato que ele notou: percebemos um fedor, sim, mas é um fedor moral, por assim dizer, he-he! É como se nossa alma estivesse fedendo, para que possamos, nesses dois ou três meses, melhorar... Como se fosse, digamos, a última clemência... Só que me parece, barão, que tudo isso é tão somente um delírio místico, bem perdoável em nossa situação...

— Então, chega: acho que depois vem a mesma bobagem. O principal é termos ainda dois ou três meses de vida, já que, afinal de contas, vem aquele *bobok*. Proponho a todos que passemos esses dois meses com o maior deleite possível e que nos organizemos, para tanto, de outra forma. Proponho, meus senhores, que não tenhamos mais nenhuma vergonha!

— Ah, é mesmo: não nos envergonhemos com nada! — ouviram-se várias vozes. E, coisa estranha: eram, inclusive, algumas vozes absolutamente novas, ou seja, outros defuntos acabavam de acordar. Quem ficou sobremodo enfático em manifestar, com um baixo estrondoso, a sua anuência foi o engenheiro que acordara por completo. A raparigota Catiche soltou umas risadinhas alegres.

— Ah, como eu quero não ter mais vergonha de nada! — exclamou Avdótia Ignátievna, enlevada.

— Ouviram ali? Se mesmo Avdótia Ignátievna quer não ter vergonha de nada...

— Não, não, não, Klinêvitch: eu tinha vergonha, sim, tinha vergonha quando estava lá, mas aqui eu quero, quero muito, não ter mais vergonha de nada!

— Entendo, Klinêvitch — disse, com seu baixo, o engenheiro —, que o senhor propõe embasar esta nossa, por assim dizer, vida em fundamentos novos e bastante racionais.

— Cuspo para isso! Quanto a isso, esperemos por Kudeiárov, que trouxeram ontem. Quando ele acordar, explicará tudo para o senhor. É uma pessoa assim, uma pessoa agigantada! Amanhã trarão, pelo que parece, mais um naturalista, certamente um oficial e, se não me engano, um folhetinista também, daqui a três ou quatro dias, e, pelo que parece, com o editor dele. Aliás, que o diabo os carregue todos: nós cá teremos nosso próprio grêmio e tudo se arranjará, aqui conosco, por si só. Mas, até lá, só quero que não mintamos. Só quero isso, porque é o mais importante. É impossível viver na terra sem mentir, pois a vida e a mentira são dois sinônimos, mas aqui não vamos mentir só por diversão. É que o túmulo significa alguma coisa, raios! Vamos nós todos contar, em voz alta, as nossas histórias e não nos envergonharemos com nada. Antes de tudo, vou contar sobre mim. Sou carnívoro, sabem? Tudo isso estava amarrado, lá em cima, com cordas podres. Abaixo as cordas, e vamos viver esses dois meses em meio à verdade mais desavergonhada! Ficaremos nus e pelados!

— Pelados, pelados! — gritaram todas as vozes.

— Quero, mas quero tanto, ficar pelada! — guinchou Avdótia Ignátievna.

— Ah... ah... ah, percebo que estaremos alegres aqui, não quero mais consultar aquele Ech!

— Não, eu viveria mais; não, eu... sabem... eu viveria mais!

— Hi-hi-hi! — ria Catiche.

— O principal é que ninguém pode proibir nada e, posto que Pervoiédov esteja, pelo visto, zangado, não me alcançará com aquele seu braço. O senhor concorda, *grand-père*?

— Concordo plenamente, completamente e com o maior prazer, mas contanto que Catiche seja a primeira a contar sua bio-gra-fi-a.

— Protesto! Protesto com todas as forças! — declarou, com firmeza, o general Pervoiédov.

— Excelência! — Era o cafajeste Lebeziátnikov quem balbuciava e exortava em voz baixa, todo ansioso e azafamado. — Excelência, até seria mais proveitoso para nós se concordássemos. Aquela mocinha está no meio, sabe? E, finalmente, todas aquelas coisinhas diversas...

— Suponhamos que haja uma mocinha, mas...

— Seria melhor para nós, Excelência, juro por Deus que seria mais proveitoso! Só para tomar um exemplozinho, só para experimentar...

— Nem no túmulo nos deixam em paz!

— Primeiro, general: Vossa Excelência joga baralho, nesse seu túmulo; e segundo: cus-pi-mos para Vossa Excelência — escandiu Klinêvitch.

— Ainda assim, peço que não se esqueça, prezado senhor.

— O quê? Pois Vossa Excelência não me alcançará de jeito nenhum, e eu posso provocá-lo daqui, como se fosse o cachorrinho de Yulka. Em primeiro lugar, meus senhores, que general ele é aqui? Lá, era um general mesmo, mas aqui não passa de um cacareco!

— Não sou nenhum cacareco, não... Mesmo aqui eu...
— Aí Vossa Excelência apodrecerá no caixão, e sobrarão seis botões de cobre.
— Bravo, Klinêvitch, ah-ah-ah! — bramiram as vozes.
— Servi ao meu soberano... tenho minha espada...
— Essa sua espada só serve para furar os ratos; além do mais, Vossa Excelência nem a desembainhou nunca.
— Ainda assim, eu fazia parte de um todo.
— As partes de um todo são muitas.
— Bravo, Klinêvitch, bravo! Ah-ah-ah!
— Não compreendo o que é uma espada — anunciou o engenheiro.
— Fugiremos dos prussianos, como os ratos, e não sobrará nada de nós! — bradou uma voz distante e desconhecida, que literalmente se engasgava de tão extática.
— Uma espada, senhor, é a honra! — gritou o general, mas sua voz nem sequer se ouviu. Foi um berro longo, desenfreado, um motim, uma balbúrdia, repercutindo apenas por lá os guinchos de Avdótia Ignátievna, impacientes até se tornarem histéricos.
— Mais rápido, mais depressa! Ah, quando é que aboliremos toda a nossa vergonha?
— Oh-oh-oh! É verdade que a alma vai de suplício em suplício! — ressoou, por um instante, a voz do merceeiro vulgar, e...
E, de repente, espirrei. Isso foi imprevisto, involuntário, porém o efeito se revelou bombástico: tudo ficou silencioso, como em qualquer cemitério, tudo sumiu como um sonho. Fez-se um silêncio deveras sepulcral. Não

acho que eles se tenham envergonhado em minha presença: haviam decidido, no fim das contas, não se envergonhar mais com nada! Esperei por uns cinco minutos: nem uma palavra, nem um som. Tampouco se pode supor que temam ser denunciados para a polícia, pois o que é que a polícia poderia fazer num caso desses? Concluo sem querer que têm, em todo caso, algum segredo inacessível para os mortais e que tratam de escondê-lo de todo ser vivo.

"Pois bem, meus queridos", pensei, "ainda tornarei a visitá-los". E foi com essas palavras que deixei o cemitério.

Não posso, entretanto, admitir isso, não — com certeza não posso! E não é o tal de *bobok* que me embaraça (este é o *bobok*, pelo que percebo!).

A libertinagem num lugar daqueles, a crápula dos derradeiros anelos, a orgia dos cadáveres flácidos e apodrecidos — e tudo isso sem pouparem nem mesmo os últimos átimos de consciência! Foram-lhes dados, oferecidos, tais átimos, e... E, o principal, o mais importante: num lugar daqueles! Não posso admitir isso, não...

Visitarei as demais categorias, escutarei outros defuntos. É isso aí: preciso escutar por toda parte, e não apenas numa beirada, para adquirir uma noção. Quem sabe se não encontrarei algo consolador.

E, quanto àqueles ali, tornarei sem falta a visitá-los. Prometeram contar suas biografias e diversas anedotazinhas. Arre! Mas vou lá, vou sem falta, que é uma questão de minha consciência!

E levarei este meu texto à revista *O Cidadão*: o redator dela também foi retratado. Talvez o publique.

Anton Tchêkhov

*O Monge Negro**

* O termo técnico "monge negro" não se refere à cor da pele e, sim, às roupas que cumpria usar aos monges e representantes do baixo clero ortodoxo.

I

O Mestre Andrei Vassílitch Kóvrin estava cansado e enervado. Não se tratava, mas certa vez conversara com seu amigo médico, sentados ambos diante de uma garrafa de vinho, e seu amigo lhe sugerira que passasse a primavera e o verão no campo. Bem a calhar, viera uma carta extensa de Tânia[1] Pessótskaia, que o convidava a passar uma temporada em sua fazenda Boríssovka. Então ele concluiu que realmente precisava dar uma volta.

Primeiro (foi em abril), dirigiu-se à fazenda Kóvrinka, pertencente à sua família, e lá se recolheu por três semanas; depois, quando as estradas melhoraram, dispôs-se a visitar seu antigo tutor e mentor Pessótski, um jardineiro conhecido pela Rússia afora. A Kóvrinka distava da Boríssovka, onde moravam os Pessótski, quando muito setenta verstas, de sorte que percorrê-las

---

[1] Forma diminutiva e carinhosa do nome russo Tatiana.

275

numa segura caleça de molas, por uma suave estrada primaveril, seria um verdadeiro deleite.

A casa de Pessótski era enorme, provida de colunas e leões cuja rebocadura caía aos poucos, com um lacaio encasacado à entrada. O antigo parque, sombrio, mas harmonioso, traçado à inglesa, estendia-se por quase uma versta inteira, entre a casa e o rio, terminando num barranco íngreme e barrento, onde cresciam os pinheiros de raízes desnudas, semelhantes a patas velosas; embaixo desse barranco, brilhava a água inóspita, voavam, aos pios lastimosos, os maçaricos,[2] e o ambiente estava sempre tal que daria para se sentar, sem mais nem menos, e compor uma balada. Em compensação, ao lado da própria casa, no pátio e no pomar, o qual ocupava, com as estufas, cerca de trinta *deciatinas*,[3] um humor alegre e jovial mantinha-se mesmo nos dias nublados. Nunca, nenhures Kóvrin tinha visto tais rosas maravilhosas, tais lírios e camélias, tulipas de todos os coloridos possíveis, desde um branco intenso até um preto fuliginoso, nem, de modo geral, tanta diversidade de flores como na fazenda de Pessótski. A primavera estava apenas começando, e o fausto mais autêntico das flores ainda se escondia nas estufas, porém o que já florescia aqui ou acolá, ao longo das alamedas e nos canteiros, bastava para qualquer um se sentir, passeando pelo jardim, no

---

[2] Nome vulgar das aves aquáticas pertencentes à família dos escolopacídeos e comumente encontradas na parte europeia da Rússia.
[3] Antiga medida agrária russa, equivalente a 10 900 metros quadrados.

reino das cores mais delicadas, sobretudo nas horas matinais, quando o orvalho refulgia em cada pétala.

Aquilo que constituía a parte decorativa do jardim e era desdenhosamente chamado, por Pessótski em pessoa, de ninharia tinha causado a Kóvrin outrora, em sua infância, uma impressão fabulosa. Quantas extravagâncias, deformidades requintadas e torturas infligidas à natureza é que se viam ali! Eram diversas renques de árvores frutíferas, uma pereira em forma de álamo piramidal, carvalhos e tílias globulares, uma macieira transformada numa sombrinha, arcos, monogramas, candelabros e até mesmo o número 1862, indicativo do ano em que Pessótski tomara a decisão de se dedicar à jardinagem, feitos de ameixeiras. Havia também belas arvorezinhas esguias, de troncos eretos e firmes como os das palmeiras, e só quem prestasse muita atenção podia enxergar nessas arvorezinhas as groselheiras vermelhas e pretas. Mas o que tornava aquele jardim especialmente divertido e animado era sua movimentação permanente. Da alvorada ao anoitecer, várias pessoas armadas de carrinhos, enxadas e regadores agitavam-se, iguais às formigas, perto das árvores e moitas, nas alamedas e nos canteiros...

Kóvrin chegou à fazenda dos Pessótski à noite, lá pelas dez horas. Encontrou Tânia e seu pai, Yegor Semiônytch, bastante preocupados. O céu claro, cheio de estrelas, e o termômetro prenunciavam uma friagem ao amanhecer, enquanto o jardineiro Ivan Kárlytch estava na cidade e não havia mais em quem confiar. Não se falava, na hora do jantar, senão naquela friagem; ficou decidido que Tânia não iria para a cama, mas andaria, por volta de uma hora, pelo jardim e conferiria se estava tudo em ordem, e que Yegor Semiônytch se levantaria às três horas da madrugada ou mais cedo ainda.

    Kóvrin passou a noite inteira sentado perto de Tânia, indo com ela, depois da meia-noite, ao jardim. Fazia frio. Um forte cheiro de queimado já se sentia no pátio. No espaçoso pomar, que se chamava de comercial e proporcionava anualmente a Yegor Semiônytch alguns mil rublos de lucro líquido, espalhava-se pelo solo uma fumaça negra, espessa e acre, que envolvia as árvores para salvar aquele lucro do frio. Ali, as árvores estavam dispostas como as peças no jogo de damas: suas fileiras eram retas e regulares, iguais às de soldados, e essa regularidade estrita, pedante, além de todas as árvores serem da mesma altura e terem ramos e troncos idênticos, tornava o quadro todo monótono e até mesmo entediante. Kóvrin e Tânia caminharam ao longo dessas fileiras, onde ardiam umas mansas fogueiras de estrume, palha e sobras de toda espécie, cruzando, vez por outra, com peões que deambulavam, como sombras, no meio da fumaça. Embora só florescessem as ginjeiras, as ameixeiras e certos tipos de macieira, todo o jardim estava imerso naquela fumaça, e foi apenas ao lado das estufas que Kóvrin pôde respirar a plenos pulmões.

— Ainda na infância, espirrava aqui de fumaça — disse, encolhendo os ombros —, só que até agora não entendo como uma fumaça pode salvar do frio.

— A fumaça substitui as nuvens, na ausência delas... — respondeu Tânia.

— E para que servem as nuvens?

— Quando o tempo está nublado ou nevoento, não há friagens.

— Verdade?

Ele riu e segurou a mão dela. O largo rosto gelado, bem sério, de sobrancelhas finas e negras, a gola erguida do casaco, que a impedia de mover livremente a cabeça, e todo o seu vulto enxuto, esbelto, com esse seu vestido um pouco arregaçado por causa do orvalho, deixavam-no enternecido.

— Meu Deus, ela já é adulta! — disse ele. — Quando fui embora daqui pela última vez, cinco anos atrás, você não passava ainda de uma criança. Era tão magra, pernalta, andava despenteada, usava aquele vestidinho curto, e eu a apelidava de garça... O que faz o tempo!

— Cinco anos, sim! — suspirou Tânia. — Muitas águas rolaram desde então. Diga, Andriucha, honestamente — voltou a falar animada, olhando para o rosto dele —: você se desacostumou de nós? Aliás, por que estou perguntando? Você é um homem, já tem sua própria vida interessante, é alguém importante... O distanciamento é muito natural! Mas, seja como for, Andriucha, eu quero que nos considere próximos. Temos pleno direito a isso.

— Considero, sim, Tânia.

— Palavra de honra?

— Sim, juro.

— Hoje ficou surpreso por termos tantas fotografias suas. Mas saiba que meu pai o adora. Parece-me, às vezes, que gosta mais de você que de mim. Está orgulhoso de você. É um acadêmico, um homem extraordinário, vem seguindo uma carreira brilhante, e meu pai tem certeza de que você se tornou assim porque ele o criou. Eu não o impeço de pensar desse jeito. Que pense.

O Sol já raiava, e isso se percebia, em especial, por aquela nitidez com que se desenhavam agora no ar os rolos de fumaça e as copas das árvores. Os rouxinóis estavam cantando, o grito de codornizes repercutia pelos campos.

— Contudo, é hora de dormir — disse Tânia. — E faz frio. — Tomou-lhe o braço. — Obrigada, Andriucha, por ter vindo. Nossos conhecidos são chatos e, para completar, são poucos. Só temos jardim, jardim e jardim: nada mais. Poda, meia poda — ela se pôs a rir —, *aport*, *ranet*, *borovinka*,[4] enxerto, híbrido... Toda a nossa vida foi dedicada ao jardim, toda mesmo; nem sonho com nada além das macieiras e pereiras. Decerto é bom, é útil, mas queremos ainda, de vez em quando, algo a mais, para diversificar a vida. Lembro como você vinha passar as férias aqui conosco, ou apenas por vir, e nossa casa ficava então mais fresca, mais luminosa, como se tirássemos panos do lustre e dos móveis. Eu era uma menina, àquela altura, mas já entendia tudo.

Ela falava com muita ênfase. De súbito, Kóvrin pensou que poderia, durante o verão, apegar-se a essa criatura pequena, fraquinha e loquaz, envolver-se

---

[4] Espécies de maçãs cultivadas na Rússia.

com ela, apaixonar-se por ela: na situação recíproca deles, isso seria bem possível e natural! Essa ideia enterneceu-o, fê-lo rir; ele se inclinou para aquele rosto bonitinho, tão ansioso, e cantou em voz baixa:

Onêguin, quem amar não mente:
Amo Tatiana apaixonadamente...[5]

Quando eles voltaram para casa, Yegor Semiônytch já havia acordado. Kóvrin estava sem sono e, conversando com o velho, foi outra vez ao jardim. Yegor Semiônytch era um homem de estatura alta e ombros largos, tinha uma barriga grande e sofria de arquejo, porém sempre andava tão depressa que era difícil acompanhá-lo. Aparentava uma extrema preocupação, apressava-se o tempo todo, como quem perderia tudo ao perder um só minutinho!

— Mas que história, mano... — começou ele, parando a fim de retomar fôlego. — Ao rés do solo, como está vendo, faz frio, mas, se erguêssemos o termômetro sobre uma vara de umas duas braças de comprimento, veríamos que lá o ar está quente... Por que será?

— Não faço ideia — disse Kóvrin, com uma risada.

— Hum... Não dá para saber tudo, é claro... Por mais abrangente que seja a mente, não cabe tudo lá dentro. Você estuda, principalmente, filosofia?

---

[5] Trecho antológico da ópera *Yevguêni Onêguin*, do grande compositor russo Piotr Tchaikóvski (1840-1893).

— Sim. Leciono psicologia, mas, em geral, estudo filosofia.

— E não fica enfadado?

— Pelo contrário: só vivo disso.

— Pois bem, que Deus o favoreça... — comentou Yegor Semiônytch, alisando, todo pensativo, as suas suíças grisalhas. — Que Deus o favoreça... Estou muito feliz por você... feliz, mano...

De chofre apurou os ouvidos, correu para um lado, com uma carranca medonha, e logo desapareceu por trás das árvores, em meio àquelas nuvens de fumaça.

— Quem foi que amarrou o cavalo à macieira? — ouviu-se seu grito, desesperado e lacerante. — Que vilão, que canalha se atreveu a amarrar o cavalo à macieira? Meu Deus, meu Deus! Estragaram, aviltaram, arrebentaram, emporcalharam! Já era o jardim! O jardim se foi! Meu Deus!

Quando se aproximou novamente de Kóvrin, seu rosto estava exausto e consternado.

— O que fazer com esse povo excomungado? — disse com uma voz chorosa, agitando os braços. — Stiopka transportava o esterco à noite e amarrou seu cavalo à macieira! E atou as rédeas com toda a força, aquele patife, tanto assim que a casca se fendeu em três lugares. Mas o que é isso? Falei com ele, mas é um boçal rematado: só fica piscando! Seria pouco enforcá-lo!

Ao acalmar-se, abraçou Kóvrin e beijou-o na bochecha.

— Pois bem, que Deus o favoreça... que favoreça mesmo... — murmurou repetidas vezes. — Estou muito feliz por vê-lo aqui. Inefavelmente feliz... Obrigado.

A seguir, com a mesma expressão inquieta, atravessou rapidamente todo o jardim e mostrou ao seu antigo pupilo todos os viveiros, todas as estufas e barracas para adubos, bem como seus dois colmeais que chamava de milagre do século.

Enquanto eles andavam, o Sol nasceu alumiando o jardim. O tempo esquentou. Prevendo um dia claro, alegre e longo, Kóvrin lembrou que era apenas o início de maio, que o verão inteiro estava ainda por vir, também claro, alegre e longo, e um sentimento lépido, juvenil, despontou repentinamente em seu peito, igual àquele que experimentava amiúde quando criança, correndo por esse mesmo jardim. E ele também abraçou o velho e, com ternura, beijou-o. Ambos enternecidos, entraram na casa e foram tomar chá com nata e aquelas roscas doces, bem nutritivas, usando aquelas antigas chávenas de porcelana, e tais pormenores recordaram outra vez a Kóvrin sua infância e sua primeira mocidade. O belo presente e as impressões do passado que despertavam em seu íntimo entrelaçavam-se para deixar sua alma angustiada, mas contente.

Esperou até Tânia acordar, tomou um café em sua companhia, deu um passeio e depois foi ao seu quarto e ficou trabalhando. Lia com atenção, fazia anotações; vez por outra, erguia os olhos, mirando as janelas abertas ou as flores frescas, ainda molhadas de orvalho, postas em vasos que estavam em cima da mesa; tornava a mergulhar os olhos em seu livro, e parecia-lhe que cada fibrazinha sua vibrava e tremelicava de tanto prazer.

II

Continuou levando, ali na fazenda, a mesma vida nervosa e buliçosa que levava na cidade. Lia e escrevia muito, estudava a língua italiana e, quando passeava, rejubilava-se em pensar que retomaria seu trabalho em breve. Dormia tão pouco que todos ficavam pasmados: caso dormisse, sem querer, por meia horinha de dia, passava a noite toda em claro e, depois dessa noite insone, sentia-se animado e jovial, como se nada tivesse acontecido.

Conversava muito, bebia vinho e fumava caros charutos. Frequentemente, quase todos os dias, as senhoritas vizinhas vinham à casa dos Pessótski, tocavam piano com Tânia e cantavam; por vezes, aparecia também um jovem vizinho que tocava bem violino. Kóvrin escutava a música e o canto com avidez e acabava extenuado com eles, o que se traduzia fisicamente em fechar os olhos e deixar a cabeça pender para um lado.

Certa feita, após o chá da tarde, ele estava sentado na sacada e lia. Nesse meio-tempo, Tânia, a soprano, uma das senhoritas, a contralto, e o jovem violinista ensaiavam juntos, na sala de estar, uma serenata bem conhecida de Braga.[6] Kóvrin atentava para a letra,

---

[6] Gaetano Braga (1829-1907): compositor e violoncelista italiano.

vertida para o russo, e não conseguia, de modo algum, captar o sentido dela. Por fim, largando seu livro e prestando ainda mais atenção, entendeu: uma moça dotada de imaginação mórbida ouvia, de noite, certos sons misteriosos no jardim, e aqueles sons eram tão belos e tão estranhos que ela teve de tomá-los por uma harmonia suprema, inacessível para nós, os mortais, e fadada, portanto, a retornar voando aos céus. Kóvrin passou a cochilar. Então se levantou e, cansado como estava, andou um pouco pela sala de estar, depois pelo salão. Quando o canto se interrompeu, tomou o braço de Tânia e foi com ela até a sacada.

— É uma lenda que me absorve hoje, desde manhãzinha — disse-lhe. — Não lembro mais se a li ou ouvi em algum lugar, mas é uma lenda meio estranha, que não condiz com nada. Para começar, não está tão clara assim. Há mil anos, um monge qualquer, vestido de negro, caminhava através de um deserto, algures na Síria ou então na Arábia... A várias milhas daquele lugar por onde ele passava, os pescadores viam outro monge negro que se movia devagar pela superfície de um lago. Aquele segundo monge era uma miragem. Agora se esqueça de todas as leis da ótica, que essa lenda parece não reconhecer, e ouça o restante. Uma miragem produziu outra, a qual produziu outra ainda, de forma que a imagem do monge negro foi transitando incessantemente por entre as camadas atmosféricas. Era vista ora na África, ora na Espanha, ora na Média,[7] ora no Extremo Norte... Afinal, ela

---

[7] Região histórica situada na parte ocidental do moderno Irã.

traspassou os limites da atmosfera terrestre e agora está vagueando por todo o universo, sem encontrar ainda, em parte alguma, as condições em que possa ficar eclipsada. Talvez a vejam agora em Marte ou num dos astros do Cruzeiro do Sul. Mas, minha querida, a própria essência dessa lenda, o eixo norteador dela, é que, precisamente mil anos depois de tal monge ter caminhado através do deserto, a miragem terá voltado para a atmosfera terrestre e as pessoas a verão de novo. E, pelo que parece, esse milênio já está chegando ao fim... A lenda quer dizer que nos cumpre esperar pelo monge negro entre hoje e amanhã.

— Que estranha miragem — disse Tânia, que não gostara da lenda.

— E o mais espantoso — Kóvrin se pôs a rir — é que não consigo lembrar, de jeito nenhum, como essa lenda entrou em minha cabeça. Será que a li? Será que a ouvi? Ou, quem sabe, vi o monge negro em sonhos? Juro por Deus que não lembro. Mas essa lenda me atrai. Hoje andei pensando nela o dia inteiro.

Deixando Tânia com as visitas, ele saiu da casa e, meditativo, foi passear ao lado dos canteiros. O Sol já se punha. As flores exalavam um cheiro úmido, irritante, por acabarem de ser regadas. O canto se ouviu, novamente, dentro da casa; ouvido de longe, o violino se parecia com uma voz humana. Esforçando-se para recordar onde tinha ouvido ou lido aquela lenda, Kóvrin se dirigiu, sem pressa, para o parque. Acercou-se do rio sem reparar nisso.

Descendo uma vereda que passava pelo barranco, rente às raízes desnudas, ele foi até a água, alarmou os maçaricos que lá estavam, afugentou dois patos. Os últimos raios do Sol no ocaso iluminavam ainda os sombrios pinheiros, mas a escuridão já estava plena à flor das águas. Por uma pinguela, Kóvrin atravessou o rio. Agora se desdobrava, em sua frente, um vasto campo coberto de jovem centeio, que não florescia ainda. Nenhuma morada humana, nem sequer uma alma viva ao longe, como se a vereda fosse conduzir quem a tomasse àquele lugar misterioso, ignoto, onde o Sol acabava de se pôr, onde resplandecia, imenso e majestoso, o arrebol vespertino.

"Que vastidão, que liberdade, que paz!", pensava Kóvrin, seguindo aquela vereda. "E parece que o mundo inteiro olha para mim às esconsas, esperando até que eu chegue a compreendê-lo..."

De supetão, o centeio ficou ondeando, e eis que uma leve aragem noturna veio aflorar à sua cabeça descoberta. Outra rajada de vento, um minuto depois, mais forte ainda: o centeio rumorejou e ouviu-se, atrás dele, o surdo murmúrio dos pinheiros. Kóvrin parou, atônito. Ao horizonte subia da terra ao céu, como um torvelinho ou um turbilhão, um alto pilar negro. Seus contornos eram vagos, porém se podia entender, desde o primeiro instante, que não se mantinha imóvel, mas avançava com uma rapidez assustadora, indo àquele exato local onde estava Kóvrin e tornando-se, à medida que se aproximava, cada vez menor e mais nítido. Kóvrin recuou, correu através do centeio para deixá-lo passar, e, mal se afastou do seu caminho...

Foi um monge vestido de negro, de cabeça embranquecida, sobrancelhas pretas e braços cruzados sobre o peito, quem passou correndo ao lado dele... Os pés descalços do monge não roçavam no solo. Ao percorrer já umas três braças, olhou de relance para Kóvrin, inclinou a cabeça e sorriu-lhe de modo carinhoso e, ao mesmo tempo, malicioso. Como seu rosto estava pálido, horrivelmente pálido e magro! Voltando então a crescer, o monge sobrevoou o rio, colidiu, sem o mínimo barulho, com a margem barrenta e os pinheiros, atravessou-os de par em par e sumiu como uma fumaça.

— Vejam só... — disse Kóvrin em voz baixa. — Pois há verdade naquela lenda.

Sem tentar explicar o estranho fenômeno para si mesmo, contente apenas de ter visto, tão próximos e nítidos, não só o traje negro do monge como também o rosto e os olhos dele, tomado de uma emoção agradável, voltou para casa.

As pessoas andavam tranquilamente pelo parque e pelo jardim, alguém tocava no interior da casa, ou seja, fora só ele quem vira o monge. Queria muito contar tudo para Tânia e Yegor Semiônytch, mas imaginou que eles tomariam, por certo, as suas palavras por um delírio e ficariam assustados com isso: seria melhor que se quedasse calado... Ria bem alto, cantava, dançava mazurca,[8] estava alegre, e todo mundo, as visitas e Tânia, achava que seu semblante parecia, naquela ocasião, algo singular, radioso e inspirado, e que era um homem muito interessante.

---

[8] Dança de origem polonesa, muito popular ao longo do século XIX, tanto na Rússia quanto pelo mundo afora.

III

Após o jantar, quando os convidados se retiraram, ele foi ao seu quarto e deitou-se no sofá: queria pensar no monge. Contudo, ao cabo de um minuto, entrou Tânia.

— Aqui estão os artigos de meu pai, Andriucha: leia-os — disse, entregando-lhe uma pilha de livretos e opúsculos. — Excelentes artigos. Ele escreve muito bem.

— Mas que coisa boa! — dizia Yegor Semiônytch ao entrar, com um riso forçado, atrás dela: estava envergonhado. — Não a escute, por favor, não leia! Aliás, se estiver sem sono, aí sim: leia à vontade, que é um excelente sonífero.

— Acho esses artigos maravilhosos — disse Tânia, com profunda convicção. — Leia, então, Andriucha, e persuada meu pai a escrever mais. Ele poderia elaborar um curso completo de jardinagem.

Com uma tensa risada, Yegor Semiônytch enrubesceu e passou a dizer aquelas frases que costumam dizer os autores desconcertados. Enfim se deu por vencido.

— Nesse caso, leia primeiro o artigo de Gaucher e estas notinhas russas — ficou murmurando, ao passo que revirava os opúsculos com as mãos trêmulas —; senão, você não vai entender. Antes de ler as minhas críticas, precisa saber o que estou criticando. De resto, é uma bobagem... uma chatice das grandes. E está na hora de dormir, pelo que me parece.

Tânia saiu do quarto. Yegor Semiônytch veio sentar-se no sofá, ao lado de Kóvrin, e deu um profundo suspiro.

— Sim, maninho querido... — começou, após uma breve pausa. — É assim, meu gentilíssimo mestre. Eu também escrevo artigos e participo das exposições e até mesmo ganho medalhas... As maçãs de Pessótski, dizem, são do tamanho de uma cabeça; Pessótski, dizem, tirou daquele jardim uma fortuna. Numa palavra, "famoso e rico é Kotchubéi".[9] Aí me pergunto: para que serve tudo isso? Meu jardim é, de fato, ótimo, exemplar... Não é um jardim qualquer, mas toda uma instituição revestida de alta importância pública, por ser, digamos assim, um degrau de uma nova época da economia russa e da indústria russa. Mas para que ele serve? Qual seria o objetivo?

— Seu negócio fala por si só.

— O sentido não é esse. Quero perguntar: o que será deste meu jardim quando eu morrer? Tal como você o vê agora, não aguentará, sem mim, nem sequer um mês. O segredo de meu sucesso não consiste em ter um grande jardim e muitos peões, mas unicamente em amar esse negócio, veja se me entende, em amá-lo, quem sabe, mais do que a mim mesmo. Olhe para mim: faço tudo pessoalmente. Trabalho de sol a sol. Enxertando todas as árvores eu mesmo, podando-as eu mesmo, plantando-as eu mesmo, fazendo tudo eu mesmo. Quando me ajudam, fico enciumado e irritado até a brutalidade. O segredo todo é o amor, quer dizer, o olhar atento do dono, as mãos do dono e aquela sensação que tenho quando vou passar uma

---

[9] Cita-se o poema épico *Poltava*, de Alexandr Púchkin (1799-1837).

horinha na casa de alguém, fico lá sentado e não me sinto nada bem, como se meu coração não estivesse em seu devido lugar, porque temo que algo venha a acontecer ao meu jardim. E, quando eu morrer, quem vai cuidar dele? Quem vai trabalhar? O jardineiro? Aqueles meus peões? Hein? Pois eis o que lhe direi, meu gentil amigo: o primeiro dos inimigos, neste negócio da gente, não é nem lebre nem besouro nem frio, mas uma pessoa estranha.

— E Tânia? — perguntou Kóvrin, rindo. — Ela não pode ser mais nociva do que uma lebre. Ama e compreende esse negócio.

— Ama e compreende, sim. Caso, depois de minha morte, ela herdasse o jardim e tomasse conta dele, nem se poderia, na certa, desejar nada melhor. E se, Deus nos acuda, ela se casar? — cochichou Yegor Semiônytch, mirando Kóvrin com susto. — Esse é o problema! Ela se casará, terá filhos e não vai mais nem pensar no jardim. Ela se casará com algum valentão de olho gordo, e ele alugará o jardim para algumas quitandeiras ali, e tudo irá, logo no primeiro ano, para o diabo: é isso que mais me amedronta! Neste negócio da gente, o mulherio é um flagelo divino!

Yegor Semiônytch suspirou e, por algum tempo, ficou calado.

— Talvez seja um egoísmo, porém lhe digo sinceramente: não quero que Tânia se case. Estou com medo! Vem para cá um gabola, com seu violino, e toca umas drogazinhas; sei que Tânia não se casará com ele, bem sei disso, mas não consigo nem vê-lo. Em geral, mano, sou um esquisitão daqueles. Confesso.

Yegor Semiônytch se levantou e, todo emocionado, começou a andar pelo quarto: era óbvio que queria dizer algo bem importante, mas não se atrevia a tanto.

— Gosto muitíssimo de você e lhe falarei com franqueza — atreveu-se, por fim, enfiando as mãos nos bolsos. — Trato certos assuntos melindrosos de modo singelo e digo abertamente o que penso, e detesto os chamados pensamentos íntimos. Digo, pois, às claras: você é o único homem com quem eu não teria medo de casar minha filha. É um homem inteligente, cordial, e não deixaria perecer o negócio que amo tanto. E, o principal motivo, amo você como meu filho... e estou orgulhoso de você. Se chegasse, de algum jeito, a namorar Tânia, então... pois bem, eu ficaria muito alegre e até mesmo feliz. Digo-lhe isto às claras, sem faceirice, como um homem honesto.

Kóvrin se pôs a rir. Yegor Semiônytch abriu a porta para sair, mas se deteve na soleira.

— Se tivesse um filho com Tânia, eu faria dele um jardineiro — disse, ao pensar um pouco. — Aliás, não passa de um oco devaneio... Boa noite.

Uma vez só, Kóvrin se refestelou no sofá e começou a ler os artigos. Um deles intitulava-se: "Sobre uma cultura intermediária", outro: "Alguns comentários a respeito da nota do Sr. Z referente ao preparo do solo para um novo jardim", outro ainda: "Novos comentários acerca da enxertia estival", e assim por diante, no mesmo estilo. Mas que tom irrequieto, irregular era aquele, quanto arroubo nervoso, quase mórbido, eles manifestavam! Eis, por exemplo, um artigo cujo título é o mais plácido possível e cujo conteúdo está totalmente neutro: trata-se nele da macieira russa chamada de Antônovka. Todavia, Yegor Semiônytch escreve, logo no começo, "*audiatur et altera pars*"[10] e termina com "*sapienti sat*",[11] inserindo entre essas duas sentenças toda uma torrente de objeções peçonhentas a respeito da "ignorância científica de nossos senhores jardineiros graduados, os quais observam a natureza do alto de suas cátedras", ou do senhor Gaucher, "cujo sucesso tem sido criado por leigos e amadores", e de quebra lamenta, com falsidade e hipocrisia, que os mujiques, que furtam frutas e acabam estragando as árvores, não possam mais ser fustigados.

"Uma área boa, bonita, sadia, mas até nela há paixões e conflitos", pensou Kóvrin. "Pode ser que por toda parte, em todas as áreas, as pessoas convictas sejam nervosas e revelem uma excessiva sensibilidade. Talvez isso seja necessário."

Lembrou-se de Tânia, que gostava tanto desses artigos de Yegor Semiônytch. De estatura baixa, pálida e tão magra que dá para ver as suas clavículas; os olhos dela são grandes, escuros, inteligentes, e sempre estão atentos, como se procurassem por algo o tempo todo; caminha, igual ao seu pai, a passos miúdos e apressados. Fala muito, gosta de discutir e acompanha qualquer uma das suas frases, nem que seja a mais insignificante, com mímicas e gestos bem expressivos. Deve ser nervosa no mais alto grau.

---

[10] Que a outra parte também seja ouvida (em latim).
[11] Para o sábio basta (em latim).

Kóvrin continuou a leitura, porém não entendeu coisa nenhuma e deixou de ler. Uma excitação agradável, a mesma com que ele dançava mazurca e ouvia música pouco antes, agora lhe causava angústia e suscitava, em seu âmago, um enxame de pensamentos. Ele se levantou e foi andando pelo quarto, enquanto pensava no monge negro. Veio-lhe a ideia de que, se aquele estranho monge sobrenatural era visto apenas por ele, isso significava que estava doente e já tinha alucinações. Assustou-se com tal conjetura, mas por pouco tempo.

"Seja como for, estou bem e não faço mal a ninguém, ou seja, não há nada de mau nessas alucinações minhas", pensou, sentindo-se outra vez bem-disposto.

Sentado no sofá, segurou a cabeça com ambas as mãos, contendo uma alegria incompreensível que enchia todo o seu ser, depois andou mais um pouco e tornou a trabalhar. No entanto, as ideias que encontrava em seu livro não o satisfaziam mais. Ele queria algo gigantesco, inabarcável, assombroso. Ao amanhecer, tirou as roupas e foi, sem querer, para a cama: feitas as contas, precisava dormir!

Quando se ouviram os passos de Yegor Semiônytch, que ia ao jardim, Kóvrin tocou a campainha e mandou que o lacaio lhe trouxesse vinho. Tomou, com deleite, vários cálices de Laffitte,[12] depois escondeu a cabeça embaixo do cobertor; sua consciência se turvou, e ele adormeceu.

---

[12] Vinho tinto francês.

IV

Frequentemente, Yegor Semiônytch e Tânia discutiam e diziam coisas desagradáveis um ao outro.

Certa manhã, brigaram por alguma razão. Tânia desandou a chorar e foi para o seu quarto. Não saiu nem para almoçar nem para tomar chá. De início, Yegor Semiônytch andava todo imponente, empolado como quem quisesse dar a entender que prezava os interesses de justiça e ordem acima de tudo neste mundo, porém logo se desanimou e perdeu a firmeza. Vagava, tristonho, pelo parque e não parava de suspirar: "Ah, meu Deus, meu Deus!"; na hora do almoço, não engoliu uma migalha sequer. Afinal, contrito, atenazado pelos remorsos, bateu à porta trancada e chamou com timidez:

— Tânia! Tânia?

Em resposta, ouviu-se por trás da porta uma voz fraca, desfeita em prantos e, ao mesmo tempo, resoluta:

— Deixe-me em paz, por favor.

A aflição dos donos refletia em toda a casa, inclusive naquelas pessoas que labutavam no jardim. Kóvrin estava imerso em seu trabalho interessante, mas também se sentiu, no fim das contas, entediado e angustiado. Para dissipar, de alguma forma, esse mau humor geral, decidiu intrometer-se na briga e bateu, ao entardecer, à porta de Tânia. Ela o deixou entrar.

— Ai-ai, que vergonha! — começou a falar em tom de gracejo, enquanto mirava, pasmado, o rosto pesaroso de Tânia, molhado de lágrimas e coberto de manchas vermelhas. — É tão sério assim? Ai-ai!

— Se você soubesse como ele me tortura! — disse Tânia, e as lágrimas jorraram, ardentes e copiosas, dos seus grandes olhos. — Ele acabou comigo! — prosseguiu, retorcendo os braços. — Eu não disse nada para ele... nada... Disse apenas que não era necessário manter... tantos peões, se... se a gente pode, quando quiser, pagar por jornada. É que... é que aqueles peões não fazem nada há uma semana inteira... Eu... eu disse apenas isso, e ele ficou gritando e me disse... muitas coisas feias, bem ofensivas. Por quê?

— Chega, chega — respondeu Kóvrin, ajeitando-lhe o penteado. — Brigaram, choraram, e basta. Não se pode ficar zangado por muito tempo, isso não é bom... ainda mais que ele a ama infinitamente.

— Ele me... ele me estragou a vida toda — continuou Tânia, soluçando. — Só ouço aquelas ofensas e... e insultos. Ele acha que estou sobrando nesta casa. Pois bem, está com a razão! Amanhã vou embora daqui, serei uma telegrafista... Que seja...

— Chega, chega, chega... Não precisa chorar, Tânia. Não precisa, meu bem... Vocês dois têm o pavio curto, são irritadiços, e vocês dois estão culpados. Vamos lá, que vou reconciliá-los.

Kóvrin lhe falava de modo carinhoso e persuasivo, mas ela continuava a chorar; seus ombros tremelicavam, suas mãos se contraíam, como se realmente uma desgraça terrível a tivesse acometido. Apiedava-se dela ainda mais porque sua desgraça não era tão grave assim, mas ela sofria para valer. Que ninharias bastavam para deixar essa criaturinha infeliz por um dia inteiro e, talvez, pela vida afora! Consolando Tânia,

Kóvrin pensava que, além dessa moça e de seu pai, não encontraria neste mundo, nem que acendesse uma lanterna em pleno dia, outras pessoas que o amassem como um próximo, como um parente; não fossem essas duas pessoas, ele não saberia, quiçá, até a morte, ao perder seus pais na primeira infância, o que são um verdadeiro carinho e aquele amor ingênuo, irrefletido, que se sente apenas por quem for o mais próximo, por quem tiver laços de sangue. E percebia que aos seus próprios nervos, adoentados e transtornados, respondiam, como o ferro responderia a um ímã, os nervos dessa moça que chorava e tremelicava. Nunca mais poderia apaixonar-se por uma mulher saudável, robusta e corada, porém gostava dessa pálida, frágil e infeliz Tânia.

E alisava-lhe, com prazer, os cabelos e os ombros, apertava-lhe as mãos e enxugava-lhe as lágrimas... Enfim ela cessou de chorar. Passou ainda muito tempo reclamando de seu pai e de sua vida na casa dele, penosa e insuportável, implorando que Kóvrin se pusesse em seu lugar; depois voltou, aos poucos, a sorrir e a suspirar, dizendo que Deus lhe concedera uma índole muito difícil, e acabou por chamar a si própria de boba e sair correndo do quarto com uma risada sonora.

Quando, pouco depois, Kóvrin foi ao jardim, Yegor Semiônytch e Tânia já passeavam, lado a lado, por uma alameda, como se nada tivesse acontecido, e comiam ambos pão de centeio com sal, pois estavam ambos com fome.

V

Contente de ter desempenhado tão bem o papel de pacificador, Kóvrin foi ao parque. Refletia, sentado num banco, e ouvia o barulho de carruagens e o riso de mulheres: os convidados acabavam de chegar. Quando as sombras noturnas passaram a estender-se pelo jardim, ouviu vagamente os sons do violino, as vozes que cantavam, e isso o lembrou do monge negro. Onde, em que país ou em que planeta, estaria perambulando agora essa aberração ótica?

Mal ele se lembrou da lenda e desenhou, em sua imaginação, aquele obscuro fantasma que vira no campo de centeio, apareceu por trás de um pinheiro, logo em sua frente, um homem de estatura média, de cabeça descoberta e toda grisalha, que usava roupas escuras e andava descalço: movendo-se inaudivelmente, sem o menor ruído, parecia um mendicante, e as sobrancelhas negras se destacavam, nítidas, sobre o rosto dele, pálido como o de um morto. Ao saudá-lo com uma amável mesura, esse mendigo ou andarilho aproximou-se, em silêncio, do seu banco, sentou-se, e Kóvrin reconheceu nele o monge negro. Por um minuto, ficaram ambos olhando um para o outro: Kóvrin estupefato, o monge afável e, como da última vez, um pouco malicioso, igual a quem tivesse algum pensamento oculto.

— Mas você é uma miragem — disse Kóvrin. — Então por que está aí, sentado no mesmo lugar? Isso não condiz com a lenda.

— Tanto faz — respondeu o monge em voz baixa, após uma pausa, virando-se para ele. — A lenda, a miragem e eu, tudo isso é um produto de sua imaginação excitada. Sou um fantasma.

— Pois você não existe? — perguntou Kóvrin.

— Pense como quiser — disse o monge, com um leve sorriso. — Existo em sua imaginação, e sua imaginação faz parte da natureza, ou seja, existo na natureza também.

— Seu rosto é muito velho, inteligente e expressivo no mais alto grau, como se você realmente tivesse vivido mais de mil anos — prosseguiu Kóvrin. — Eu não sabia que minha imaginação era capaz de produzir tais fenômenos. Mas por que olha para mim com tanto enlevo? Está gostando de mim?

— Sim. É um daqueles homens raros que são chamados, e justamente, de eleitos de Deus. Você serve à verdade eterna. Suas ideias e intenções, sua pasmosa ciência e toda a sua vida levam uma marca divina, um selo celestial, porque são dedicadas ao racional e ao belo, quer dizer, àquilo que é eterno.

— Você disse "à verdade eterna"... Mas será que as pessoas abrangem essa verdade eterna e precisam dela, já que a vida eterna não existe?

— A vida eterna existe — respondeu o monge.

— Você acredita na imortalidade das pessoas?

— É claro que sim. É um futuro grande e brilhante que espera por vocês, os humanos. E, quanto mais numerosos forem, neste mundo, os homens como você, tanto mais cedo se realizará aquele futuro. Sem vocês, cultores do supremo princípio que vivem de forma consciente e livre, a humanidade seria nula; caso se desenvolvesse naturalmente, esperaria ainda por muito tempo pelo fim de sua história terrena. E vocês a conduzirão, vários milênios mais cedo, para o reino da verdade eterna: nisso consiste seu altíssimo mérito. Vocês encarnam a bênção de Deus que tem repousado sobre as pessoas.

— E qual seria o objetivo dessa vida eterna? — indagou Kóvrin.

— O mesmo de toda e qualquer vida: o prazer. O prazer verdadeiro é o conhecimento, e a vida eterna há de fornecer inumeráveis e inesgotáveis fontes de conhecimento, pois é nesse sentido que se diz: "Na casa de meu Pai há muitas moradas".[13]

— Se soubesse como me é agradável escutá-lo! — disse Kóvrin, esfregando as mãos de tão contente.

— Estou muito feliz com isso.

— Só que eu sei: quando você for embora, ficarei preocupado com a questão de sua existência. Você é um fantasma, uma alucinação. Assim, eu sou anormal, um doente mental?

— Mesmo se fosse... de que se envergonharia? Está doente porque trabalhou demais e ficou cansado, e isso significa que sacrificou sua saúde à sua ideia e que a hora está chegando de lhe sacrificar também sua vida. Existe algo melhor? É bem àquilo que aspiram, em geral, todos os espíritos nobres e agraciados com um dom superior.

---

[13] João, 14:2.

— Se eu mesmo souber que sou um doente mental, será que poderei acreditar em mim mesmo?

— E como você sabe se as pessoas geniais, em quem acredita o mundo inteiro, não viram fantasmas por sua vez? Os cientistas dizem, hoje em dia, que a genialidade se assemelha ao distúrbio mental, não dizem? Meu amigo, saudáveis e normais são apenas as pessoas comuns, aquelas que formam um rebanho. Os argumentos relativos ao século nervoso, à estafa mental, à degradação humana, etc. podem causar uma séria inquietação tão só a quem vislumbrar o objetivo de sua vida no presente, ou seja, às pessoas arrebanhadas.

— Os romanos diziam "*mens sana in corpore sano*".[14]

— Nem tudo o que diziam os romanos ou os gregos é verdade. A exaltação do humor, a excitação, o êxtase — tudo quanto distinguir os profetas, os poetas, os mártires de uma ideia das pessoas comuns é contrário ao lado animal da pessoa, isto é, à sua saúde física. Repito: se quiser ser saudável e normal, junte-se ao rebanho.

— É bizarro: você repete o que me tem vindo, diversas vezes, à cabeça — disse Kóvrin. — Parece que viu e ouviu, às esconsas, meus pensamentos íntimos. Mas chega de falarmos sobre mim. O que você chama de verdade eterna?

O monge não respondeu. Kóvrin olhou para ele e não lhe enxergou o rosto, cujos traços ficavam turvos,

---

[14] Uma mente sã num corpo são (em latim): aforismo do poeta romano Décimo Júnio Juvenal.

enevoados. Depois a cabeça e as mãos do monge foram sumindo; seu tronco se mesclou com o banco e o crepúsculo vespertino, e ele desapareceu por inteiro.

— Acabou a alucinação! — disse Kóvrin, rindo. — Que pena.

Alegre e feliz, caminhou até a casa. As poucas palavras que lhe dirigira o monge negro lisonjeavam não só o amor-próprio, mas também toda a sua alma, toda a sua essência. Ser eleito, servir à verdade eterna, integrar a fileira daqueles que, com vários milênios de antecedência, tornariam a humanidade digna do reino de Deus, ou seja, livrariam os humanos de vários milênios prescindíveis de luta, de pecado, de sofrimento, entregar a essa ideia tudo — sua juventude, suas forças, sua saúde — e ficar pronto a morrer pelo bem comum: que destino sublime e ditoso era o dele! Seu passado surgiu, puro, casto e laborioso, em sua memória; ele recordou o que tinha estudado e ensinado aos outros e concluiu que não havia exagero nas falas do monge negro.

Tânia caminhava ao seu encontro, através do parque. Já estava com outro vestido.

— Você está aí? — disse ela. — E a gente procura, procura... Mas o que é que você tem? — espantou-se ao ver seu rosto extático, radiante, e seus olhos cheios de lágrimas. — Como está estranho, Andriucha.

— Estou contente, Tânia — respondeu Kóvrin, pondo as mãos nos ombros dela. — Estou mais do que contente, estou feliz! Tânia, minha querida Tânia, você é uma criatura simpaticíssima. Minha querida Tânia, estou tão feliz, tão feliz!

Beijou-lhe calorosamente ambas as mãos e continuou:

— Acabei de vivenciar alguns minutos luminosos, maravilhosos, sublimes. Contudo, não poderia contar disso para você, porque me taxaria de louco ou nem sequer acreditaria em mim. Vamos falar de você. Minha querida, gentil Tânia! Eu amo você, já me acostumei a amá-la. Nossa proximidade, nossos encontros dez vezes por dia, já são necessários para minha alma. Não sei como viverei sem você, quando voltar para casa.

— Ih! — Tânia se pôs a rir. — Você se esquecerá de nós em dois dias. Nós somos gentinha miúda, e você é um grande homem.

— Não, vamos falar seriamente! — disse ele. — Vou levá-la comigo, Tânia. Sim? Você parte comigo? Você quer ser minha?

— Ih! — disse Tânia, querendo rir de novo, porém não conseguiu, e as manchas vermelhas cobriram-lhe o rosto.

Sua respiração se acelerou; ela caminhou depressa, muito depressa, mas não em direção à casa e, sim, para dentro do parque.

— Não pensava nisso... não pensava! — dizia, apertando as mãos como quem estivesse desesperado.

E Kóvrin ia atrás dela e dizia, com a mesma expressão jubilosa e extática:

— Anseio por um amor que me absorva inteiramente, e só você, Tânia, é capaz de me dar um amor desses. Estou feliz! Feliz!

Atônita, ela se curvava e parecia menor e dez anos mais velha, porém Kóvrin a achava linda e expressava seu arroubo em voz alta:

— Como é linda!

VI

Informado por Kóvrin de que não apenas o namoro vinha dando certo, mas até mesmo o casamento estava próximo, Yegor Semiônytch passou muito tempo andando de lá para cá e tentando dissimular a sua emoção. Suas mãos tremiam, seu pescoço se inflava, avermelhado; ele mandou atrelar seu *drójki* de corrida e foi não se sabia aonde. Vendo-o açoitar o cavalo e enterrar fundo, quase até as orelhas, o seu boné, Tânia intuiu o humor dele, trancou-se em seu quarto e ficou chorando o dia inteiro.

Os pêssegos e as ameixas já tinham amadurecido nas estufas; para embalar essa carga delicada e requintada, e para enviá-la a Moscou, necessitava-se de muito zelo, muitos esforços e cuidados. Como o verão estava bem quente e seco, era preciso regar cada árvore, o que demandava muito tempo e muita mão de obra; havia, ademais, tantas lagartas que não só todos os peões como também Yegor Semiônytch e Tânia esmagavam-nas, para imenso asco de Kóvrin, com os dedos. Ainda por cima, cumpria, desde já, cuidar das frutas e mudas que seriam vendidas no outono e manter uma abundante correspondência. E no período mais tenso, quando ninguém parecia ter nem um minutinho livre, começaram os trabalhos campestres, levando mais da metade dos peões embora do jardim. Todo bronzeado, extenuado e zangado, Yegor Semiônytch corria ora ao jardim, ora ao campo, e gritava que o faziam em pedaços e que ele meteria uma bala em sua testa.

Como se isso não bastasse, havia muito trabalho com o dote, ao qual os Pessótski atribuíam bastante importância: o tinir das tesouras, o tamborilar das máquinas de costura, a fumaça dos ferros de passar e os chiliques da modista, uma dama nervosa e melindrosa, deixavam estonteados todos os que moravam naquela casa. E, como que de propósito, todo santo dia apareciam as visitas que se devia entreter, alimentar e até mesmo convidar a dormirem ali. No entanto, todo esse trabalhão passava imperceptível, como se eles vivessem numa neblina. Tânia se sentia como quem estivesse surpreendida pelo amor e pela felicidade, apesar de convencida por alguma razão, desde os catorze anos, de que Kóvrin se casaria exatamente com ela. Andava estarrecida, perplexa, não acreditava em si mesma... Ora ficava dominada, repentinamente, por tanta alegria que queria ir voando até as nuvens e, uma vez lá, rezar a Deus, ora recordava, também de repente, que em agosto teria de abandonar o ninho familiar, de deixar seu pai sozinho, ou então se via, sabia Deus por quê, pequena, ínfima, indigna de um homem tão grande quanto Kóvrin, indo ao seu quarto, trancando a porta e chorando amargamente por horas a fio. Quando chegavam as visitas, parecia-lhe de improviso que Kóvrin era lindo demais, que todas as mulheres estavam apaixonadas por ele e tinham inveja dela, e sua alma se enchia de êxtase e orgulho, como se ela tivesse vencido o mundo inteiro, porém bastava Kóvrin cumprimentar, com um sorriso cortês, alguma senhorita para que Tânia estremecesse, enciumada, fosse ao seu quarto e tornasse a chorar. Essas novas sensações apoderavam-se totalmente dela, tanto assim que ela ajudava seu pai de forma maquinal, sem reparar nos pêssegos, nas lagartas e nos peões, nem mesmo no tempo que fluía bem rápido.

Quase o mesmo se dava com Yegor Semiônytch. Ele trabalhava da manhã até a noite, estava sempre azafamado, irritado, enfurecido, mas fazia tudo isso numa espécie de modorra mágica. Como se dois homens se encontrassem no âmago dele: um era o verdadeiro Yegor Semiônytch, que, ao escutar o relato do jardineiro Ivan Kárlytch sobre os problemas atuais, ficava revoltado e agarrava, com desespero, a sua cabeça; o outro, que não era de verdade, portava-se como um ébrio, interrompendo de supetão essa conversa de negócios, tocava no ombro do jardineiro e rompia a murmurar:

— Digam o que disserem, o sangue é bem importante. A mãe dele era uma mulher admirável, nobilíssima e inteligentíssima. Era um deleite olhar para o rosto dela, bondoso, sereno, imaculado como o de um anjo. Desenhava otimamente, escrevia versos, falava cinco línguas estrangeiras, cantava... Caiba-lhe o reino celeste, coitada: morreu de tísica.

Aquele falso Yegor Semiônytch suspirava, calava-se por algum tempo e prosseguia:

— Quando era menino e crescia em minha casa, tinha o mesmo rosto angelical, sereno e bondoso. O olhar, os gestos, a conversa dele... tudo é terno e elegante, puxou mesmo à mãe. E a inteligência? Ele sempre nos espantou com sua inteligência. Nada mais a dizer: não foi à toa que se tornou mestre! Não foi à toa! Mas espere aí, Ivan Kárlytch, e vai ver como ele será daqui a uns dez anos! Não vai mais alcançá-lo com esse seu braço!

Então o verdadeiro Yegor Semiônytch voltava à tona, agarrava, de cara terrível, a sua cabeça e vociferava:

— Demônios! Aviltaram, arrebentaram, emporcalharam! Já era o jardim! O jardim se foi!

E Kóvrin trabalhava com sua aplicação costumeira e nem reparava naquela azáfama. O amor só vinha pôr lenha na fogueira. Após cada encontro com Tânia, ele retornava ao seu quarto, feliz e extasiado, e, com a mesma paixão com que acabara de beijar Tânia e de lhe prodigalizar declarações amorosas, pegava um livro ou agadanhava seu manuscrito. O que o monge negro dissera sobre os eleitos de Deus, a verdade eterna, o futuro brilhante da humanidade, etc. revestia seu trabalho de uma significância única, extraordinária, e enchia sua alma de orgulho e consciência de sua própria grandeza. Uma ou duas vezes por semana, no parque ou dentro da casa, Kóvrin se encontrava com o monge negro e conversava longamente com ele, porém isso não o amedrontava, mas, pelo contrário, deixava-o encantado, porquanto já tinha plena certeza de tais visões só frequentarem as pessoas eleitas, incomuns, que se colocassem ao serviço de uma ideia.

Certa feita, o monge apareceu na hora do almoço e sentou-se na sala de jantar, perto da janela. Entusiasmado, Kóvrin se industriou a puxar uma conversa com Yegor Semiônytch e Tânia sobre o que podia ser interessante para o monge; o visitante de negro escutava e inclinava a cabeça em sinal de aprovação, enquanto Yegor Semiônytch e Tânia também o escutavam, sorrindo alegremente, sem suspeitarem que Kóvrin não falava com eles e, sim, com sua alucinação.

Eis que vieram o jejum da Dormição[15] e, logo em seguida, o dia do casamento, o qual foi celebrado, de acordo com a persistente vontade de Yegor Semiônytch, "com estrondo", isto é, com uma festança desordenada que durou dois dias. Gastou-se cerca de três mil rublos em comes e bebes, mas, por causa dos músicos ruins que foram contratados, dos berros de quem brindava e do corre-corre dos lacaios, bem como em razão do barulho e do aperto, não se chegou a apreciar nem os vinhos caros nem os petiscos magníficos encomendados em Moscou.

VII

Certa vez, numa das longas noites hibernais, Kóvrin estava deitado em sua cama e lia um romance francês. Tânia, que tinha, coitada, dores de cabeça ao anoitecer,

---

[15] Um dos grandes jejuns dos cristãos ortodoxos, que durava de 1 a 14 de agosto (segundo o antigo Calendário Juliano) e precedia a festa da Dormição da Mãe de Deus (15 de agosto).

pois não se acostumara ainda à vida urbana, estava dormindo havia muito tempo e, vez por outra, balbuciava frases sem nexo como quem delirasse.

Soaram três horas. Kóvrin apagou a vela e deitou-se; de olhos fechados, demorava a adormecer: parecia-lhe que fazia muito calor no quarto, e Tânia continuava a delirar. Às quatro e meia, ele voltou a acender a vela e logo viu o monge negro, que estava sentado numa poltrona ao lado de sua cama.

— Salve — disse o monge e, após uma breve pausa, indagou —: Em que está pensando agora?

— Na fama — respondeu Kóvrin. — Neste romance francês, que eu lia agorinha, é representado um homem, um jovem cientista que anda fazendo bobagens e definhando com saudades da fama. Não compreendo essas saudades.

— Porque você é inteligente. Trata a fama com indiferença, como um brinquedo que não o interessa.

— Sim, é verdade.

— O *glamour* não sorri para você. O que há de lisonjeiro ou de engraçado, ou então de edificante, em gravarem seu nome sobre uma estela fúnebre, já que depois o tempo apagará essa inscrição junto com toda a douradura? E, por sorte, vocês são numerosos demais para que a débil memória humana possa reter seus nomes.

— Entendo — concordou Kóvrin. — Para que os reteria todos? Mas vamos falar de outras coisas. Por exemplo, da felicidade. O que é a felicidade?

Quando o relógio soava cinco horas, estava sentado na cama, com os pés sobre o tapete, e, dirigindo-se ao monge, dizia:

— Na antiguidade, um homem feliz acabou tendo medo de sua própria felicidade — tão grande ela era! — e, buscando apaziguar os deuses, sacrificou para eles seu anel predileto.[16] Sabia? E eu mesmo, igual a Polícrates, começo a ficar um pouco preocupado com minha felicidade. Parece-me estranho que, da manhã até a noite, eu sinta apenas uma alegria que me enche todo e abafa todas as outras emoções. Nem sei o que seriam a tristeza, o pesar ou o tédio. Não durmo agora, estou com insônia, mas não me entedio. Digo-lhe seriamente: começo a ficar perplexo.

— Mas por quê? — espantou-se o monge. — Será que essa alegria é uma sensação sobrenatural? Será que não deve constituir o estado normal do homem? Quanto mais ele se desenvolve, no sentido mental e moral, quanto mais livre fica, tanto maior é o prazer que a vida lhe proporciona. Sócrates, Diógenes e Marco Aurélio não sentiam pesar, mas se alegravam. E o apóstolo diz: "Regozijai-vos sempre".[17] Regozije-se, pois, e seja feliz.

— E se os deuses se encolerizarem? — disse Kóvrin, brincando, e deu uma risada. — Se me tirarem o conforto, se me forçarem a passar frio e fome, é pouco provável que eu venha a gostar disso.

Nesse meio-tempo, Tânia havia acordado e olhava, pasmada e horrorizada, para seu marido. Ele falava,

---

[16] Trata-se de Polícrates, tirano da ilha grega de Samos no século VI a.C., cuja fabulosa história foi narrada por Heródoto e outros escritores antigos.
[17] 1 Tessalonicenses, 5:16.

dirigindo-se à sua poltrona, gesticulava e ria; seus olhos brilhavam, havia algo estranho em seu riso.

— Andriucha, com quem está falando? — perguntou ela, pegando-lhe a mão estendida em direção ao monge. — Andriucha! Quem é?

— Hein? Quem é? — Kóvrin ficou confuso. — Mas é ele... Lá está sentado — disse, apontando para o monge negro.

— Não há ninguém lá... ninguém! Andriucha, você está doente!

Tânia abraçou o marido, apertou-se a ele, como se o defendesse das suas visões, e tapou-lhe os olhos com a mão.

— Está doente! — pôs-se a soluçar, tremendo com o corpo todo. — Perdoe-me, querido, meu bem, mas tenho percebido, há muito tempo, que sua alma está transtornada com alguma coisa... Você tem um distúrbio psíquico, Andriucha...

Seu tremor se transmitiu a ele também. Olhou mais uma vez para a poltrona, que já estava vazia, sentiu de repente uma fraqueza nos braços e nas pernas, assustou-se e passou a vestir suas roupas.

— Não é nada, Tânia, não é nada... — murmurava, tremendo. — De fato, ando um pouco indisposto... já está na hora de reconhecê-lo.

— Fazia muito tempo que eu reparava nisso... e o papai também reparou — dizia Tânia, esforçando-se para conter os prantos. — Você fala consigo mesmo, sorri de maneira algo estranha... não dorme. Oh, meu Deus, meu Deus, salvai-nos! — concluiu, apavorada. — Mas não tenha medo, Andriucha, não tenha medo... pelo amor de Deus, não tenha medo...

Ela também se vestia. Só agora, olhando para ela, Kóvrin entendia todo o perigo de sua situação, entendia o que significavam aquele monge negro e suas conversas com ele. Agora estava claro que ele havia enlouquecido.

Ambos se vestiram, mesmo sem saberem para quê, e foram à sala de estar: ela à frente e ele atrás. Acordado pelo choro, Yegor Semiônytch, que viera visitá-los, já estava ali, de roupão e com uma vela nas mãos.

— Não tenha medo, Andriucha — dizia Tânia, tremendo como que de febre —, não tenha medo... Papai, tudo isso vai passar... tudo isso vai passar...

De tão emocionado, Kóvrin não conseguia falar. Queria dizer ao sogro, em tom de brincadeira:

— Veja se me felicita: parece que fiquei doido — mas tão somente moveu os lábios e sorriu com amargor.

Às nove horas da manhã, puseram-lhe um casaco e uma peliça, cobriram-no com uma manta e levaram-no de carruagem ao médico. Começou o tratamento.

VIII

Chegou de novo o verão, e o médico lhe ordenou que fosse para a fazenda. Kóvrin já se recuperara, não via mais o monge negro, e só lhe restava robustecer um pouco as suas forças físicas. Morando na fazenda de seu sogro, tomava muito leite, trabalhava apenas duas horas por dia, não bebia vinho nem fumava.

Às vésperas do dia de Elias,[18] ao entardecer, a missa vespertina se celebrava em casa. Quando o sacristão entregou o incensório ao sacerdote, o antigo salão enorme passou a cheirar a cemitério, e Kóvrin se sentiu entediado. Foi ao jardim. Sem reparar na suntuosidade das flores, deu uma volta pelo jardim, sentou-se num banco, depois andou pelo parque; ao acercar-se do rio, desceu até a margem e ficou postado ali, pensativo, olhando para a água. Aqueles sombrios pinheiros com suas raízes velosas, que o tinham visto, no ano passado, tão jovem, alegre e enérgico, agora não sussurravam, mas se mantinham imóveis e mudos, como se não o reconhecessem. E, realmente, sua cabeça estava raspada, não lhe sobrando mais aqueles bonitos cabelos compridos; sua postura estava flácida; seu rosto, em comparação com o verão passado, parecia mais gordo e pálido.

Por uma pinguela, ele atravessou o rio. Lá onde havia centeio, no ano passado, agora se espalhava, renque por renque, a aveia ceifada. O Sol já se pusera, e flamejava no horizonte, prenunciando um dia ventoso, um largo clarão vermelho. O silêncio era profundo. Cravando os olhos na direção onde surgira pela primeira vez, no ano passado, o monge negro, Kóvrin permaneceu lá por uns vinte minutos, até que o arrebol vespertino começasse a amortecer...

Quando voltou para casa, apático e insatisfeito como estava, a missa já terminara. Sentados nos degraus

---

[18] Vinte de julho, conforme o arcaico Calendário Juliano.

do terraço, Yegor Semiônytch e Tânia tomavam chá. Falavam de alguma coisa, mas, tão logo avistaram Kóvrin, ficaram de chofre calados, e ele deduziu pelas suas expressões faciais que a conversa lhe dizia respeito.

— Parece que já está na hora de você tomar leite — disse Tânia ao seu marido.

— Ainda não está, não... — respondeu ele, ao sentar-se no degrau mais baixo. — Tome você mesma. Eu não quero.

Tânia trocou uma olhada inquieta com seu pai e disse num tom lamentoso:

— Mas você percebe que o leite lhe faz bem.

— Sim, faz muito bem! — Kóvrin sorriu. — Meus parabéns: desde sexta-feira, engordei uma libra inteira. — Apertou a cabeça com ambas as mãos e replicou, angustiado: — Por que, mas por que insistiram nesse tratamento? Os derivados do bromo, a ociosidade, os banhos quentes, a vigilância, o medo pusilânime de cada gole, de cada passo: tudo isso me levará, no fim das contas, ao idiotismo. Eu me enlouquecia, tinha a mania de grandeza, mas, em compensação, estava alegre, animado e até mesmo feliz, era interessante e original. Agora estou mais sensato e imponente, porém sou como todo mundo: sou uma nulidade, a vida me entedia... Oh, com quanta crueldade vocês me trataram! Eu sofria de alucinações, mas a quem isso atrapalhava? Eu pergunto: a quem isso atrapalhava?

— Sabe lá Deus o que está dizendo! — suspirou Yegor Semiônytch. — Fico enjoado só de escutar.

— Pois não escute.

A presença de outras pessoas, sobretudo a de Yegor Semiônytch, agora irritava Kóvrin: respondia-lhe seca, fria ou mesmo brutalmente, não o mirava senão com escárnio e ódio, e Yegor Semiônytch ficava confuso e apenas pigarreava, como quem tivesse alguma culpa, embora não se atribuísse culpa nenhuma. Sem entender por que suas relações amigáveis e benévolas haviam mudado tão bruscamente assim, Tânia não se afastava do pai, fitando-o, toda aflita, olho no olho; queria entender, mas não entendia, só percebia claramente que essas relações se tornavam cada vez piores, dia após dia, que seu pai envelhecera muito nesses últimos tempos, que seu marido estava irritadiço, caprichoso, implicante e enfadonho. Ela não conseguia mais rir nem cantar, não comia nada na hora do almoço, passava noites inteiras sem dormir, à espera de algo terrível, e se sentia tão exausta que um dia ficou desmaiada desde o almoço até o anoitecer. Achara, durante a missa, que seu pai chorava e, agora que eles três estavam sentados ali no terraço, esforçava-se para não pensar nisso.

— Como foram felizes Buda e Maomé ou Shakespeare, porque nem seus parentes bonzinhos nem os doutores fizeram questão de tratá-los do êxtase e da inspiração! — disse Kóvrin. — Se Maomé tomasse, para acalmar os nervos, esse brometo de potássio,[19] trabalhasse apenas duas horas por dia e bebesse leite,

---

[19] Medicamento ansiolítico e anticonvulsivo, intensamente usado pelos psiquiatras do século XIX e ainda hoje empregado como droga veterinária.

não sobrariam mais coisas daquele homem ilustre que do seu cachorro. Os doutores e os parentes bonzinhos acabarão tornando a humanidade bronca, de modo que uma nulidade seja tomada por um gênio, e a civilização inteira perecerá... Se vocês soubessem — arrematou, cheio de desgosto — como lhes agradeço!

Sentiu uma intensa irritação e, para não falar demais, levantou-se depressa e entrou na casa. Estava tudo silencioso; vindo do jardim, o aroma de tabaco e de maravilha-noturna[20] fluía pelas janelas abertas. O luar se espraiava, em manchas verdes, pelo piano e pelo assoalho do enorme salão escuro. Kóvrin se lembrou de seus arroubos do verão passado, quando a maravilha-noturna cheirava da mesma forma e a lua fulgia através das janelas. Para recuperar aquele humor do ano passado, foi rápido ao seu gabinete, acendeu um forte charuto e mandou o lacaio servir um pouco de vinho. Contudo, o charuto deixou um ressaibo amargo e asqueroso em sua boca, e o sabor do vinho não era mais o mesmo do ano passado. Era bem isso, a perda de hábito! O charuto e dois goles de vinho causaram-lhe vertigens e palpitações, de sorte que precisou tomar o brometo de potássio.

Antes de ir para a cama, Tânia lhe disse:

— Meu pai adora você. Está zangado com ele por alguma razão, e isso o mata aos poucos. Veja só: ele não envelhece mais de dia em dia, mas de hora em hora. Imploro-lhe, Andriucha: pelo amor de Deus,

---

[20] Planta ornamental, proveniente do México, cujo nome científico é *Mirabilis jalapa*.

pela memória de seu pai finado, pelo meu sossego, trate-o com carinho!

— Não posso nem quero.

— Mas por quê? — inquiriu Tânia, passando a tremer com o corpo todo. — Explique-me o porquê!

— Porque não simpatizo com ele, pura e simplesmente — disse Kóvrin, com indiferença, e deu de ombros —, mas não vamos falar dele: é seu pai.

— Não posso entender, não posso! — murmurou Tânia, apertando as têmporas e olhando fixamente para um ponto só. — Algo incompreensível, algo terrível acontece em nossa casa. Você mudou, não se parece mais consigo mesmo... Você, esse homem inteligente, extraordinário, irrita-se com bobagens, intromete-se em mexericos... Fica preocupado com tais ninharias que a gente se espanta, por vezes, e não acredita: será você mesmo? Mas chega, chega, não se zangue, não — prosseguiu, assustando-se com suas próprias falas e beijando as mãos dele. — Você é inteligente, bondoso, nobre. Vai tratar meu pai com justiça. Ele é tão bom!

— Ele não é bom, mas bonzinho. Aqueles tiozinhos de *vaudeville*, iguais ao seu pai, com aquelas fisionomias contentes e cheias de bonomia, excepcionalmente hospitaleiros e meio esquisitões, já me enterneceram e me fizeram rir outrora, tanto em novelas e *vaudevilles* quanto na vida real, só que agora eles me dão nojo. São egoístas até a medula dos ossos. E o que mais me enoja é o contentamento deles, aquele da pança abarrotada, e aquele seu otimismo estomacal, meramente bovino ou suíno.

Tânia se sentou na cama e pôs a cabeça num travesseiro.

— É uma tortura — disse ela: a julgar pela sua voz, estava extremamente fatigada e falava com muita dificuldade. — Desde o inverno, nem um minuto de paz... Mas é terrível, meu Deus! Estou sofrendo...

— Sim, é claro: eu sou Herodes, e você com seu papaizinho são nenéns egípcios. É claro!

Seu rosto pareceu a Tânia feio e repulsivo. Nem o ódio nem o escárnio combinavam com ele. Aliás, já fazia bastante tempo que ela percebia: faltava algo ao seu rosto, como se, mal ele raspara a cabeça, seu rosto mudara também. Quis responder-lhe num tom ofensivo, mas logo reparou nessa aversão súbita, assustou-se e saiu do quarto.

IX

Kóvrin assumiu uma cátedra própria. Sua aula inaugural fora marcada para o dia 2 de dezembro, e o respectivo anúncio, pendurado no corredor universitário. Entretanto, na data marcada ele avisou o inspetor dos estudos, mediante um telegrama, que não lecionaria por estar doente.

Expelia sangue pela garganta. Na verdade, tinha escarros sanguinolentos com frequência, mas o sangramento ficava copioso umas duas vezes ao mês: então ele enfraquecia sobremaneira e mergulhava num estado sonolento. Não se intimidava tanto assim com essa doença, ciente de que sua finada mãe vivera, com a mesma doença, dez anos ou até mais que isso; os médicos lhe asseguravam, por sua vez, que não era perigosa, aconselhando-o apenas a não se preocupar nem falar muito e a levar uma vida regrada.

Em janeiro a aula inaugural tampouco se realizou, pelo mesmo motivo, e em fevereiro já era tarde demais para começar o curso. As aulas ficaram suspensas até o próximo ano letivo.

Kóvrin não vivia mais com Tânia e, sim, com outra mulher, dois anos mais velha, que cuidava dele como se fosse uma criança. Seu humor estava pacífico e submisso; ele obedecia com todo o gosto e, quando Varvara Nikoláievna — assim se chamava sua companheira — decidiu levá-lo para a Crimeia, concordou logo, embora pressentisse que os resultados dessa viagem não seriam nada bons.

Chegando a Sebastopol ao anoitecer, o casal se hospedou num hotel para descansar e, no dia seguinte, rumar a Yalta. Estavam ambos exaustos com a viagem. Varvara Nikoláievna tomou chá, foi para a cama e não demorou a pegar no sono. Todavia, Kóvrin não se deitava. Ainda em casa, uma hora antes de ir à estação ferroviária, tinha recebido uma carta de Tânia, mas não se atrevera a deslacrá-la; agora essa carta estava em seu bolso lateral, e Kóvrin pensava nela com uma sensação desagradável. Sinceramente, no fundo de sua alma, achava que seu casamento com Tânia havia sido um erro, estava contente de tê-la abandonado em definitivo, e a lembrança daquela mulher, que acabara por se transformar num esqueleto ambulante, em quem tudo parecia já morto, além dos seus grandes olhos inteligentes que o fitavam com atenção, suscitava-lhe apenas desprazer e pena de si mesmo. A letra que viu sobre o envelope recordou-lhe como estava injusto e truculento havia uns dois anos, como descarregava naquelas pessoas, que não tinham culpa de nada, seu vazio espiritual e seu tédio, sua solidão e sua decepção com a vida. Na mesma ocasião, lembrou como certo dia rasgara em pedacinhos a sua dissertação e todos os artigos escritos no decorrer de sua doença, jogando-os pela janela, e como as nesgas de papel voavam, carregadas pelo vento, e prendiam-se em árvores e flores; em cada linha, ele enxergava diversas pretensões esquisitas, que não se embasavam em nada, uma afoiteza leviana, uma ousadia, uma mania de grandeza, e isso lhe causava certa impressão contundente, como se estivesse lendo a descrição de seus vícios; porém, quando o último caderno seu ficara rasgado e voara pela janela, ele se sentira de súbito, mesmo sem saber por quê, contrariado e amargurado, e fora desafiar sua esposa e lhe dissera muitas coisas desagradáveis. Deus do céu, como a atenazava então! Um dia, querendo fazê-la sofrer, dissera que seu pai havia desempenhado, naquele romance deles dois, um papel indecoroso, pedindo que ele se casasse com Tânia; por acaso, Yegor Semiônytch ouvira aquilo, irrompera no quarto, mas não conseguira, de tão desesperado, articular meia palavra: apenas se meneava no mesmo lugar e mugia de modo algo estranho, como se sua língua não se movesse mais; quanto a Tânia, soltara um grito lacerante ao olhar para o pai e desmaiara. Era um horror.

Tudo isso ressurgia na memória de Kóvrin, enquanto via aquela letra familiar. Foi à sacada; a noite estava calma e quente, com cheiro de mar. Espelhando o luar e as luzes do porto, a maravilhosa baía tinha uma cor difícil de nomear. Era uma suave e terna mistura do azul e do verde; havia lugares em que a água se assemelhava ao vitríolo azul, havia outros em que o luar parecia condensar-se e encher a baía em vez da água, mas, em geral, que harmonia de cores era aquela, que humor sereno, tranquilo e sublime ela propiciava!

No andar de baixo, sob a sacada, as janelas estavam provavelmente abertas, já que se ouviam, com nitidez, vozes femininas e risadas. Decerto um sarau ocorria ali.

Com um esforço sobre si mesmo, Kóvrin deslacrou a carta e, voltando ao seu quarto, leu:

"Meu pai acabou de falecer. Devo isto a você: foi você quem o matou. Nosso jardim está perecendo, as pessoas estranhas mandam e desmandam nele, ou seja, ocorre exatamente aquilo que meu pobre pai tanto temia. Devo isto também a você. Odeio você com toda a minha alma e desejo que morra logo. Oh, como estou sofrendo! Uma dor insuportável me queima a alma... Seja amaldiçoado. Tomei-o por um homem extraordinário, por um gênio, cheguei a amá-lo, mas você não passa de um louco...".

Kóvrin não conseguiu terminar a leitura: rasgou a carta e jogou-a no chão. Ficou dominado por uma angústia que mais parecia um medo. Varvara Nikoláievna dormia detrás dos biombos, e sua respiração se ouvia ali; as vozes femininas e risadas soavam no andar de baixo, porém ele imaginava que não houvesse sequer uma alma viva, além dele próprio, em todo o hotel. Sentia-se apavorado, porque Tânia, aquela infeliz, destruída pela sua desgraça, amaldiçoava-o em sua carta e desejava que ele morresse, e amiúde olhava de relance para a porta, como se receasse que a mesma força obscura, a qual fizera, em apenas dois anos, tantos estragos em sua vida e na vida de seus próximos, viesse invadir seu quarto e subjugá-lo de novo.

Já sabia por experiência que, quando seus nervos ficavam por demais excitados, o melhor meio de acalmá-los consistia em trabalhar. Tinha de se sentar à mesa e obrigar a si mesmo, custasse o que custasse, a concentrar-se numa ideia qualquer. Tirou da sua pasta vermelha um caderno, em que havia esboçado um pequeno trabalho compilador do qual se ocuparia caso se sentisse entediado, uma vez na Crimeia, por falta de quefazeres. Sentou-se à mesa, retomou esse seu esboço e pareceu-lhe que seu humor pacífico, submisso e indiferente estava voltando. O caderno com seu esboço acabou mesmo por levá-lo a refletir sobre a vanidade terrena. Ficou pensando em quão caro a vida cobrava por aqueles bens ínfimos ou bastante vulgares que era capaz de proporcionar ao homem. Por exemplo, para obter, já na casa dos quarenta, uma cátedra própria, para se tornar um professor comum e relatar, numa linguagem frouxa, enfadonha e difícil de compreender, as ideias triviais e, ainda por cima, elaboradas por outrem — numa palavra, para alcançar a situação de um cientista medíocre —, ele, Kóvrin, tivera de estudar por quinze anos seguidos, trabalhar dias e noites, desenvolver uma grave moléstia psíquica, passar por um casamento malsucedido e perpetrar muitas bobagens e injustiças de toda espécie, as quais teria preferido esquecer por completo. Agora Kóvrin entendia bem claramente que era mesmo uma nulidade e aceitava de bom grado tal condição, porquanto cada pessoa devia, a seu ver, contentar-se com o que era de fato.

O esboço quase o apaziguou, porém a carta rasgada branquejava ainda, lá no chão, e estorvava a sua concentração. Ele se levantou da mesa, apanhou os pedacinhos da carta e jogou-os pela janela, mas uma leve brisa veio do mar e os pedacinhos ficaram esparsos no peitoril. A mesma inquietude semelhante ao medo tornou a dominá-lo; outra vez, Kóvrin imaginou que em todo o hotel não houvesse sequer uma alma viva além dele próprio... Foi à sacada. A baía fixava nele, como se fosse viva, miríades de olhos azul-claros, azul-escuros, azul-turquesa, cheios de fogo, e chamava por ele. O tempo estava, realmente, cálido e abafadiço, de sorte que um banho de mar não seria nada intempestivo.

De súbito, um violino se pôs a tocar no andar de baixo, sob a sacada, e ouviram-se duas suaves vozes femininas que cantavam. Era algo familiar. Tratava-se, naquela romança cantada embaixo, de uma moça dotada de imaginação mórbida que ouvia, de noite, certos sons misteriosos no jardim e chegara a tomá-los por uma harmonia suprema, inacessível para nós, os mortais... Kóvrin sentiu falta de ar, seu coração se contraiu de tristeza, e uma alegria doce, maravilhosa, de que já se esquecera havia tempos, ficou vibrando em seu peito.

Um alto pilar negro, parecido com um torvelinho ou um turbilhão, surgiu na margem oposta da baía. Com uma rapidez assustadora, ele avançava através da baía, vindo em direção ao hotel e tornando-se cada vez menor e mais escuro; mal Kóvrin se afastou para deixá-lo passar, e... um monge de cabeça embranquecida, descoberta, sobrancelhas pretas e braços cruzados sobre o peito passou correndo, descalço, ao seu lado e parou no meio do quarto.

— Por que não acreditou em mim? — perguntou, em tom de leve reproche, olhando para Kóvrin com carinho. — Se tivesse acreditado então que era um gênio, não teria vivido esses dois anos tão triste e parcamente.

Kóvrin já voltara a acreditar que era um eleito de Deus, um gênio, e relembrara vivamente todas as suas antigas conversas com o monge negro; queria falar, porém o sangue lhe escorria da garganta sobre o peito, e, sem saber o que tinha a fazer, ele passava as mãos pelo peito, e os punhos de sua camisa encharcavam-se de sangue. Quis chamar por Varvara Nikoláievna, que dormia detrás dos biombos, fez um esforço e balbuciou:

— Tânia!

Tombou no chão e, soerguendo-se sobre as mãos, chamou de novo:

— Tânia!

Chamava por Tânia, chamava pelo grande jardim com suas belíssimas flores salpicadas de orvalho, chamava pelo parque, pelos pinheiros de raízes velosas, pelo campo de centeio, pela sua maravilhosa ciência, pela sua juventude, sua coragem, sua alegria, chamava pela vida que era tão linda. Via no assoalho, junto do seu rosto, uma poça de sangue e já não conseguia articular, de tão fraco, sequer meia palavra, mas uma felicidade inexprimível, ilimitada, enchia todo o seu ser. A serenata soava lá, embaixo da sacada, e o monge negro lhe sussurrava que ele era um gênio e morria tão somente porque seu débil corpo humano já perdera o equilíbrio e não podia mais servir de invólucro para um gênio.

Quando Varvara Nikoláievna acordou e saiu de trás dos biombos, Kóvrin já estava morto e um sorriso ditoso, petrificado, transparecia nos lábios dele.

SOBRE OS AUTORES

Notável mestre da prosa fantástica, histórica e satírica, **Nikolai Vassílievitch Gógol** (1809-1852) nasceu na aldeia Sorótchintsi situada no interior da Ucrânia, numa família de origem ucraniana ou polonesa. Estudou no Ginásio de Ciências Superiores de Nêjin[1] (1821-1828), mudando-se a seguir para São Petersburgo. Foi servidor público e preceptor; ensinou no Instituto Patriótico[2] e na Universidade da capital russa. Seus primeiros contos (coletâneas *Noites num sítio próximo a Dikanka*, 1831-1832, e *Mírgorod*, 1835), baseados na tradição folclórica da Ucrânia, proporcionaram-lhe visibilidade nos meios literários. Com a publicação das obras posteriores, fossem peças de teatro (*Inspetor geral*, 1836; *O casório*, 1842) ou escritos de cunho social (*Diário de um louco*, 1835; *O nariz*, 1836; *O capote*, 1842), Gógol foi reconhecido como um dos escritores mais criativos e originais de sua época, dotado, na opinião de Tarás Chevtchenko,[3] "da mais profunda inteligência e do

---

[1] Pequena cidade ucraniana na região de Tchernígov.
[2] Instituição de ensino para mulheres que funcionou de 1822 a 1918.
[3] Tarás Grigórievitch Chevtchenko (1814-1861): grande poeta e pintor ucraniano.

mais terno amor pelas pessoas". Decepcionado com o regime político da Rússia czarista, passou mais de uma década (1836-1848) no estrangeiro, principalmente na Itália. Nos últimos anos da vida vivenciou uma prolongada crise espiritual que o impediu de terminar a sua obra-prima grandiosa, epopeia *Almas mortas* cujo primeiro tomo veio a lume em 1842 e o segundo foi destruído pelo próprio autor. A personalidade misteriosa de Gógol e seu interesse por temas estranhos e sinistros tornaram-no uma verdadeira lenda da literatura russa.

O conde **Alexei Konstantínovitch Tolstói** (1817-1875) nasceu em São Petersburgo. Descendente de uma das famílias mais nobres da Rússia, foi amigo de infância do futuro imperador Alexandr II; ainda pré-adolescente, visitou a Alemanha, onde chegou a conhecer Goethe, e a Itália. Diplomado pela Universidade de Moscou em 1836 (aliás, sem ter frequentado assiduamente as aulas), ingressou no serviço diplomático, passando mais tarde a exercer diversas funções na corte imperial. Estreou na literatura com a novela fantástica *Upyr*[5] em que Vissarion Belínski[6] percebeu "todos os indícios de um talento por demais imaturo, mas, não obstante, admirável". Apaixonou-se por uma mulher casada, que abandonou o marido e, sem se

---

[4] Termo arcaico russo que designava um vampiro, um morto-vivo.
[5] Vissarion Grigórievitch Belínski (1811-1848): filósofo e jornalista tido, no decorrer do século XIX, como o maior crítico literário da Rússia.

divorciar oficialmente, viveu com o amante a olhos vistos: fato do qual Lev Tolstói, um primo distante do escritor, lançaria mão para moldar o personagem do conde Vrônski em seu romance *Anna Karênina*. Aposentado em 1861, ficou morando ora em suas fazendas, que se encontravam no interior da Rússia, ora no estrangeiro (Itália, Alemanha, França, Inglaterra). Acometido de enxaqueca e obrigado a tomar morfina para aliviar as dores, veio a óbito por overdose, casual ou intencional, desse narcótico. Seus poemas líricos, sua trilogia dramática *A morte de Ioann*,[6] *o Terrível* (1866), *O czar Fiódor Ioânnovitch* (1868) e *O czar Boris* (1870), e, sobretudo, seu romance histórico *O príncipe Serêbrianny* (1863) continuam apreciados por novas gerações de gratos leitores.

Romancista e contista de renome internacional, **Ivan Serguéievitch Turguênev** (1818-1883) nasceu em Oriol[7] e passou a infância na fazenda materna Spásskoie-Lutovínovo situada na mesma região. Desde criança falava alemão e francês. Estudou nas universidades de Moscou, São Petersburgo e Berlim; durante alguns anos serviu no Ministério dos Negócios Internos. Estreou como literato em 1838. Apaixonado pela cantatriz francesa Pauline Viardot, afastou-se do serviço público. A partir de 1845 vivia longas temporadas fora da Rússia (Paris, Baden-Baden),

---

[6] Forma arcaica do nome russo Ivan.
[7] Antiga cidade, cujo nome significa "águia" em russo, localizada a sudoeste de Moscou.

dedicando-se inteiramente à literatura. Seus contos (*Diário de um Caçador*, 1852), novelas (*Ássia*, 1858; *O Primeiro Amor*, 1860; *O Rei Lear das Estepes*, 1870; *Águas da Primavera*, 1872), romances (*Rúdin*, 1856; *O Ninho dos Nobres*, 1859; *Às vésperas*, 1860; *Pais e Filhos*, 1862; *Fumaça*, 1867; *Terras Virgens*, 1877) e, no final da vida, poemas em prosa (*Senilia*, 1882) asseguraram-lhe a posição do escritor russo mais lido e respeitado na Europa, de sorte que o chanceler da Alemanha Chlodwig Hohenlohe[8] chegou a caracterizá-lo como "o homem mais inteligente da Rússia". Amigo de vários intelectuais e artistas europeus, desempenhou o papel de intermediário no estreitamento das relações culturais entre a Rússia e o Ocidente, o que lhe valeu, entre outras regalias, o título de doutor honorífico da Universidade de Oxford (1879). Faleceu na França e foi sepultado, em meio a uma grande comoção popular, em São Petersburgo.

Escritor de imensurável talento, cujas ideias chegariam a influenciar todo o desenvolvimento da literatura mundial no século XX, **Fiódor Mikháilovitch Dostoiévski** (1821-1881) nasceu e passou a infância em Moscou. Formou-se pela Escola de Engenharia Militar em São Petersburgo (1843), durante algum tempo serviu no exército. Sua estreia literária se deu com o romance *Gente pobre* (1846) e a novela

---

[8] Chlodwig Carl Viktor, Fürst zu Hohenlohe-Schillingsfürst (1819-1901): político e diplomata alemão, primeiro-ministro do Império Germânico de 1894 a 1900.

sentimental *Noites brancas* (1848), que logo o tornaram conhecido. Em 1849 foi preso por atividades subversivas e condenado a trabalhos forçados na Sibéria. Permaneceu quase dez anos em presídios e campos militares. Anistiado, regressou a São Petersburgo em 1859. Publicou os romances *Humilhados e ofendidos* (1861), *O jogador* (1866), *Crime e castigo* (1866), *O idiota* (1868), *Os demônios* (1872), *O adolescente* (1875), *Os irmãos Karamázov* (1880), além de muitos contos, novelas e artigos críticos. Colaborou com diversas revistas literárias da Rússia; editou o folhetim *Diário do escritor* (1876-1880). Foi casado duas vezes e teve quatro filhos. Faleceu em São Petersburgo, transformando-se seu enterro numa enorme manifestação popular. Ainda em vida foi aclamado, inclusive pelos seus desafetos, como um dos mais geniais pensadores da humanidade. "Leiam Dostoiévski; amem Dostoiévski, se puderem; e se não puderem, insultem Dostoiévski, mas, ainda assim, leiam-no..." — exortou os leitores da época Innokênti Ânnenski.[9]

Anton Pávlovitch Tchékhov (1860-1904) nasceu em Taganrog,[10] onde seu pai tinha uma pequena mercearia. Desde a escola primária, revelou um interesse especial por literatura e teatro. Estudou Medicina na Universidade de Moscou; formado em 1884,

---

[9] Innokênti Fiódorovitch Ânnenski (1855-1909): poeta simbolista, dramaturgo, pedagogo e tradutor russo.
[10] Cidade russa localizada no litoral do Mar de Azov.

atendeu em hospitais provincianos e, mais ainda, por conta própria. Publicou, ao longo da década de 1880, inúmeros contos e folhetins humorísticos que lhe trouxeram muita popularidade, criando também várias obras de temática social e procedendo, como nenhum contemporâneo seu, à análise naturalista da psicologia humana. Ao viajar, em 1890, pela Sibéria, região de presídios e trabalhos forçados, escreveu *A Ilha de Sakhalin*, uma chocante reportagem sobre o sistema penitenciário russo. De volta para Moscou, colaborou com o Teatro de Arte em que foram encenadas suas magníficas peças *A Gaivota* (1896), *O Tio Vânia* (1896), *As Três Irmãs* (1900) e *O Jardim das Ginjeiras* (1903); casou-se com a atriz desse teatro Olga Knipper. Devido ao recrudescimento da tuberculose, de que sofria por longos anos, mudou-se para a Crimeia, construindo uma casa em Yalta.[11] Morreu durante um tratamento que fazia na Alemanha e foi enterrado em Moscou. Profundamente tocantes e convincentes na descrição dos pesares e regozijos do homem, de suas lutas e dúvidas, esperanças e decepções, os contos e dramas de Tchêkhov ocupam um lugar de honra entre os tesouros da literatura russa e são lidos em quase cem línguas do mundo.

---

[11] Famoso balneário situado no litoral do Mar Negro.

© *Copyright* desta tradução: Editora Martin Claret Ltda., 2019.

Direção
MARTIN CLARET

Produção editorial
CAROLINA MARANI LIMA / MAYARA ZUCHELI

Direção de arte e capa
JOSÉ DUARTE T. DE CASTRO

Diagramação
GIOVANA QUADROTTI

Revisão
ALEXANDER B. A. SIQUEIRA
WALDIR MORAES

Impressão e acabamento
GEOGRÁFICA EDITORA

A ortografia deste livro segue o novo Acordo Ortográfico da Língua Portuguesa.

Dados Internacionais de Catalogação na Publicação (CIP)
(Câmara Brasileira do Livro, SP, Brasil)

Contos góticos russos / Nikolai Gógol... [et al.];
tradução Oleg Almeida. – 1. ed. – São Paulo: Martin Claret, 2020.

Título original: Бобок, Чёрный монах. Outros autores: Alexei Tolstói, Ivan Turguênev, Fiódor Dostoiévski, Anton Tchêkhov
ISBN: 978-65-86014-36-5.

1. Contos russos 2. Literatura russa I. Gógol, Nikolai, 1809-1852. II. Tolstói, Alexei, 1883-1945. III. Turguênev, Ivan, 1818-1883. IV. Dostoiévski, Fiódor, 1821-1881. V. Tchêkhov, Anton, 1860-1904.

20-34526 CDD-891.73

Índices para catálogo sistemático:

1. Contos: Literatura russa: 891.73
Maria Alice Ferreira – Bibliotecária – CRB-8/7964

EDITORA MARTIN CLARET LTDA.
Rua Alegrete, 62 – Bairro Sumaré – CEP: 01254-010 – São Paulo – SP
Tel.: (11) 3672-8144 – www.martinclaret.com.br
7ª reimpressão – 2025

CONTINUE COM A GENTE!

- Editora Martin Claret
- editoramartinclaret
- @EdMartinClaret
- www.martinclaret.com.br